# A-Z INNER LONDON & DOC...

**C000137668**

## CONTENTS

## REFERENCE

| | | | |
|---|---|---|---|
| A Road | A40 | Car Park Selected | **P** |
| Proposed | | Cinema | |
| B Road | B502 | Fire Station | ■ |
| Dual Carriageway | | Information Centre | **ℹ** |
| One Way Street | →→ | National Grid Reference | $^5$29 |
| | | Police Station | ▲ |
| Restricted Access | | Post Office | ★ |
| Pedestrianized Road | | Theatre | |
| House Numbers A & B Roads only | 350 / 275 | Toilet | ▽ |
| Junction Name | MARBLE ARCH | Toilet with Facilities for the Disabled | |
| Railway Station | ■ | | |

**Buildings:**

Railway Station Entrance:
- National Rail Network ⮀
- Underground (Symbol is the registered trade mark of Transport for London)
- Docklands Light Railway **DLR**

- Educational Establishment
- Hospital or Hospice
- Industrial
- Leisure or Recreational Facility
- Office
- Place of Interest - Public Access
- Place of Interest - no Public Access
- Place of Worship
- Public Building
- Residential
- Shopping Centre or Market
- Other Selected Building

Borough Boundary

Postal Boundary

Map Continuation **14**

## SCALE

**1:7,040**

| 0 | 50 | 100 | 200 | 300 Yards | ¼ Mile |
|---|---|---|---|---|---|
| 0 | 50 | 100 | 200 | 300 | 400 Metres |

9 inches to 1 mile
14.2 cm to 1km

### Copyright of Geographers' A-Z Map Company Limited

Head Office : Fairfield Road, Borough Green, Sevenoaks, Kent TN15 8PP   Tel: 01732 781000
Showrooms : 44 Gray's Inn Road, London WC1X 8HX   Tel: 020 7440 9500
www.a-zmaps.co.uk

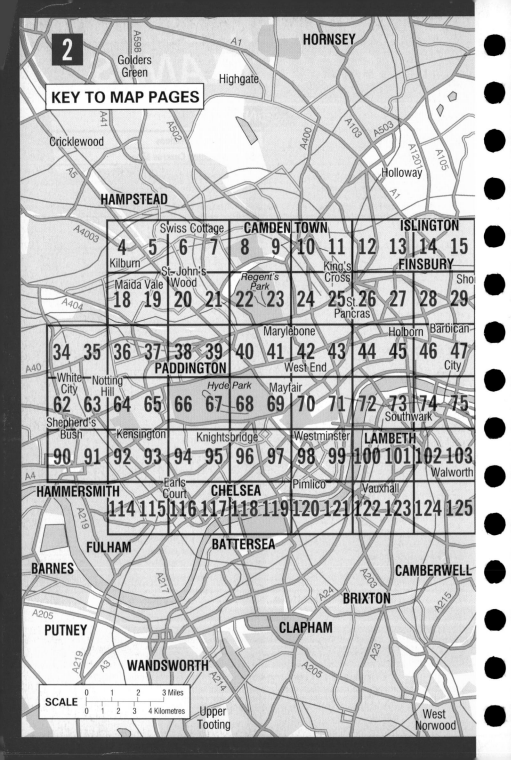

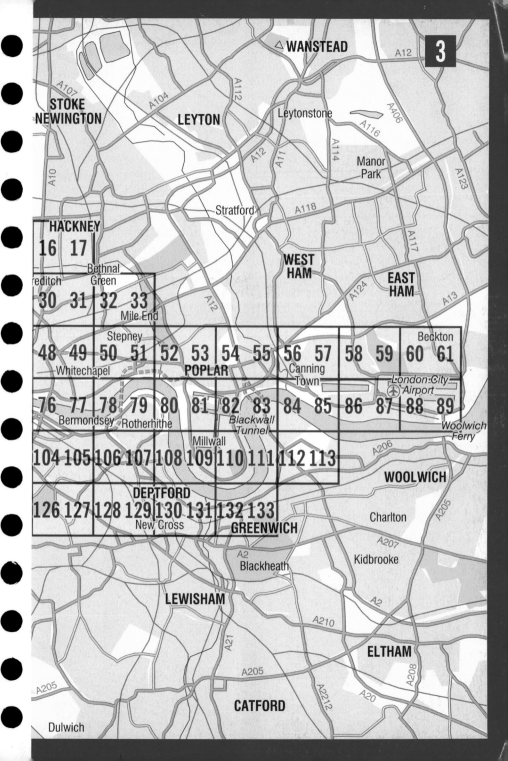

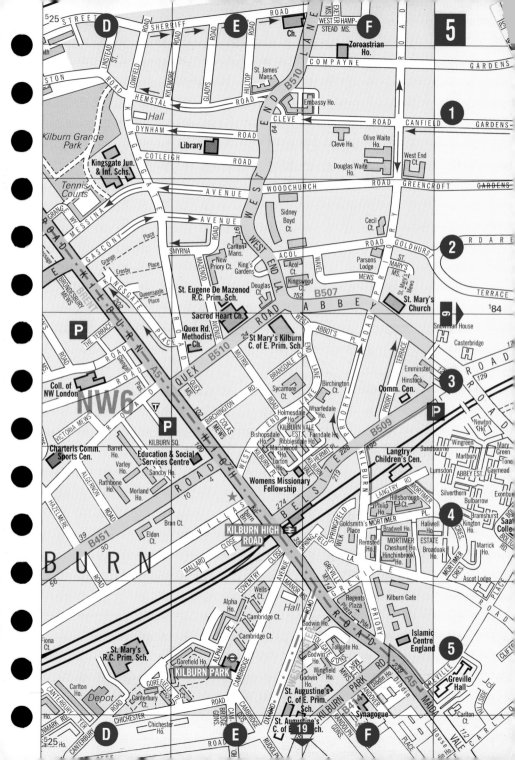

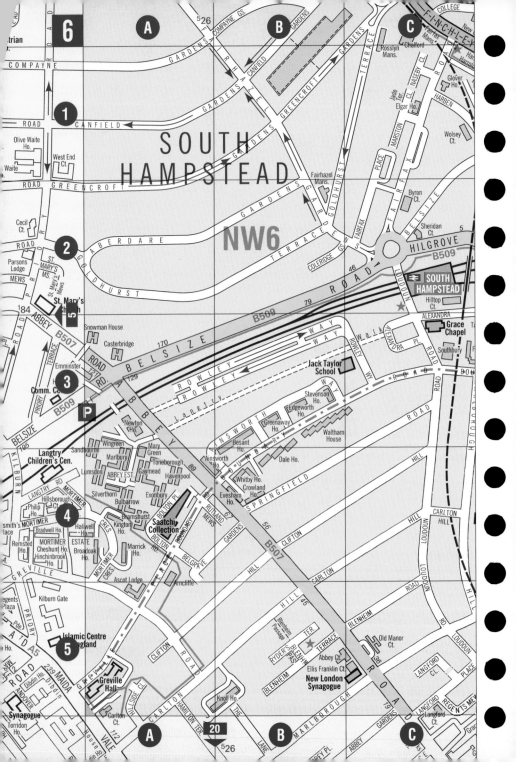

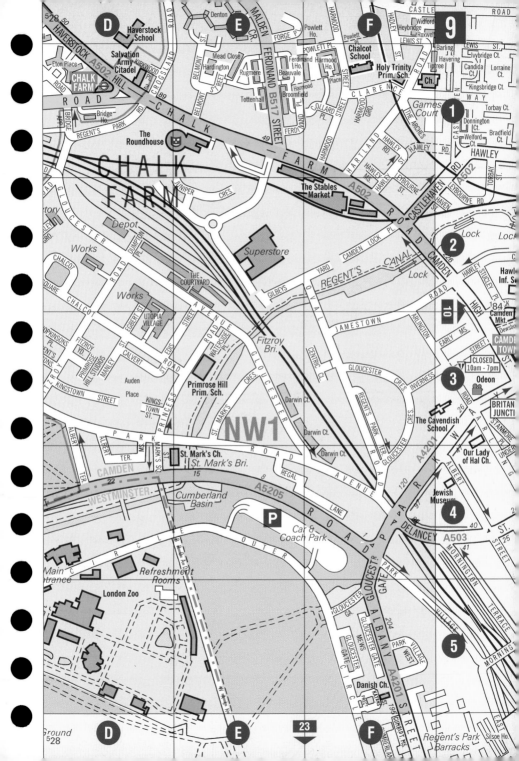

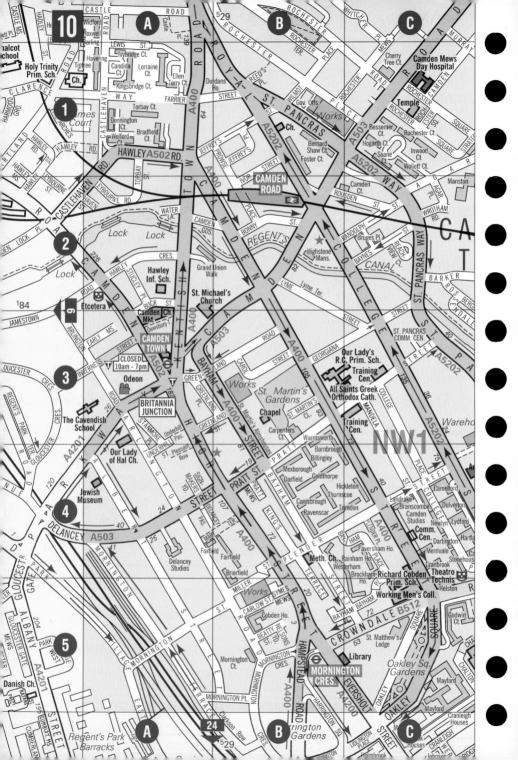

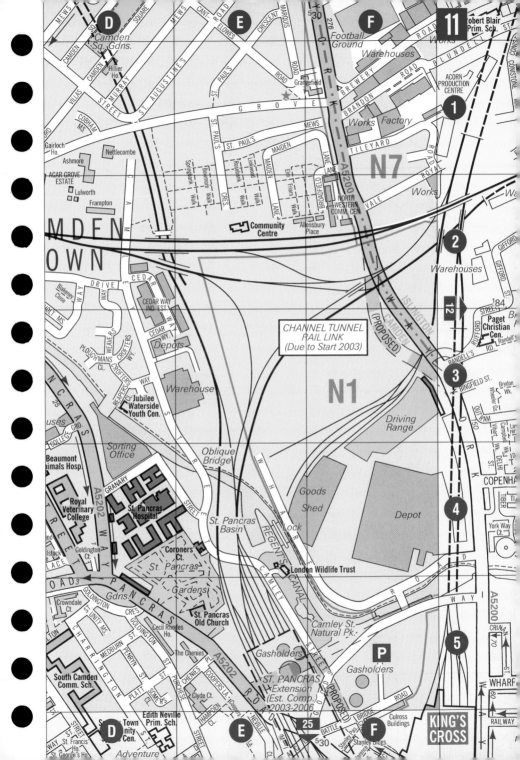

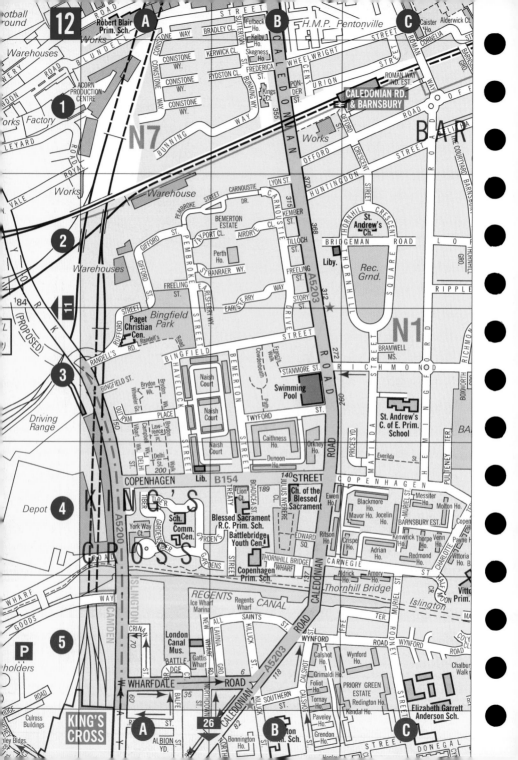

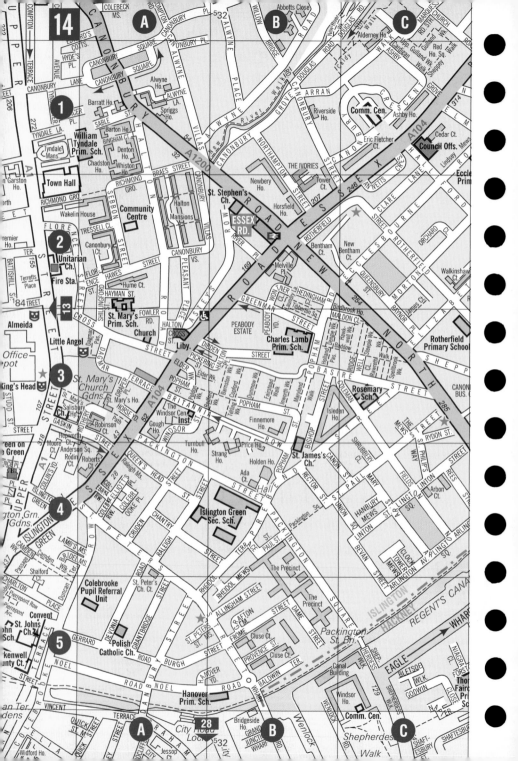

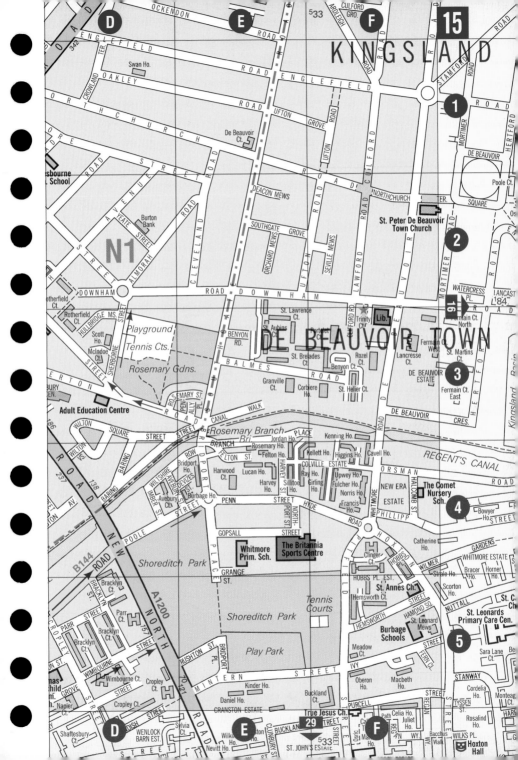

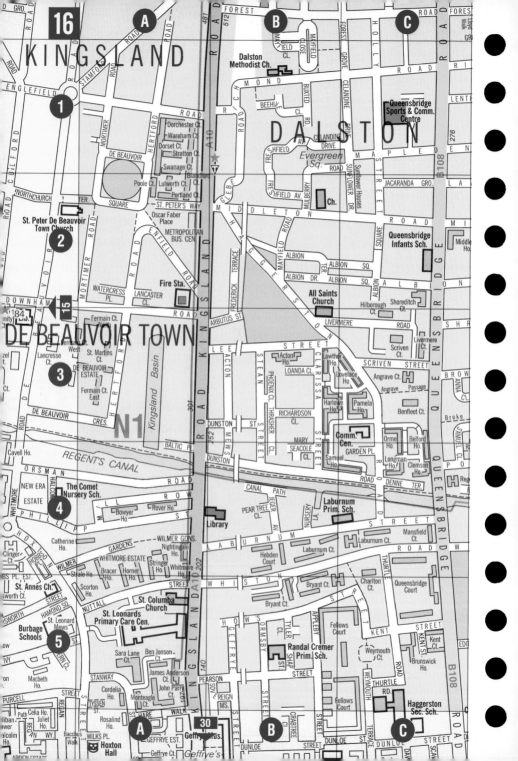

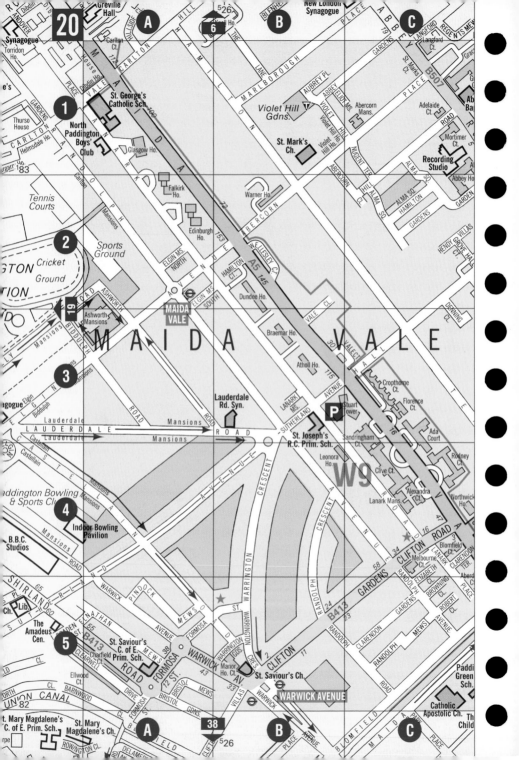

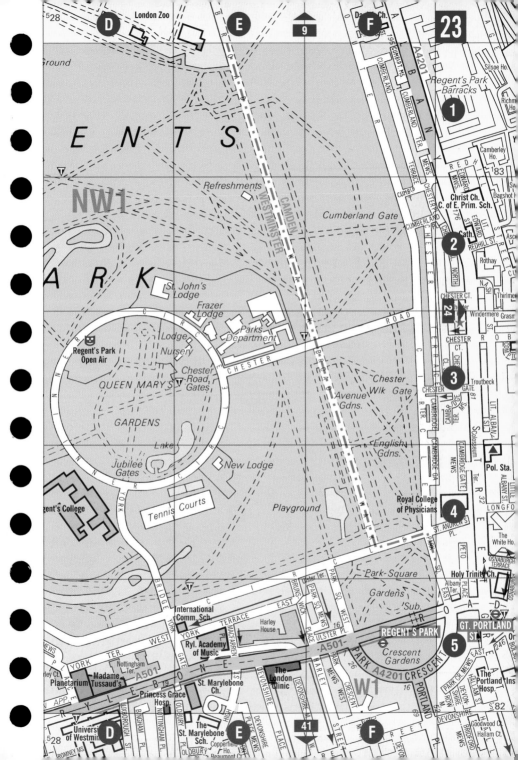

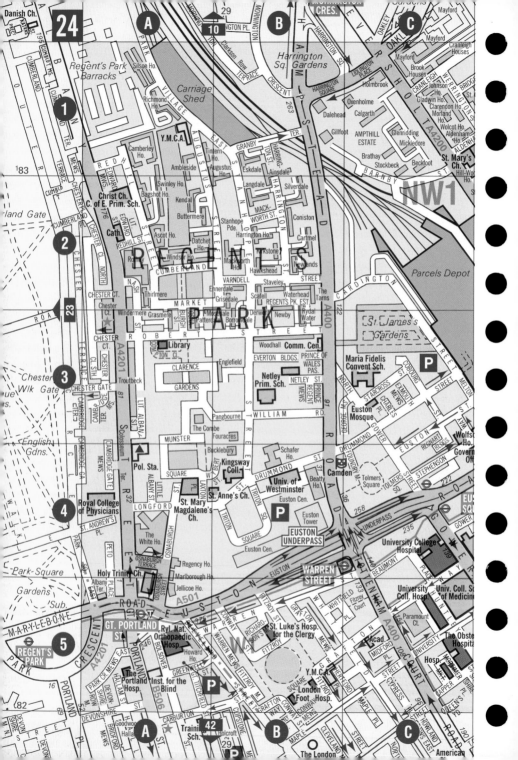

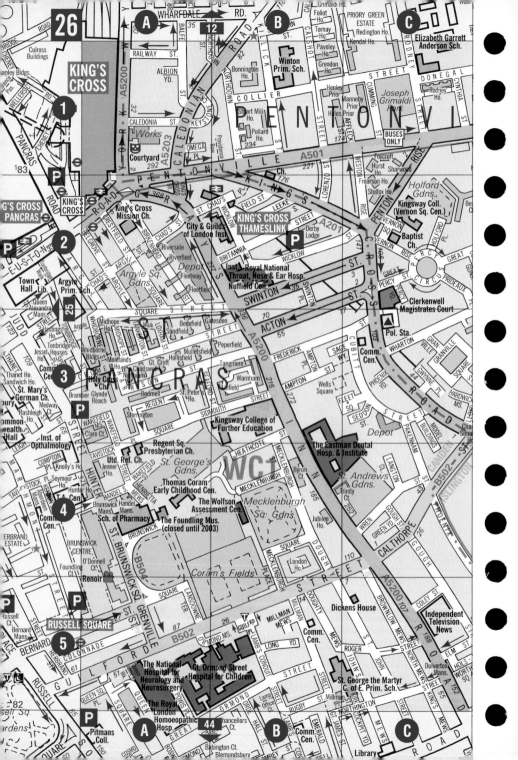

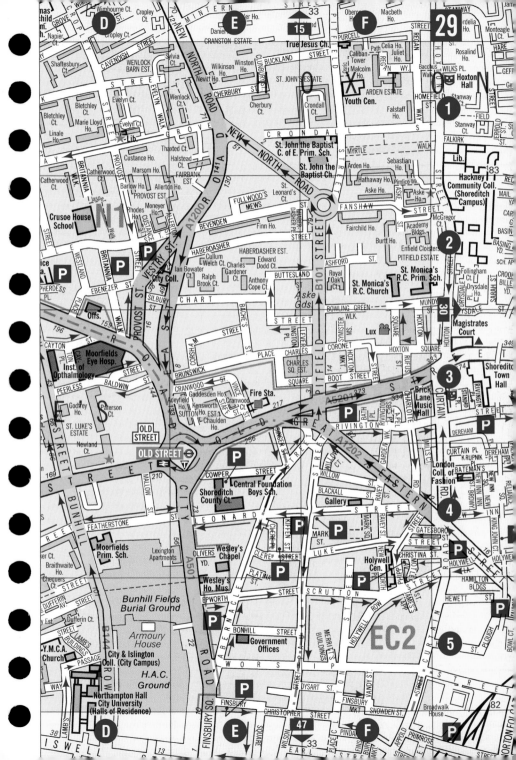

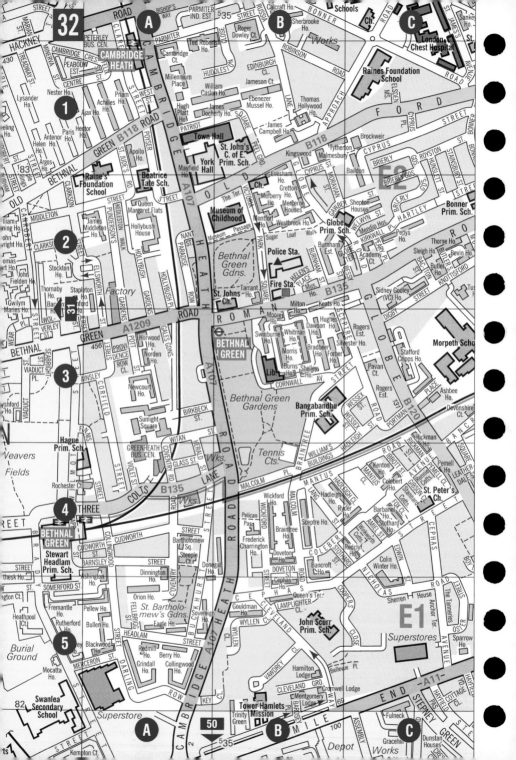

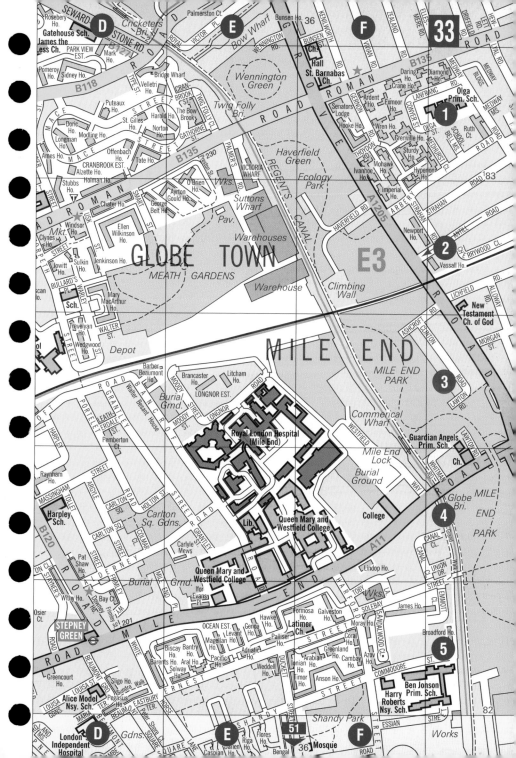

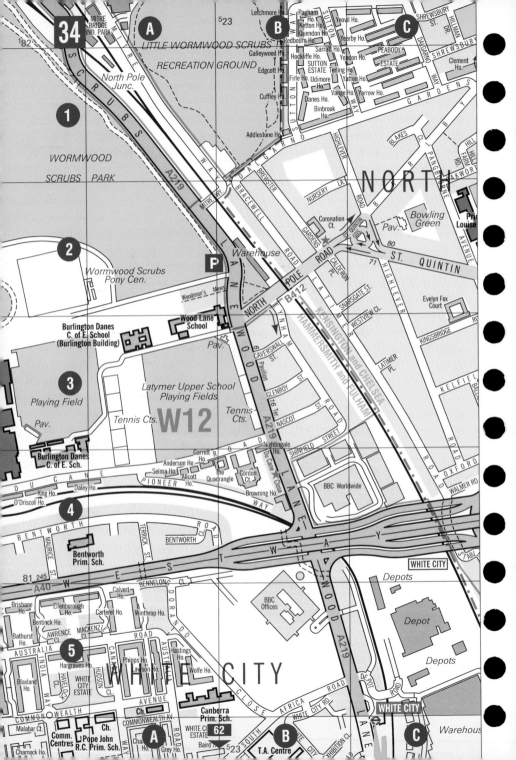

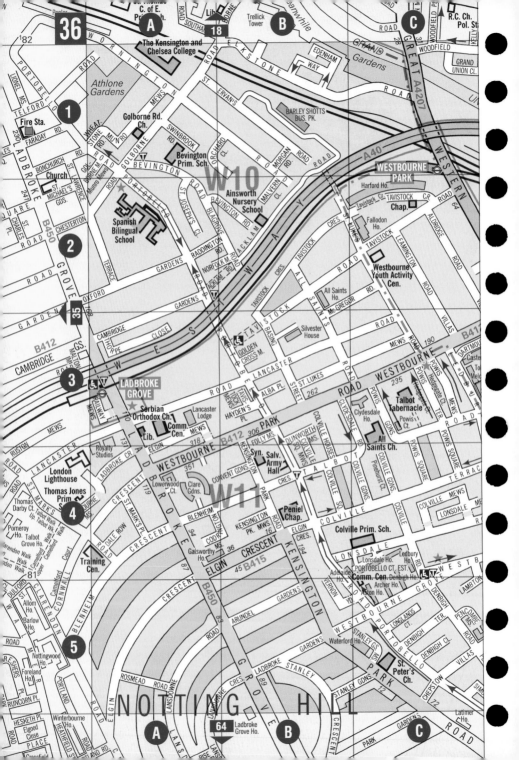

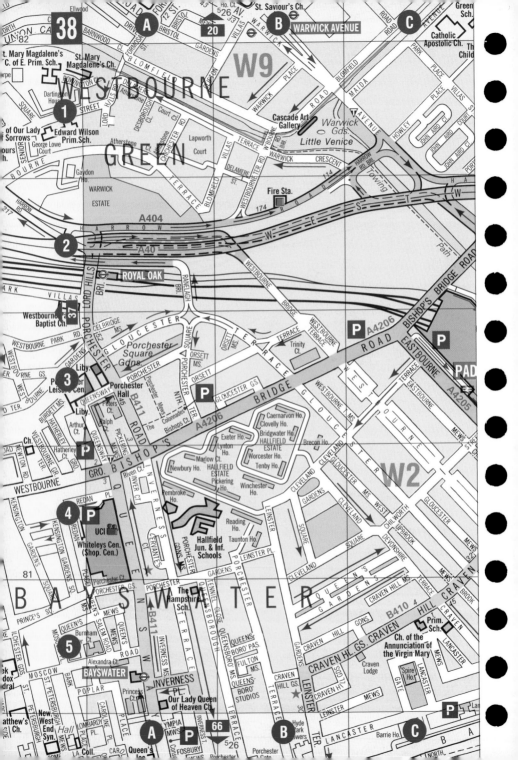

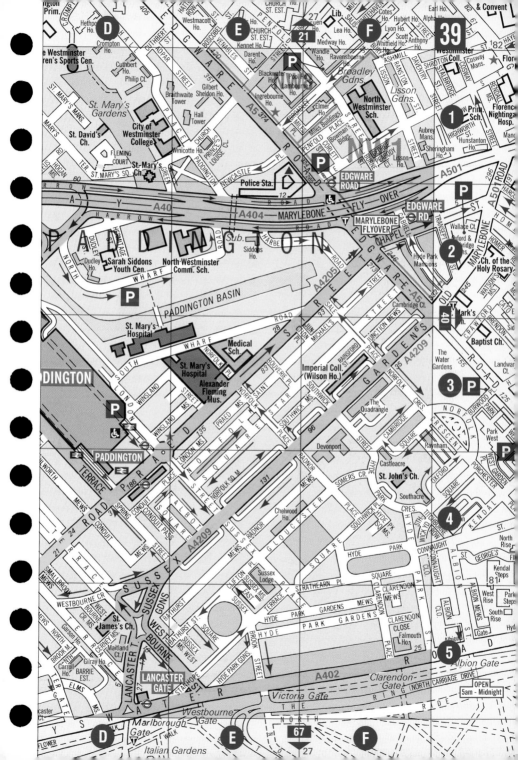

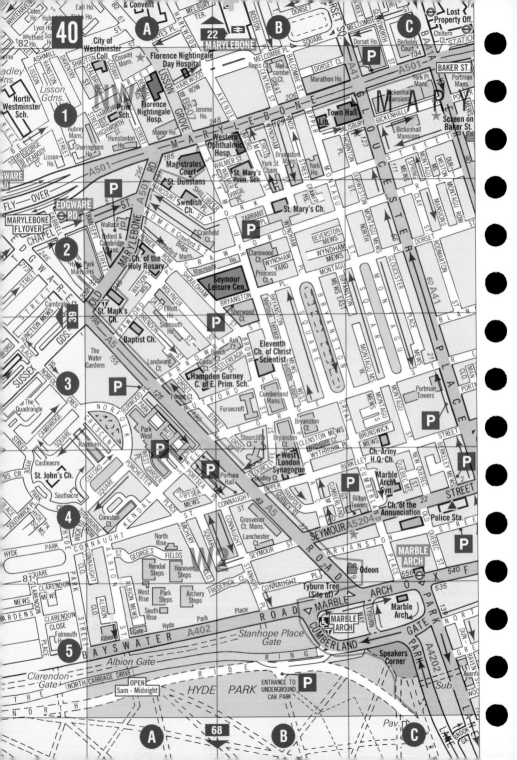

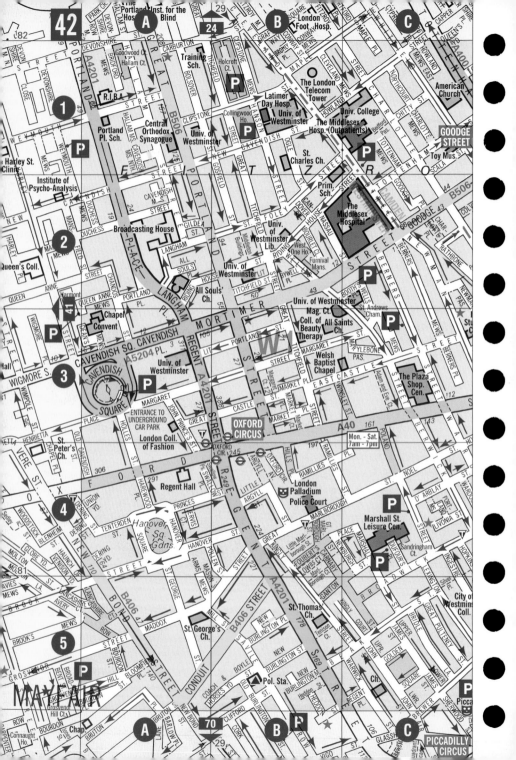

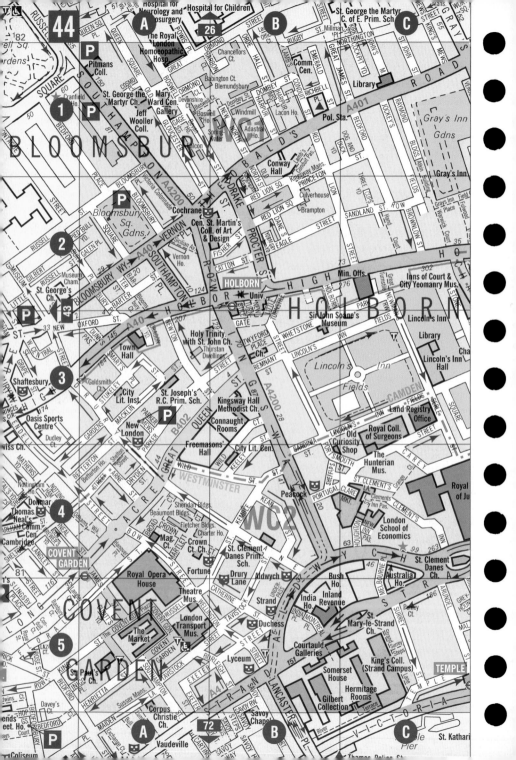

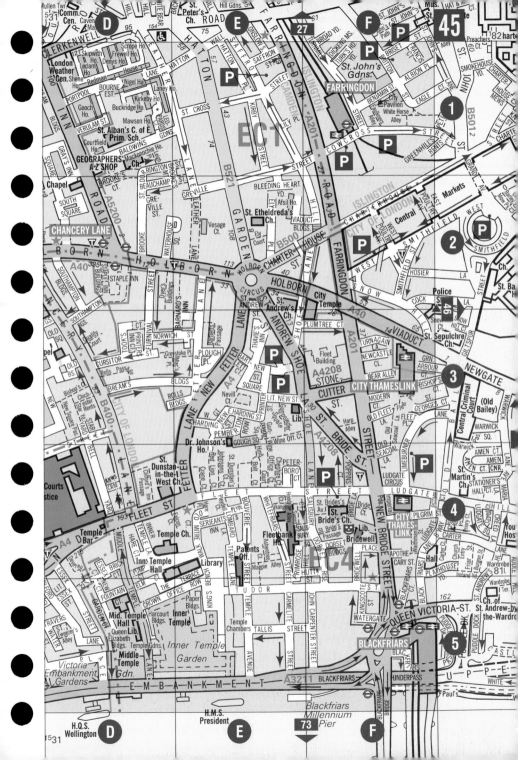

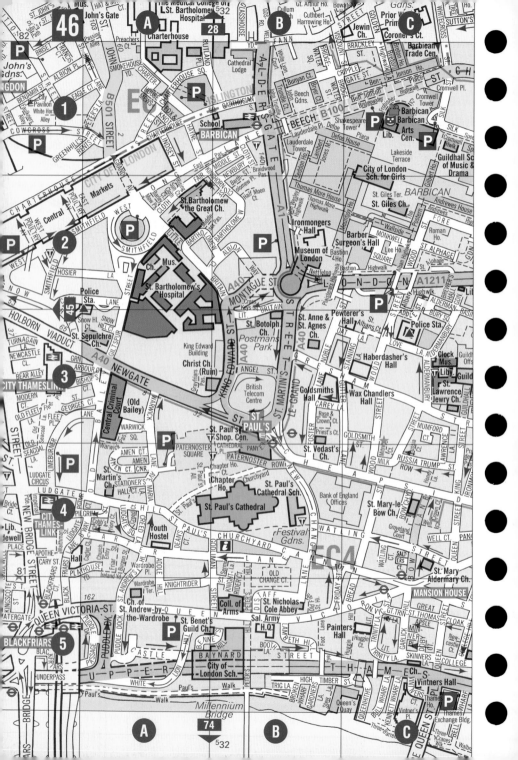

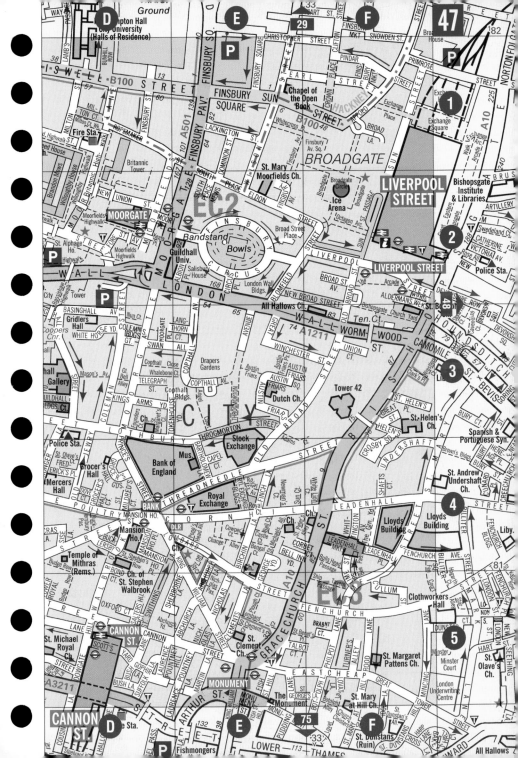

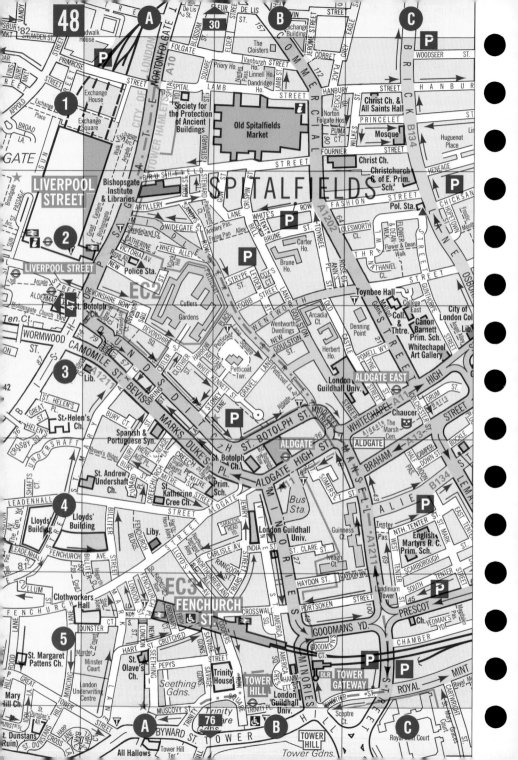

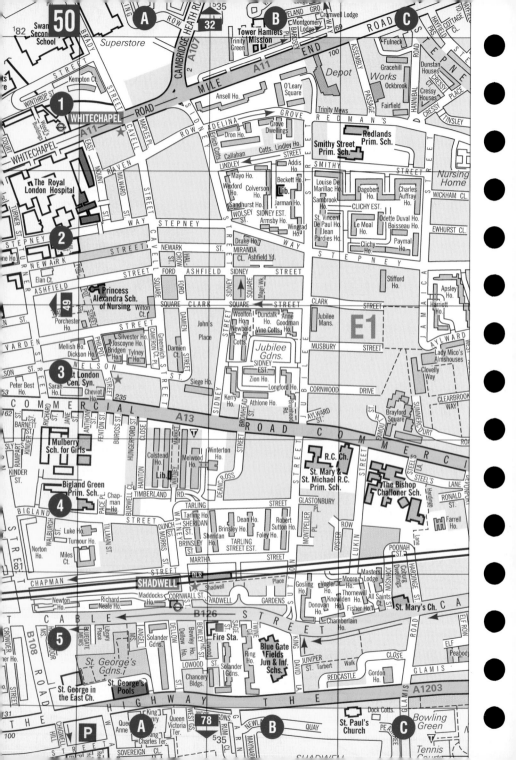

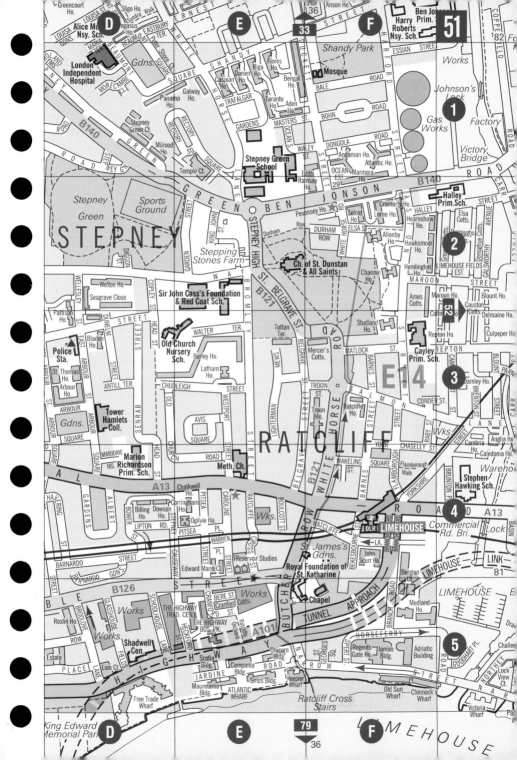

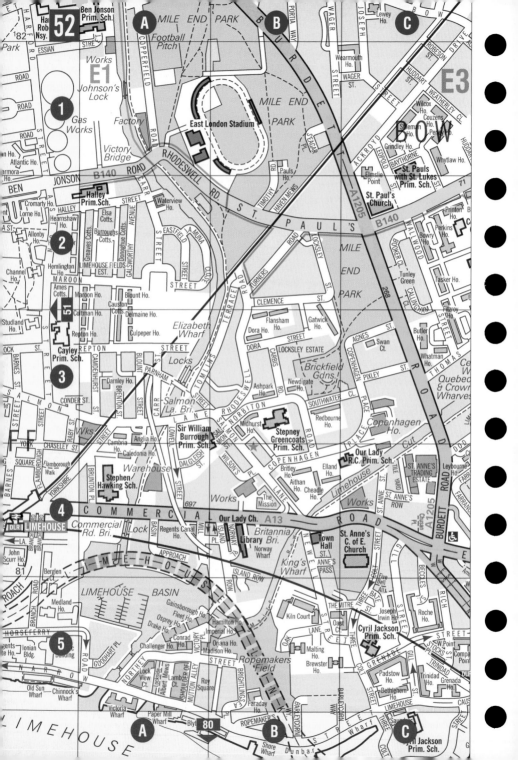

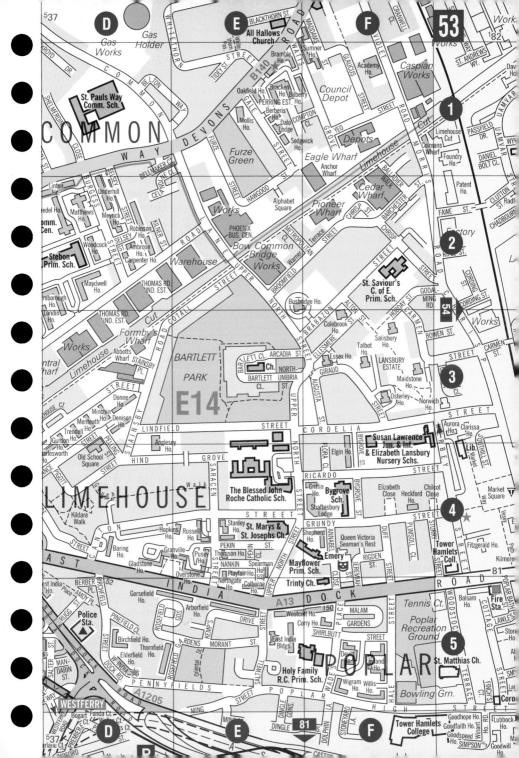

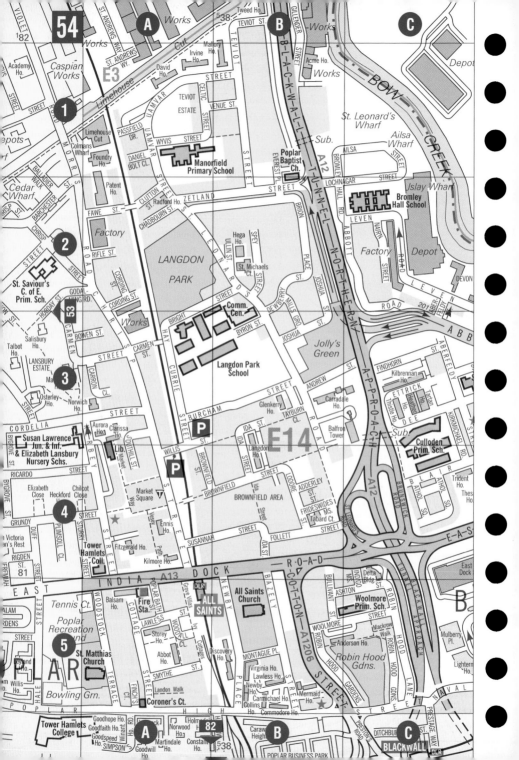

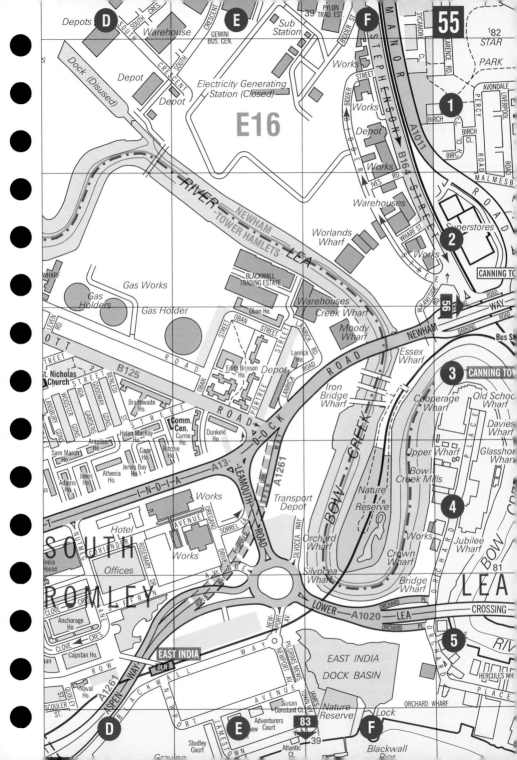

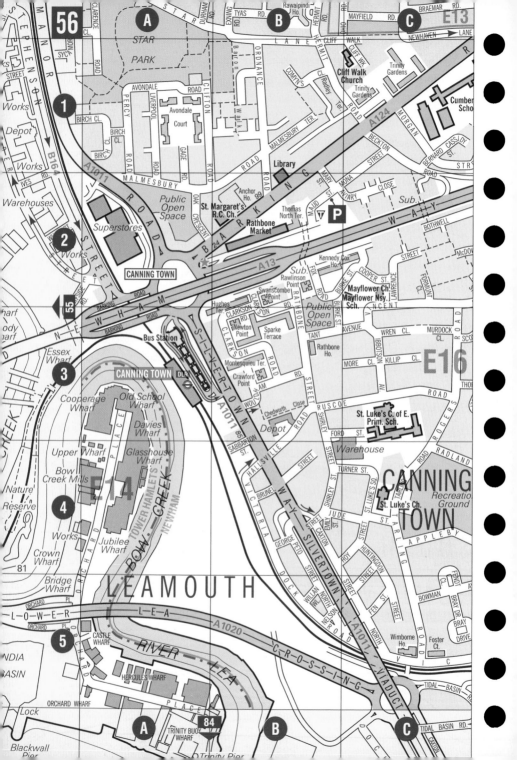

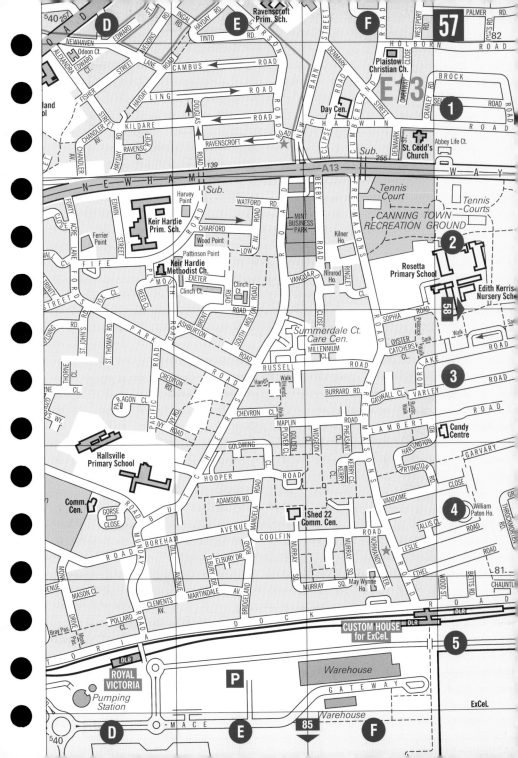

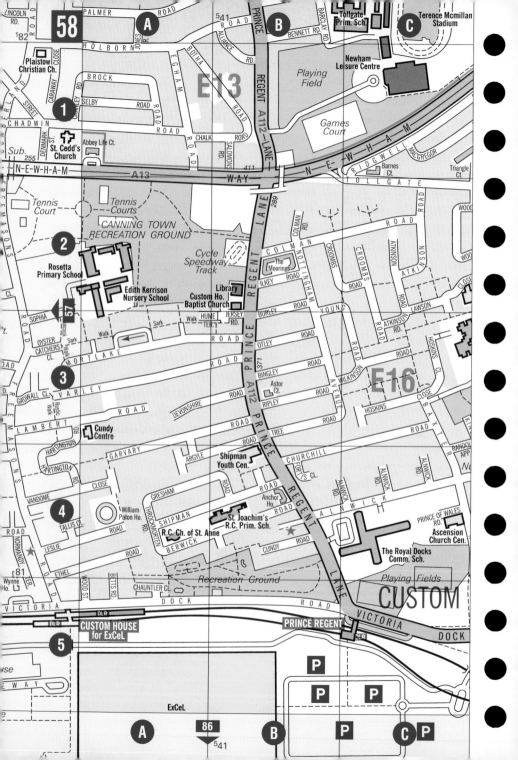

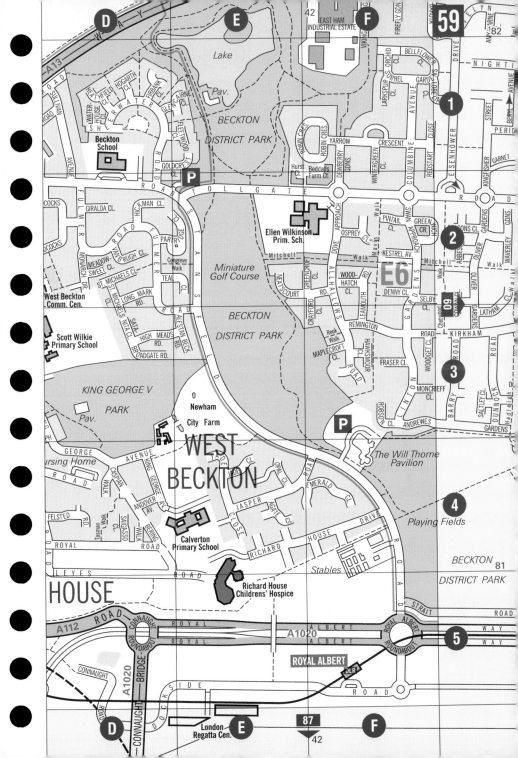

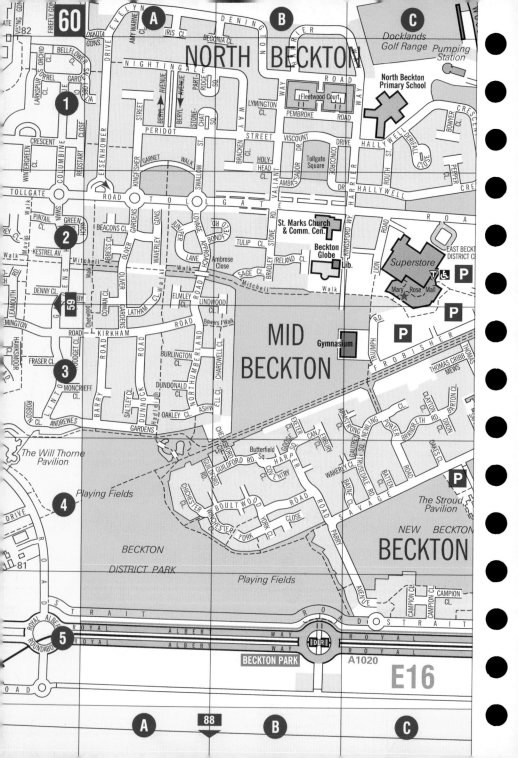

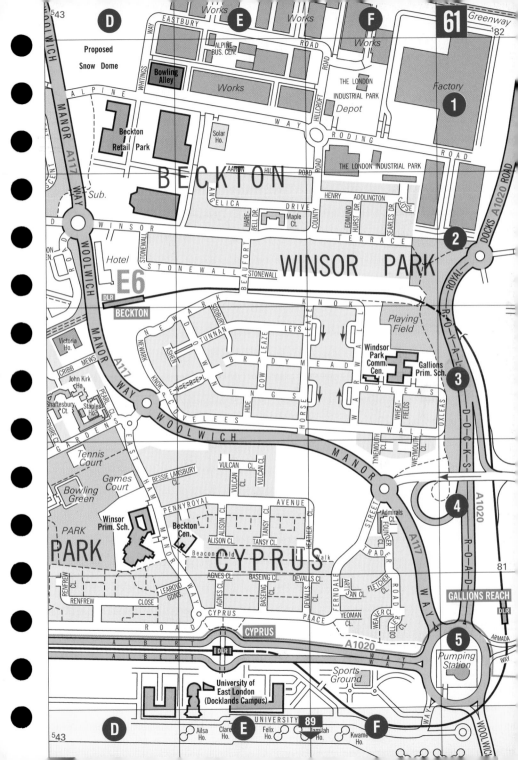

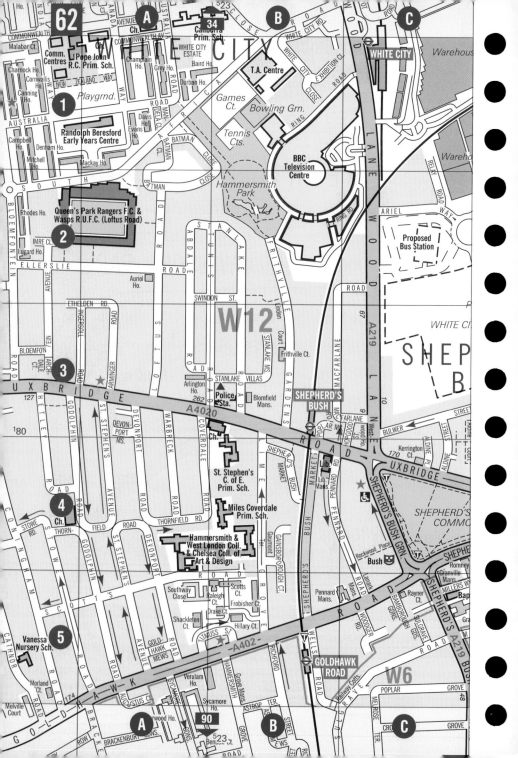

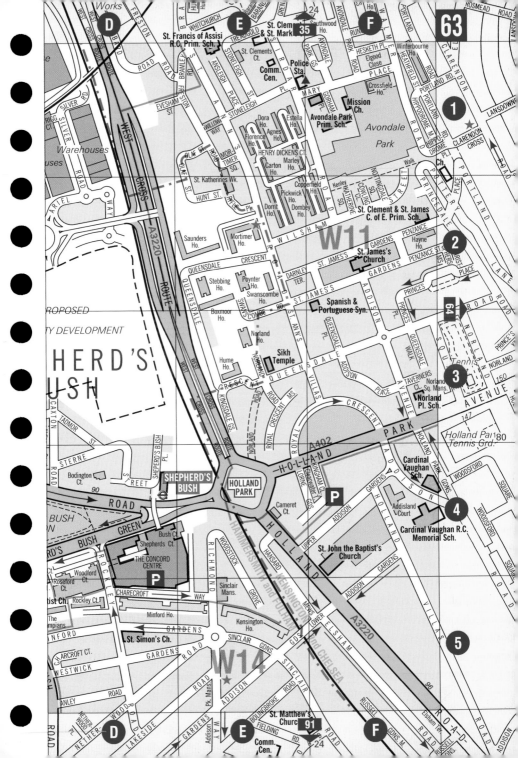

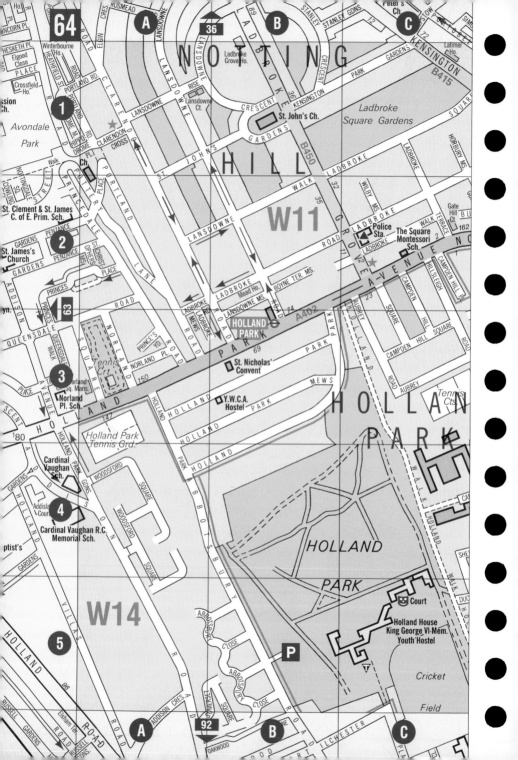

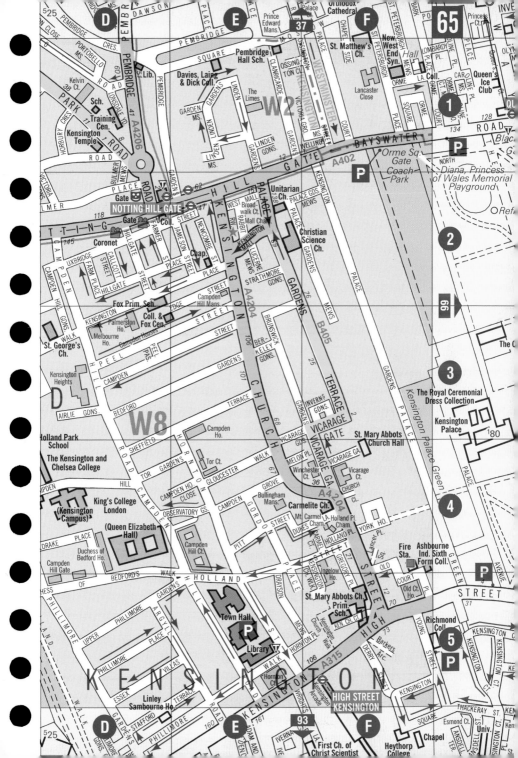

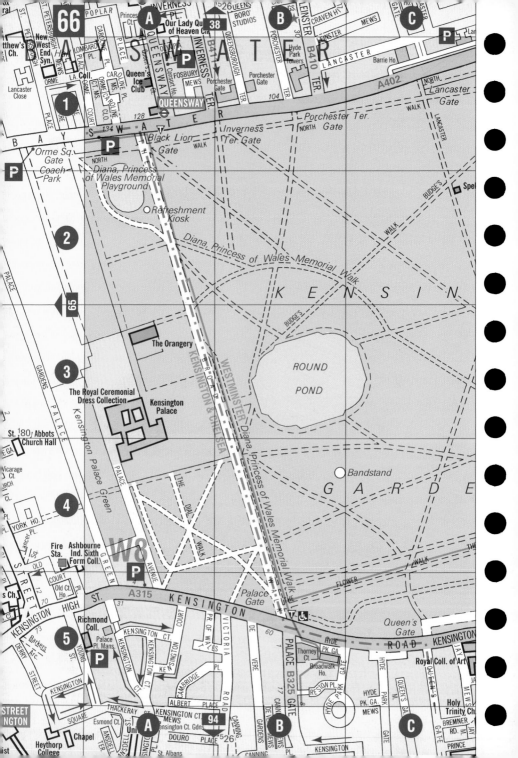

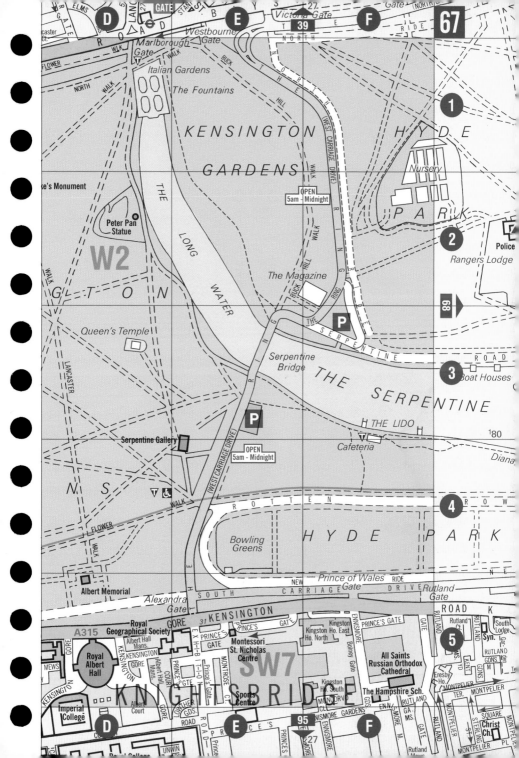

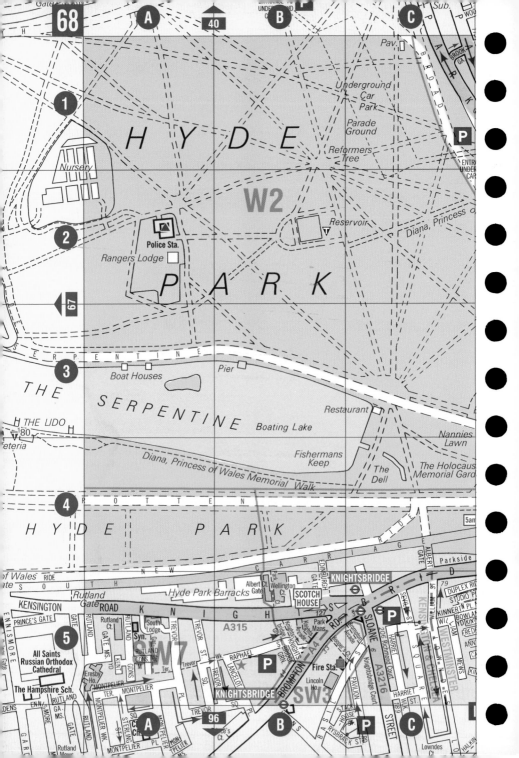

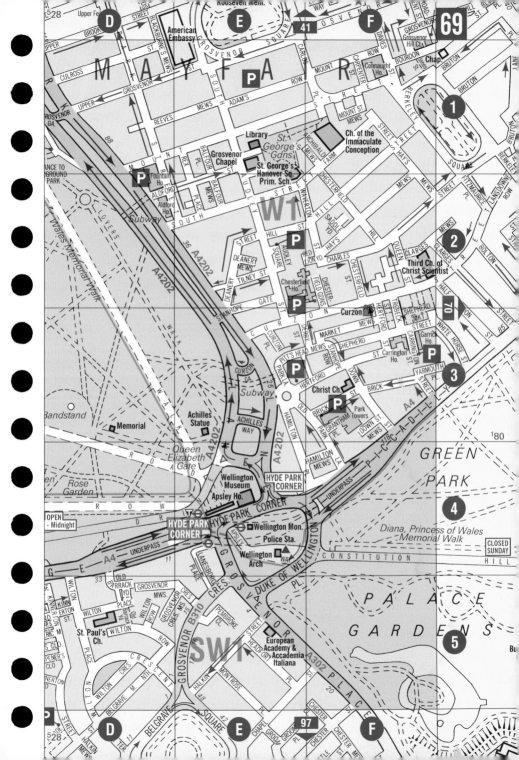

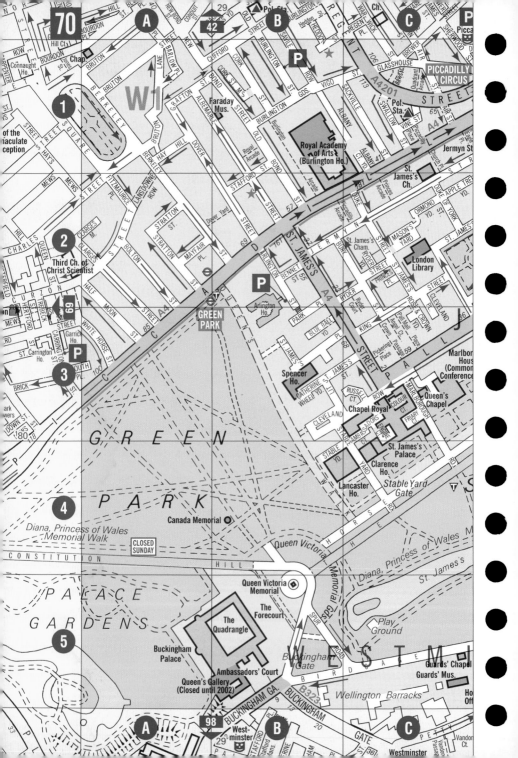

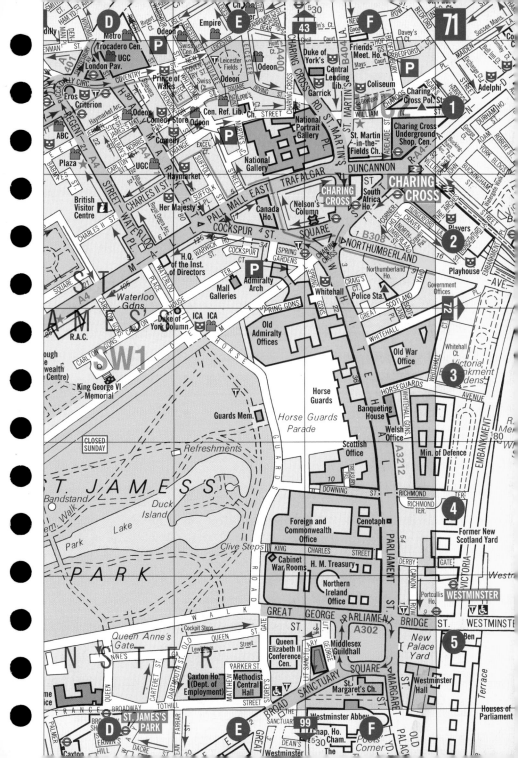

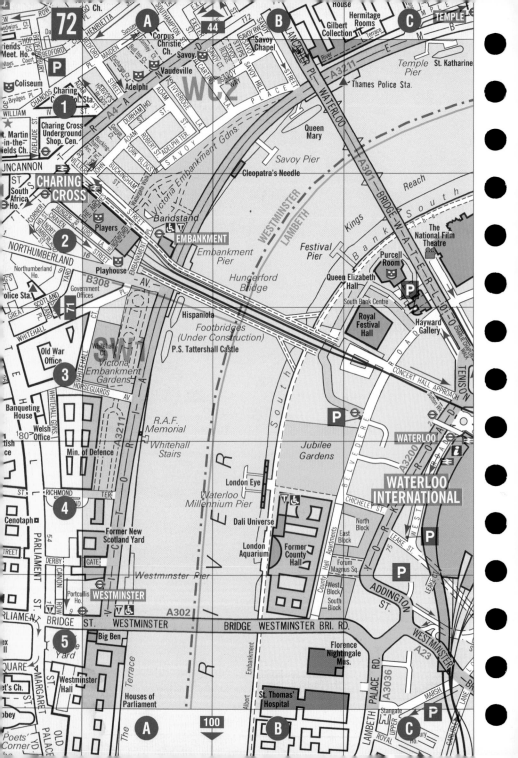

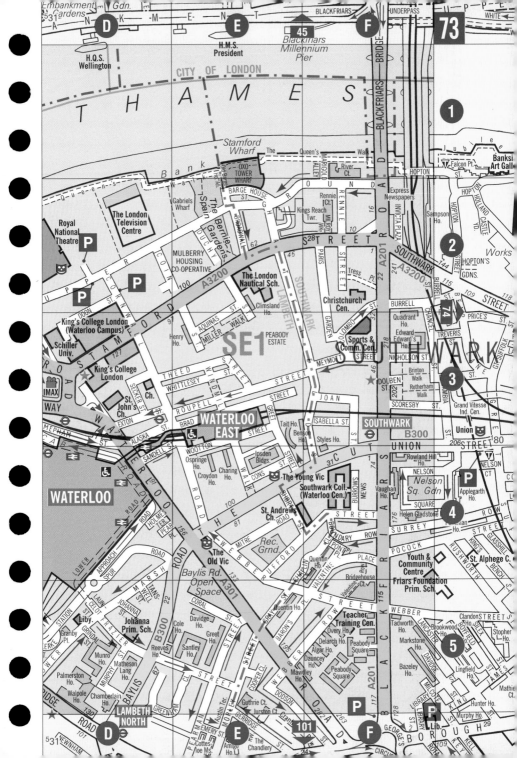

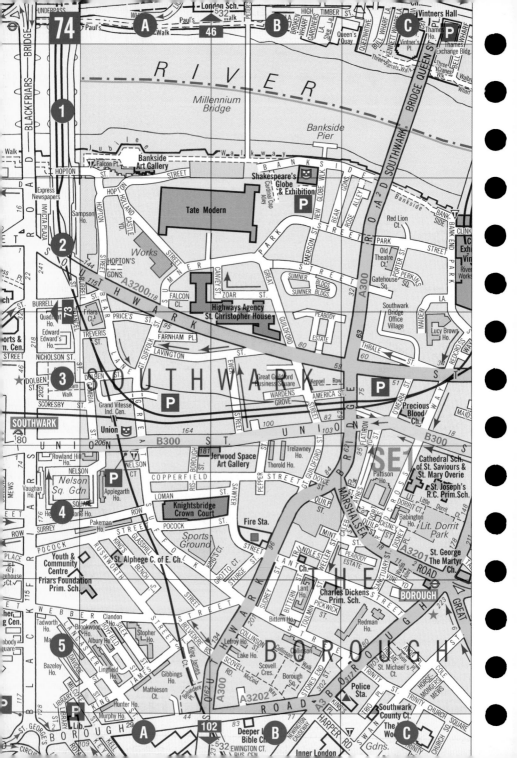

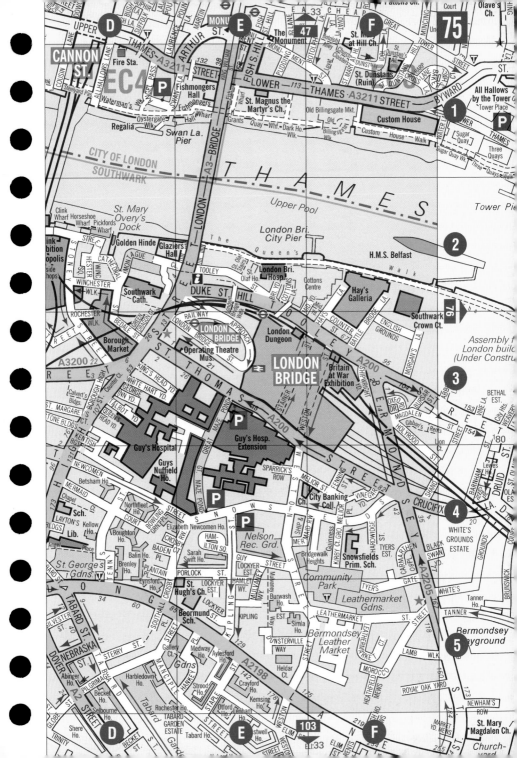

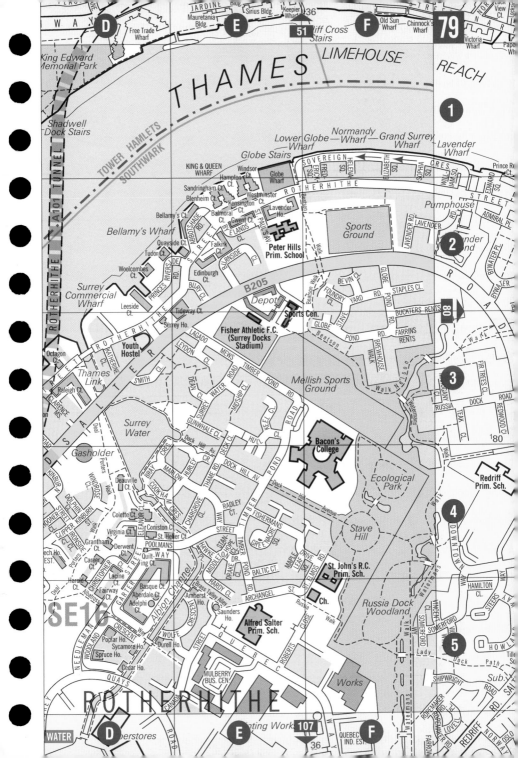

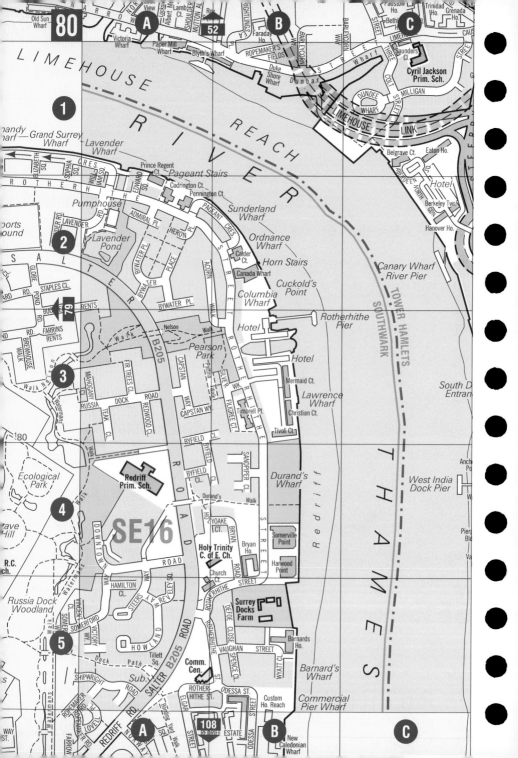

**A** **B** **C**

Old Sun Wharf
Victoria Wharf
Paper Mill Wharf
Blyth's Wharf

View
Albert
Lambe

Roll
**52**
Faraday's

Rope
RIGHTLING

Ropemaker's Fields
Duke Shore Wharf
Dunbar

Barleycorn
Street
Three
Wharf

Fawstow Ho.
Bethl
Trinidad Ho.
Grenada Ho.

Limeh
Saunders Ct.

Cyril Jackson Prim. Sch.

**1**

LIMEHOUSE REACH RIVER

Dundee Wharf
LIMEHOUSE LINK

Milligan
Colt
Street

North
Aberdeen

Belgrave Ct.
Eaton Ho.

Hotel
Berkeley Twr.
Hanover Ho.

andy harf
Grand Surrey Wharf
Lavender Wharf

Elizabeth Sq.
Rotherhi
Cres.
Whips
Edward Sq.
The

Prince Regent Ct.
Pageant Stairs
Codrington Ct.
Pennington Ct.

Sunderland Wharf

Canary Wharf River Pier

ports ound

Pumphouse
Lavender Rd.
Lavender

Admiral Pl.
Heron Pl.
Bywater Pl.
Pageant Cres.

Ordnance Wharf
Calder Ct.
Horn Stairs
Canada Wharf

Cuckold's Point

TOWER HAMLETS
SOUTHWARK

**2**
Lavender Pond

S A L T

rd.
GLOBE
POND
STAPLES CL.

Bywater Pl.

Columbia Wharf

Rotherhithe Pier

ard
RD.
POND
BUC
**79**
RENTS

Nelson
Walk

Hotel

D
RD.
FARRINS RENTS
BRENHOUSE WALK

B205
Pearson Park

Capstan
Silver Walk

Rotherhithe

Hotel
Mermaid Ct.

South D Entran

**3**

Walk Nelson

MAHOGANY CL.
FIR TREES CL.
RUSSIA DOCK ROAD
TEAK CL.
REDWOOD CL.
CAPSTAN WY.

Walk
Filgree Ct.
Timbrell Pl.
Christian Ct.
Tivoli Ct.

Lawrence Wharf

T H A M E S

**180**

Ecological Park

Walk
DOWNTOWN

Redriff Prim. Sch.
Durand's

Byfield Cl.
Byfield Cl.
Sandpiper Cl.

Durand's Wharf

Redriff

West India Dock Pier

Anch Po

**4**

ave ill
R.C. ch.

SE16

Walk Watermans
Hamilton Cl.
Steers
Reveley Sq.
Holyoake Ct.
Walk
Bryan Ho.
Somerville Point
Harwood Point

Pier Blo
Va

Russia Dock Woodland

**5**

Walk Watermans
VINCENT CL.
SOMER CL.
SOMERFORD CL.
VICTORY WY.
HOWLAND
Tillett Sq.
Sub.
SHIPWRIGHT

Holy Trinity C. of E. Ch.
Church Ct.
Rotherhithe Street
Defoe Close
Vaughan Street
Spence Cl.
Wyatt Cl.

Surrey Docks Farm

Barnards Ho.

Barnard's Wharf

Comm. Cen.
Rotherhithe St.
Elgar
Odessa St.

**A**
**108**
REDRIFF
ESTATE

Custom Ho. Reach

**B**
New Caledonian Wharf

Commercial Pier Wharf

**C**

ROPEMAKER
LOVELL
FARROW
REDRIFF RD.
RU
Spelling Yard Walk
SALTER ROAD
B205 ROAD

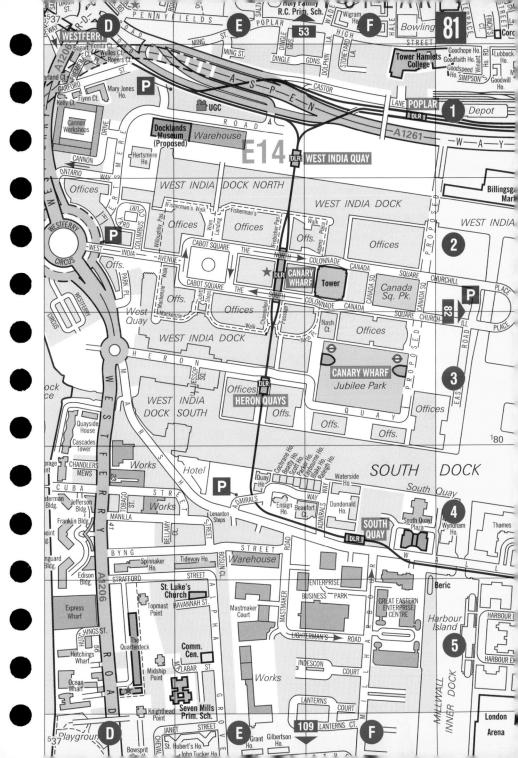

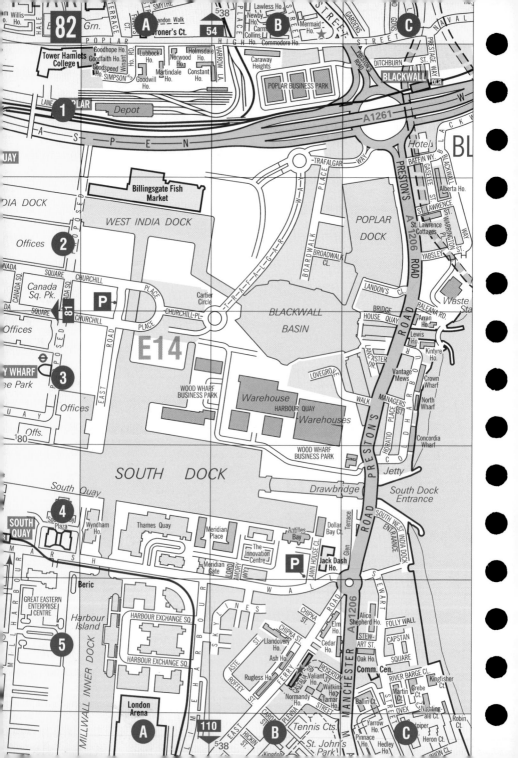

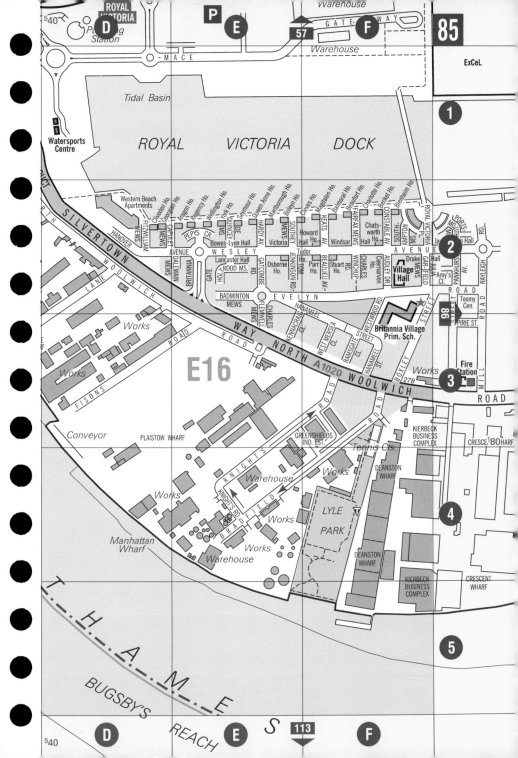

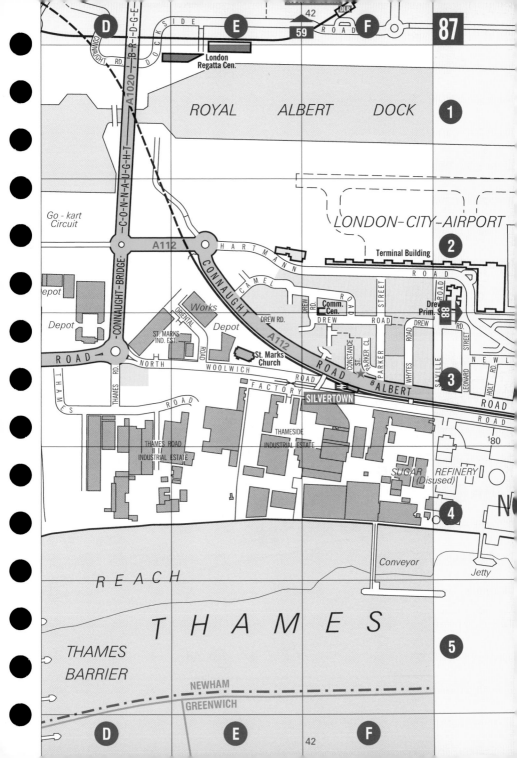

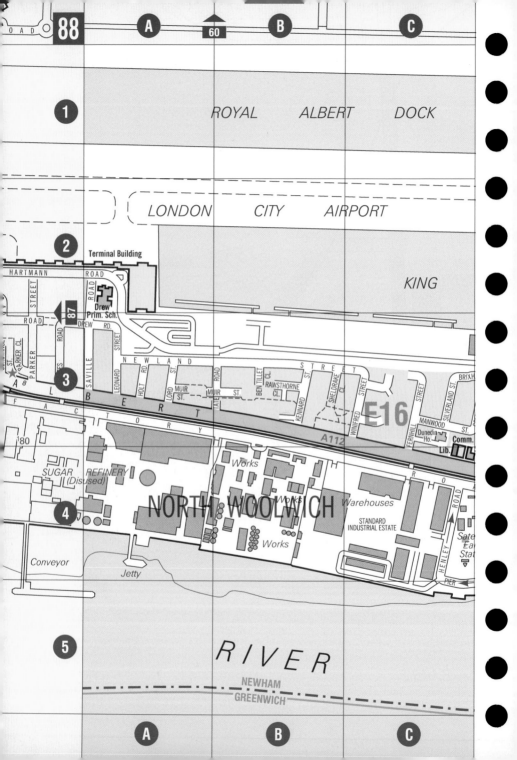

A    60    B    C

OAD

**1**    ROYAL    ALBERT    DOCK

LONDON    CITY    AIRPORT

**2** Terminal Building

HARTMANN   ROAD

KING

ROAD

87   DREW RD.   Drew Prim. Sch.

STREET

PARKER CL.

ROAD

ES

SAVILLE

LEONARD STREET

N E W L A N D    S T R E E T

**3**

HOLT RD.

LORD ST.

MUIR ST.

MUIR ST.

TATE RD.

BEN TILLET CL.

RAWSTHORNE CL.

KENNARD ST.

SHELDRAKE CL.

WINIFRED STREET

FERNHILL STREET

SILVERLAND ST.

BRIXH

**E16**

ST.

MANWOOD

Dunedin Ho.

Comm.

Lib.

A B

L B E R T   F A C T O R Y

A112

F A C

180

SUGAR REFINERY (Disused)

Works

Works

NORTH WOOLWICH

Warehouses

STANDARD INDUSTRIAL ESTATE

HENLEY ROAD

Sate Ea Stat

R O

**4**

Conveyor

Jetty

Works

PIER

**5** R I V E R

NEWHAM
GREENWICH

A    B    C

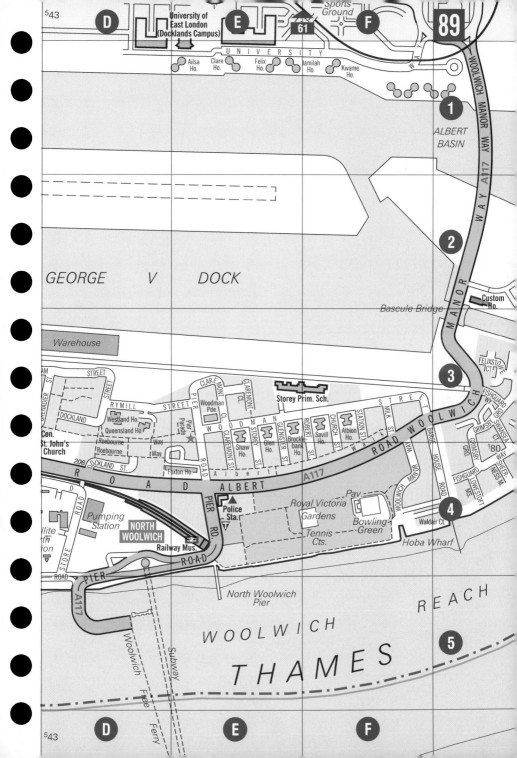

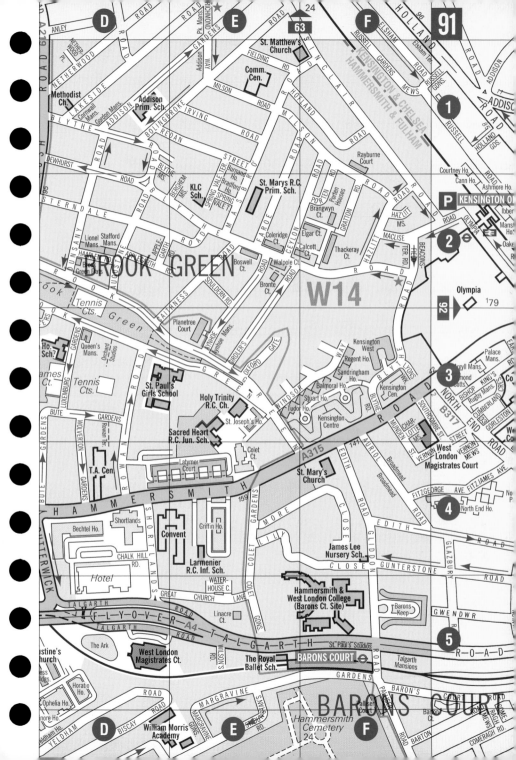

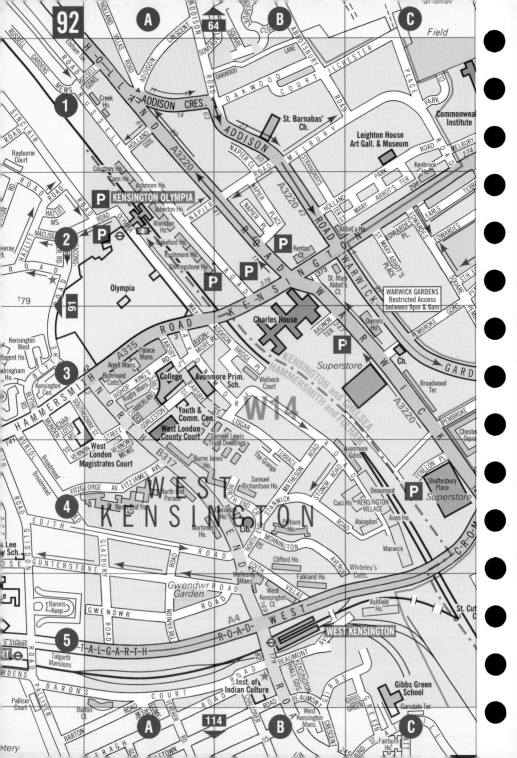

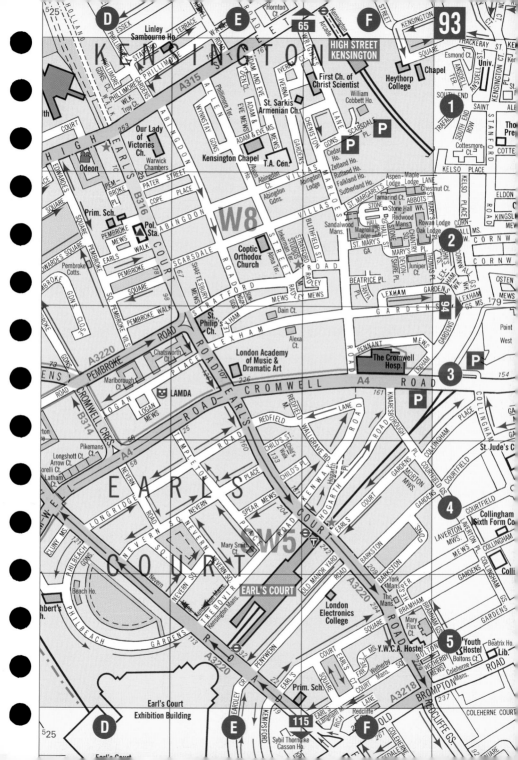

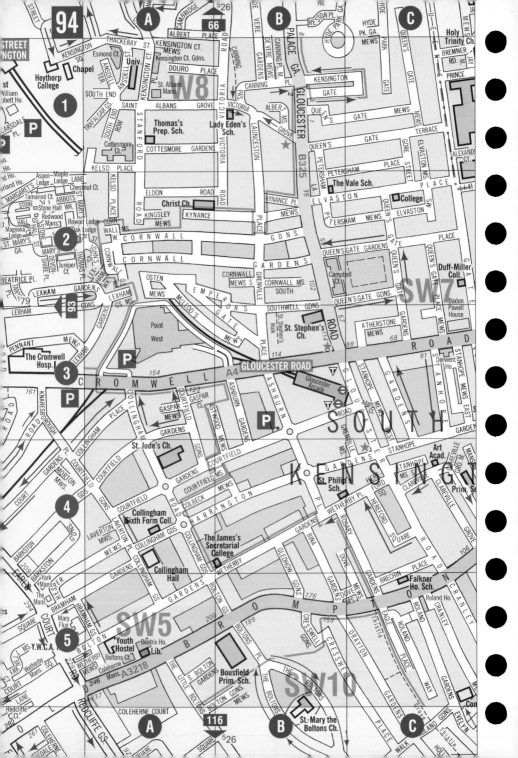

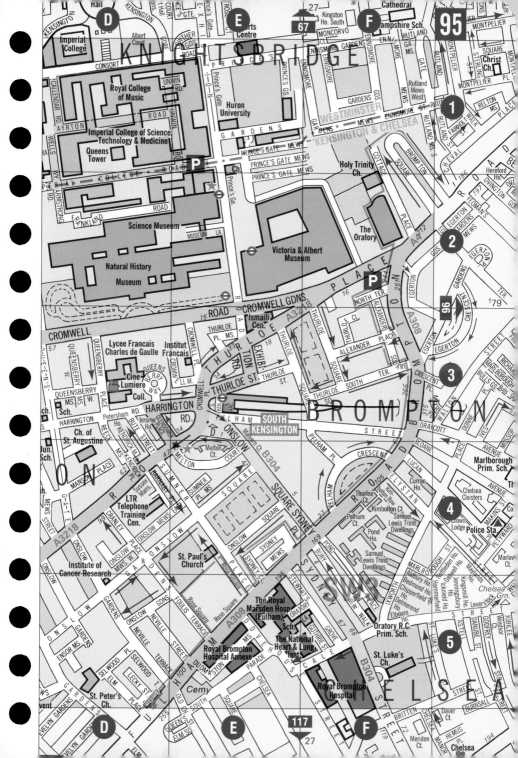

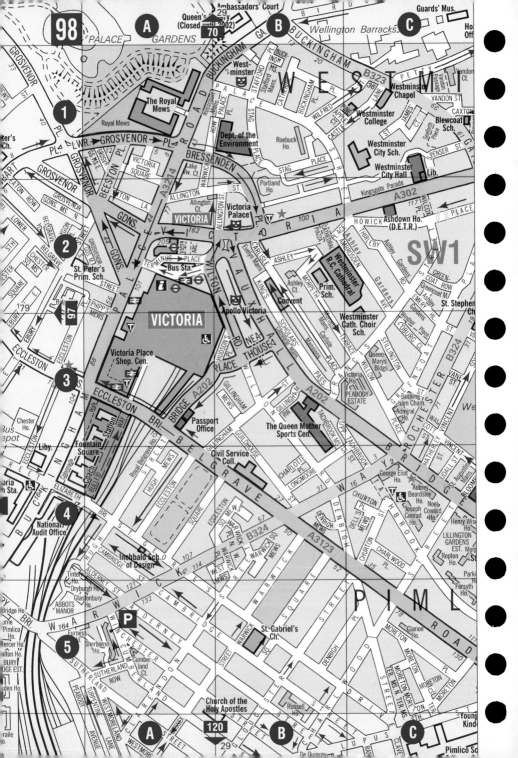

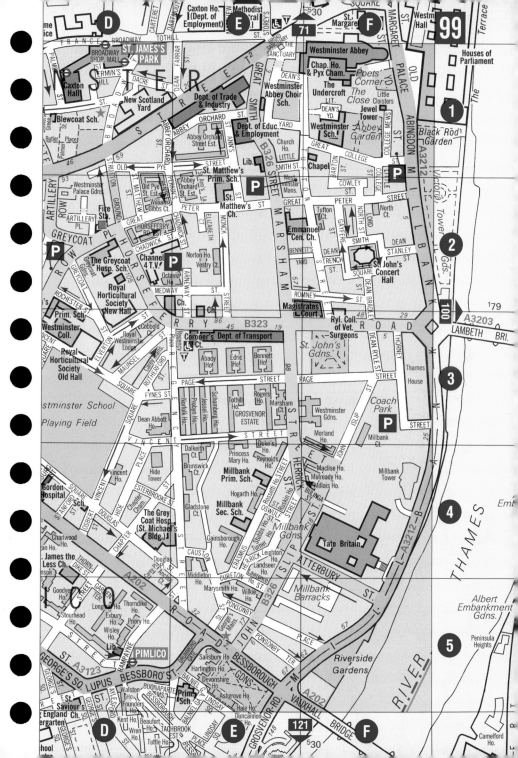

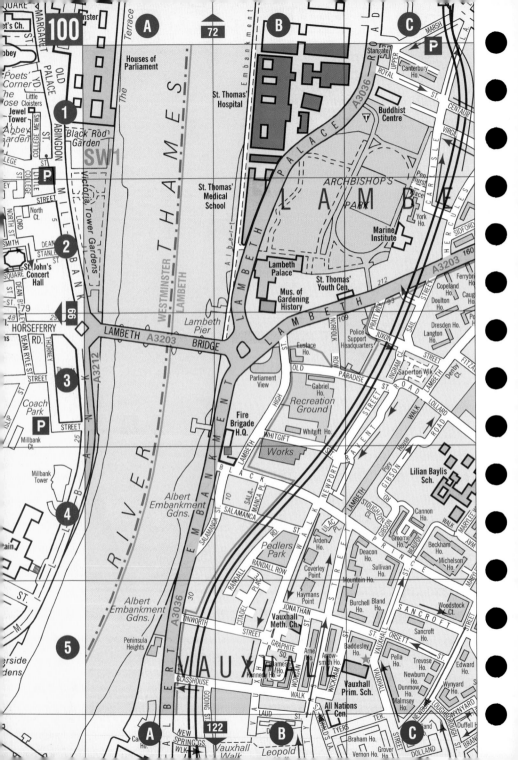

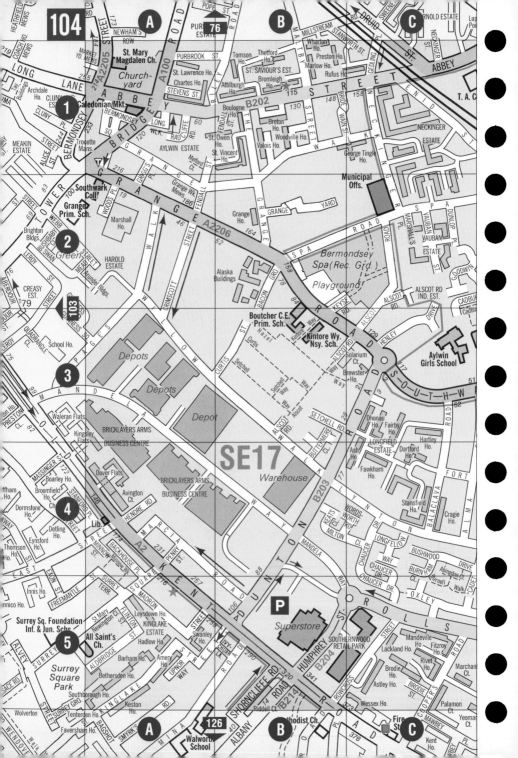

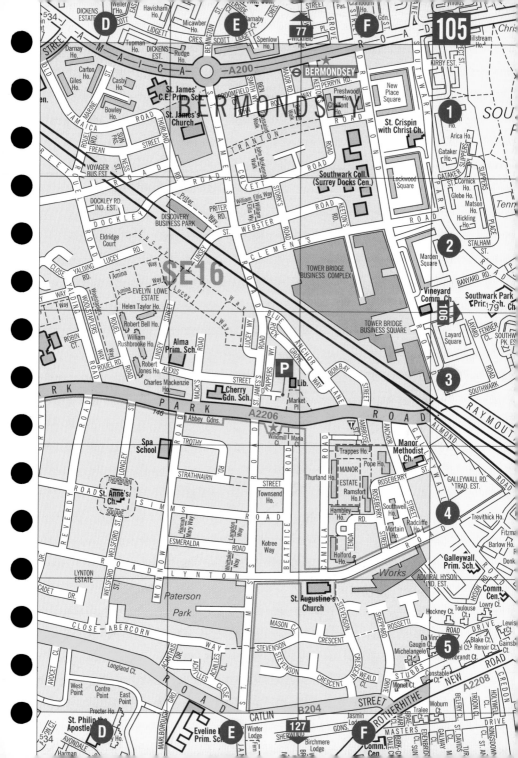

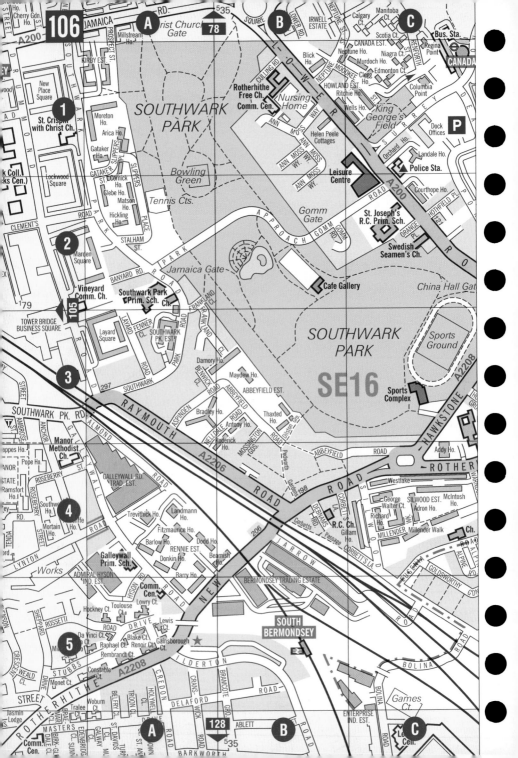

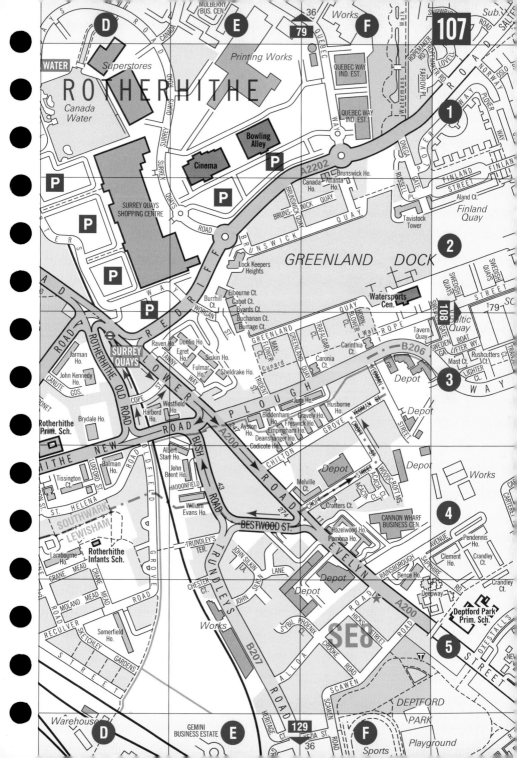

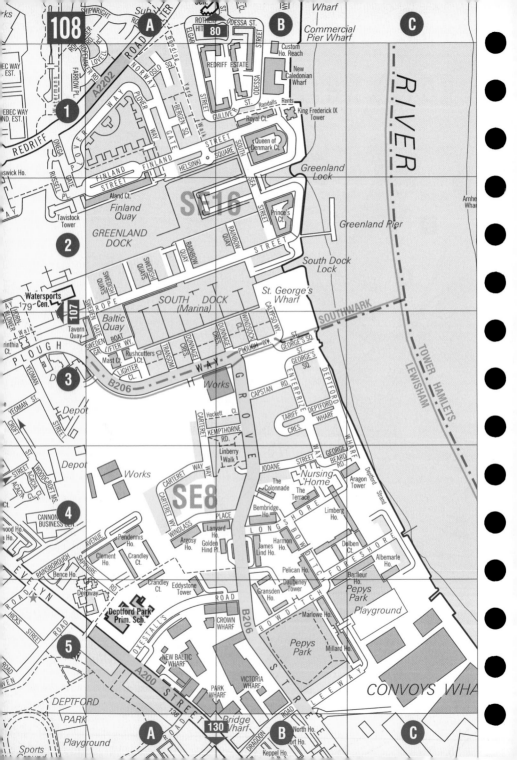

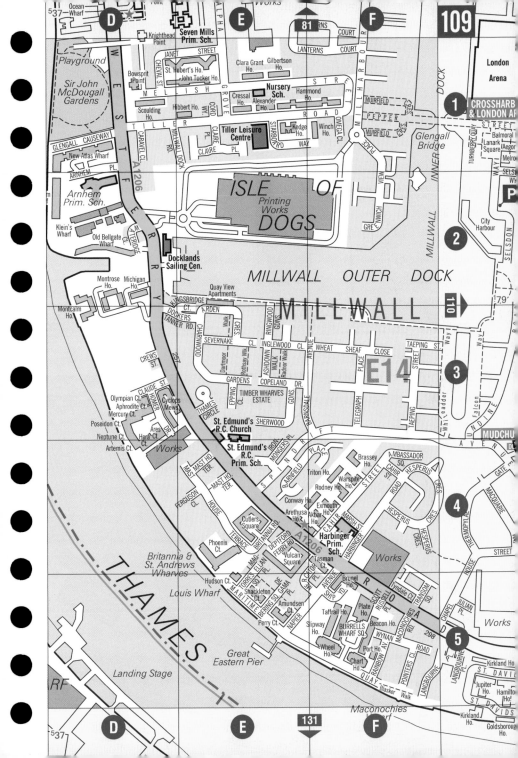

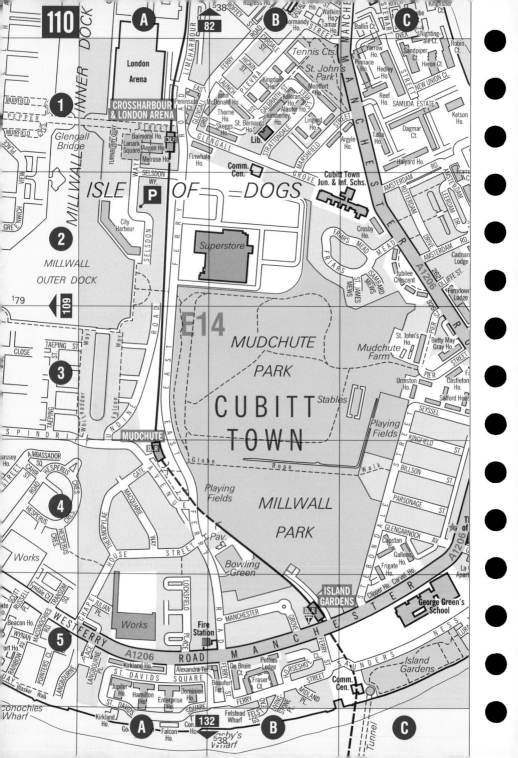

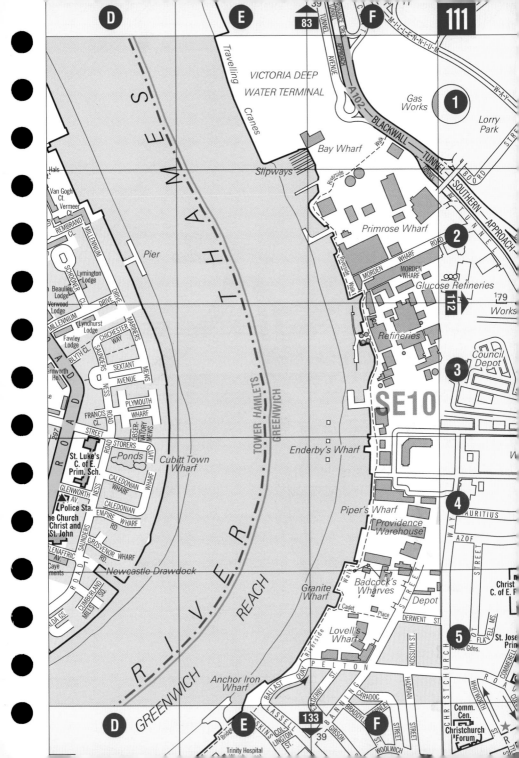

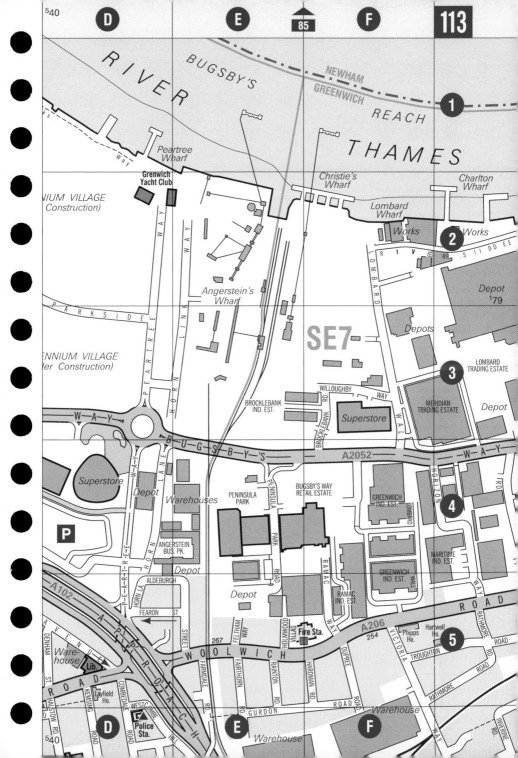

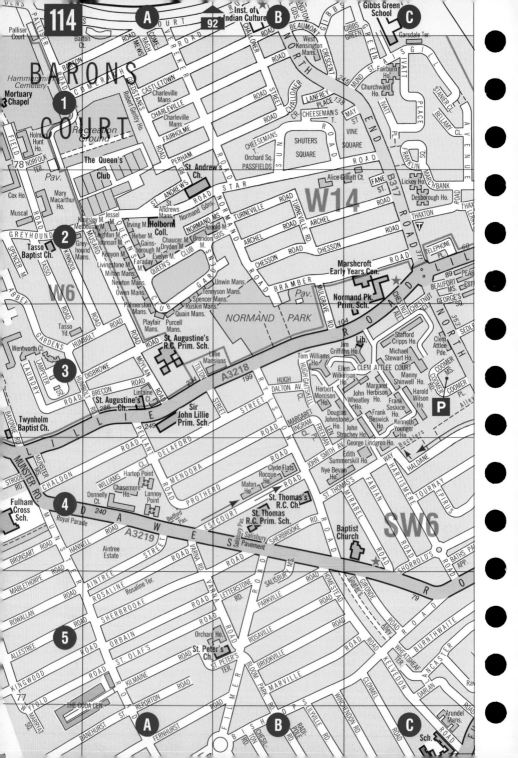

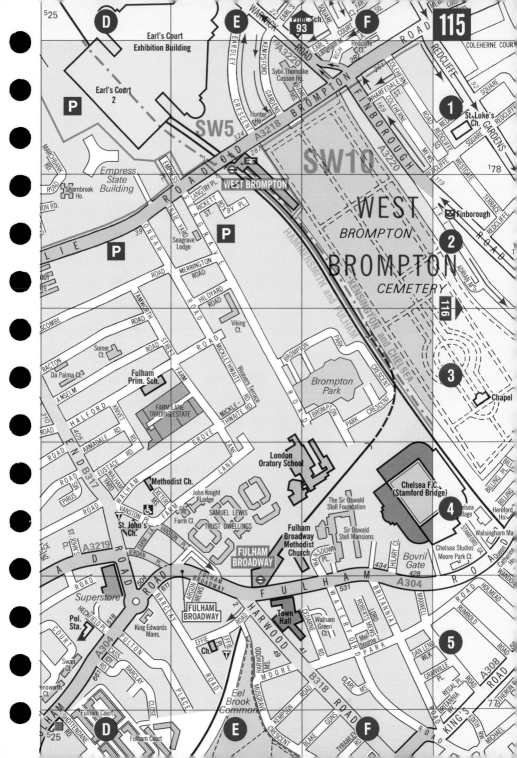

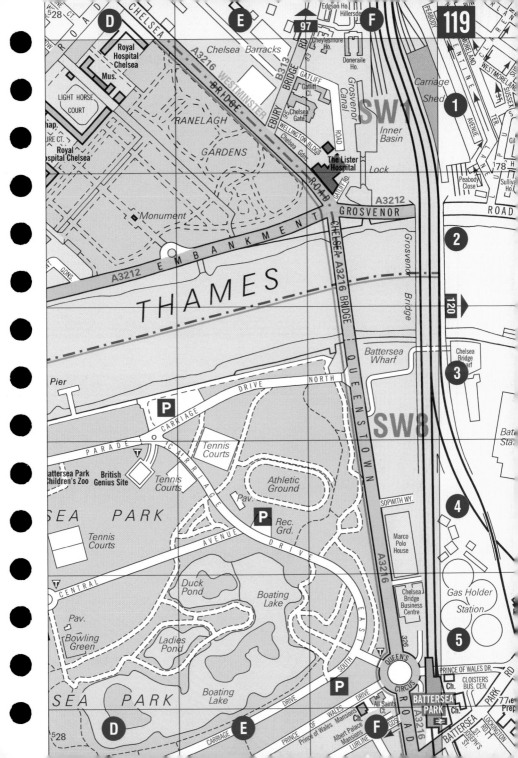

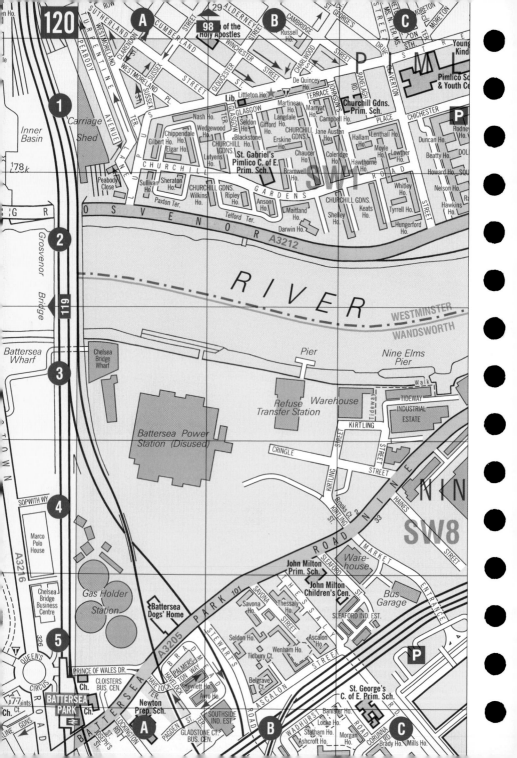

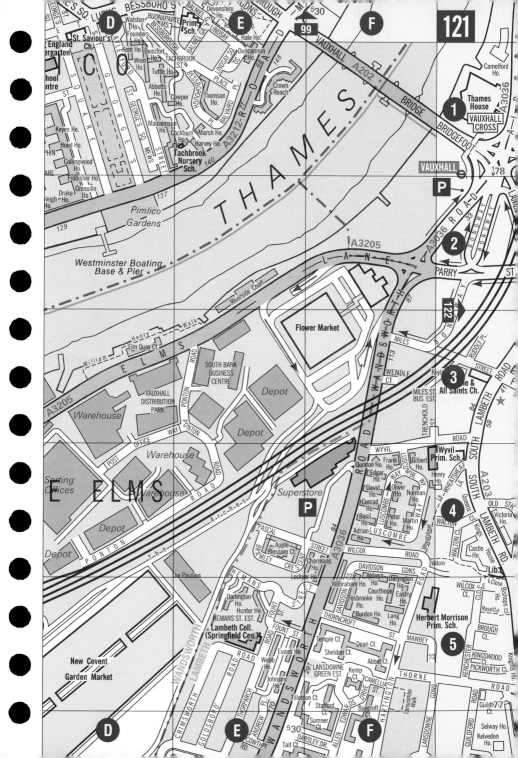

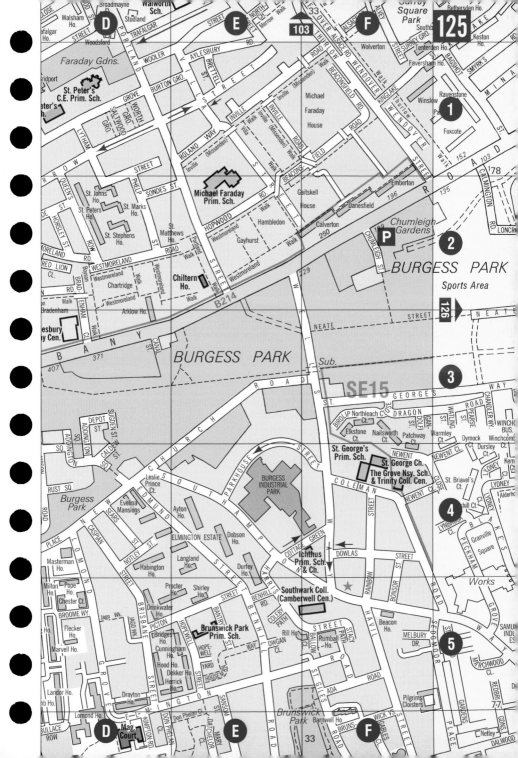

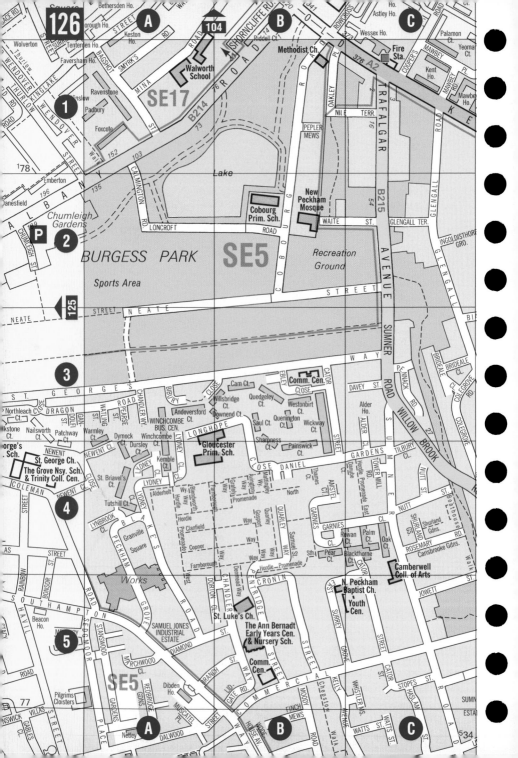

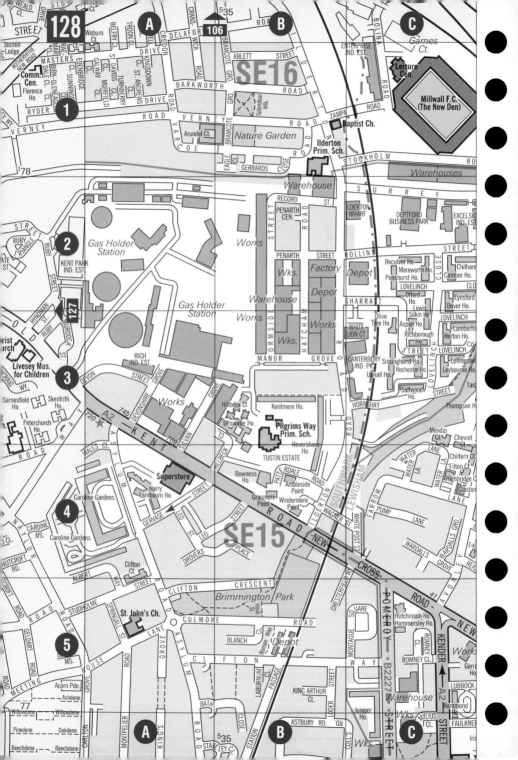

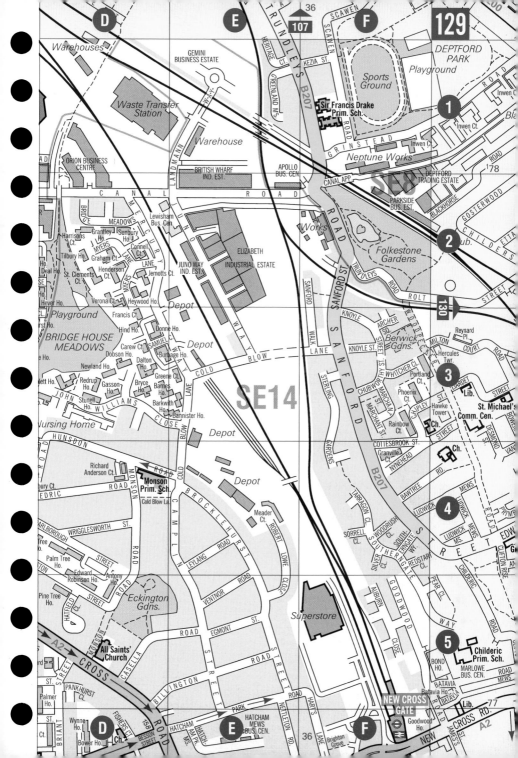

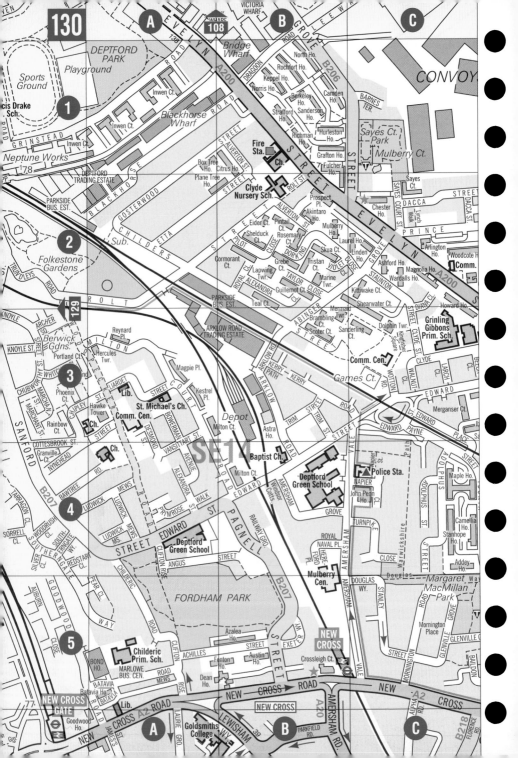

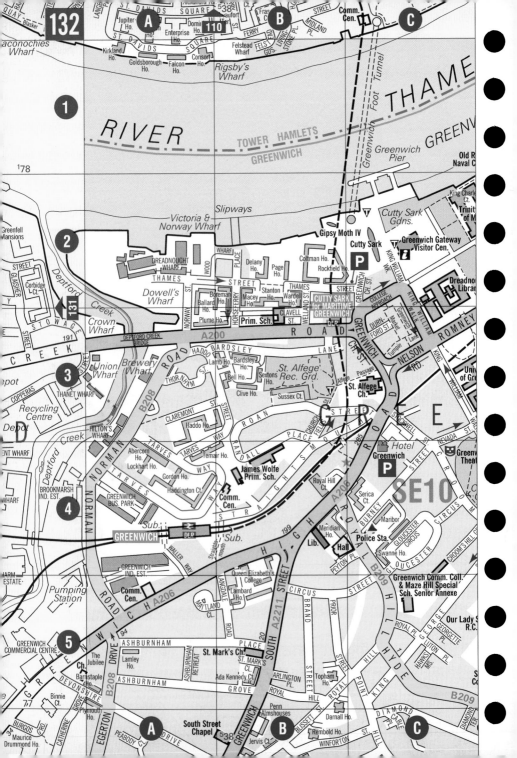

# INDEX

Including Streets, Places & Areas, Industrial Estates, Selected Subsidiary Addresses,
Junction Names and Selected Places of Interest.

## HOW TO USE THIS INDEX

1. Each street name is followed by its Postal District and then by its map reference; e.g. Aaron Hill Rd. *E6* —1E **61** is in the East 6 Postal District and is to be found in square 1E on page **61**. The page number being shown in bold type. A strict alphabetical order is followed in which Av., Rd., St. etc. (though abbreviated) are read in full and as part of the street name; e.g. Alderholt Way appears after Alder Clo. but before Alder Ho.

2. Streets and a selection of Subsidiary names not shown on the Maps, appear in the index in *Italics* with the thoroughfare to which it is connected shown in brackets; e.g. *Alexandra Ho. E16* —2F *85 (off Wesley Av.)*

3. Places and areas are shown in the index in **bold type**, the map reference to the actual map square in which the town or area is located and not to the place name; e.g. **Barnsbury.** —1C **12**

4. An example of a selected place of interest is **Adelphi Theatre.** —1A **72**

## GENERAL ABBREVIATIONS

All : Alley
App : Approach
Arc : Arcade
Av : Avenue
Bk : Back
Boulevd : Boulevard
Bri : Bridge
B'way : Broadway
Bldgs : Buildings
Bus : Business
Cvn : Caravan
Cen : Centre
Chu : Church
Chyd : Churchyard
Circ : Circle
Cir : Circus
Clo : Close
Comn : Common
Cotts : Cottages
Ct : Court
Cres : Crescent
Cft : Croft
Dri : Drive
E : East
Embkmt : Embankment

Est : Estate
Fld : Field
Gdns : Gardens
Gth : Garth
Ga : Gate
Gt : Great
Grn : Green
Gro : Grove
Ho : House
Ind : Industrial
Info : Information
Junct : Junction
La : Lane
Lit : Little
Lwr : Lower
Mc : Mac
Mnr : Manor
Mans : Mansions
Mkt : Market
Mdw : Meadow
M : Mews
Mt : Mount
Mus : Museum
N : North
Pal : Palace

Pde : Parade
Pk : Park
Pas : Passage
Pl : Place
Quad : Quadrant
Res : Residential
Ri : Rise
Rd : Road
Shop : Shopping
S : South
Sq : Square
Sta : Station
St : Street
Ter : Terrace
Trad : Trading
Up : Upper
Va : Vale
Vw : View
Vs : Villas
Vis : Visitors
Wlk : Walk
W : West
Yd : Yard

## INDEX

**A**aron Hill Rd. *E6* —1E **61**
Abady Ho. *SW1* —3E **99**
Abbess Clo. *E6* —2A **60**
Abbey Ct. *NW8* —5B **6**
Abbey Ct. *SE17* —1C **124**
Abbey Est. *NW8* —4A **6**
Abbeyfield Est. *SE16* —3B **106**
Abbeyfield Rd. *SE16* —3B **106**
(in two parts)
Abbey Gdns. *NW8* —1B **20**
Abbey Gdns. *SE16* —3E **105**
Abbey Gdns. *W6* —2A **114**
Abbey Ho. *NW8* —2C **20**
Abbey Life Ct. *E16* —1A **58**
Abbey Lodge. *NW1* —3A **22**
Abbey Orchard St. *SW1* —1D **99**
Abbey Orchard St. Est. *SW1* —1E **99**
(in two parts)
Abbey Rd. *NW6 & NW8* —2F **5**
Abbey St. *SE1* —1A **104**
Abbot Ct. *SW8* —5F **121**
Abbot Ho. *E14* —5A **54**
Abbotsbury Clo. *W14* —5A **64**
Abbotsbury Rd. *W14* —4A **64**
Abbotshade Rd. *SE16* —2E **79**

Abbot's Ho. *W14* —2B **92**
Abbots La. *SE1* —3A **76**
Abbots Mnr. *SW1* —5F **97**
Abbot's Pl. *NW6* —3F **5**
Abbots Wlk. *W8* —2F **93**
Abbott Rd. *E14* —2C **54**
(in two parts)
Abbotts Clo. *N1* —1B **14**
Abbotts Ho. *SW1* —1D **121**
Abbotts Wharf. *E14* —3D **53**
(in two parts)
Abchurch La. *EC4* —5E **47**
(in two parts)
Abchurch Yd. *EC4* —5D **47**
Abdale Rd. *W12* —2A **62**
Abel Ho. *SE11* —2E **123**
Abercorn Clo. *NW8* —1B **20**
Abercorn Ho. *SE10* —4A **132**
Abercorn Mans. *NW8* —1C **20**
Abercorn Pl. *NW8* —2B **20**
Abercorn Way. *SE1* —5D **105**
Aberdale Ct. *SE16* —5D **79**
Aberdare Gdns. *NW6* —2A **6**
Aberdeen Ct. *W9* —4C **20**
Aberdeen Mans. *WC1* —4F **25**
Aberdeen Pl. *NW8* —5D **21**

Aberdeen Sq. *E14* —1C **80**
Aberdeen Wharf. *E1* —3A **78**
Aberdour St. *SE1* —2F **103**
Aberfeldy Ho. *SE5* —4F **123**
(in two parts)
Aberfeldy St. *E14* —2C **54**
(in two parts)
Abingdon. *W14* —4C **92**
Abingdon Clo. *SE1* —4C **104**
Abingdon Ct. *W8* —2E **93**
Abingdon Gdns. *W8* —2E **93**
Abingdon Ho. *E2* —4B **30**
Abingdon Lodge. *W8* —2F **93**
Abingdon Rd. *W8* —1D **93**
Abingdon St. *SW1* —1F **99**
Abingdon Vs. *W8* —2D **93**
Abinger Gro. *SE8* —3B **130**
Abinger Ho. *SE1* —5D **75**
Abinger M. *W9* —4D **19**
Ablett St. *SE16* —1B **128**
Acacia Clo. *SE8* —4F **107**
Acacia Gdns. *NW8* —5E **7**
Acacia Pl. *NW8* —5E **7**
Acacia Rd. *NW8* —5E **7**
Academy Bldgs. *N1* —2F **29**

Academy Ct. *E2* —2C **32**
Academy Ho. *E3* —1F **53**
Acanthus Dri. *SE1* —5D **105**
Achilles Clo. *SE1* —5E **105**
Achilles Ho. *E2* —1A **32**
Achilles St. *SE14* —5A **130**
Achilles Way. *W1* —3E **69**
Acklam Rd. *W10* —2A **36**
(in two parts)
Ackroyd Dri. *E3* —1D **53**
Acme Ho. *E14* —1B **54**
Acol Ct. *NW6* —2E **5**
Acol Rd. *NW6* —2E **5**
Acorn Pde. *SE15* —5F **127**
Acorn Production Cen. *N7* —1A **12**
Acorn Wlk. *SE16* —2A **80**
Acton Ho. *E8* —3B **16**
Acton M. *E8* —3B **16**
Acton St. *WC1* —3B **26**
Ada Ct. *N1* —4B **14**
Ada Ct. *NW8* —3C **20**
Ada Gdns. *E14* —3D **55**
Ada Ho. *E2* —4E **17**
Adair Rd. *W10* —5A **18**
Adair Tower. *W10* —5A **18**
Ada Kennedy Ct. *SE10* —5B **132**
Adam & Eve Ct. *W1* —3C **42**
Adam & Eve M. *W8* —1E **93**
Adam Ct. *SE11* —4F **101**
Adam Ct. *SW7* —3C **94**
Adams Ct. *EC2* —4E **47**
Adams Gdns. Est. *SE16* —4B **78**
Adams Ho. *E14* —4D **55**
Adamson Rd. *E16* —4E **57**
Adamson Rd. *NW3* —1E **7**
Adams Pl. *E14* —2F **81**
Adam's Row. *W1* —1E **69**
Adam St. *WC2* —1A **72**
Ada Pl. *E2* —4E **17**
Ada Rd. *SE5* —5F **125**
Adastral Ho. *WC1* —1B **44**
Ada St. *E8* —4F **17**
Ada Workshops. *E8* —4F **17**
Adderley St. *E14* —4B **54**
Addey Ho. *SE8* —4C **130**
Addington Sq. *SE5* —4C **124**
(in two parts)
Addington St. *SE1* —5C **72**
Addis Ho. *E1* —1B **50**
Addisland Ct. *W14* —4F **63**
Addison Av. *W11* —2F **63**
Addison Bri. Pl. *W14* —3B **92**
Addison Cres. *W14* —1A **92**
Addison Gdns. *W14* —1D **91**
Addison Ho. *NW8* —2D **21**
Addison Pk. Mans. *W14* —1E **91**
Addison Pl. *W11* —3F **63**
Addison Rd. *W14* —4F **63**
Addle Hill. *EC4* —4A **46**
Addlestone Ho. *W10* —1B **34**
Addle St. *EC2* —3C **46**
Addy Ho. *SE16* —4C **106**
Adela Ho. *W6* —5B **90**
Adelaide Ct. *NW8* —1C **20**
Adelaide Ho. *W11* —4B **36**
Adelaide Rd. *NW3* —2D **7**
Adelaide St. *WC2* —1F **71**
Adela St. *W10* —4A **18**
Adelina Gro. *E1* —1B **50**
Adeline Pl. *WC1* —2E **43**
Adelphi Ct. *SE16* —5D **79**
Adelphi Ter. *WC2* —1A **72**
Adelphi Theatre. —1A **72**
Aden Ho. *E1* —1E **51**
Adeyfield Ho. *EC1* —3E **29**
Adie Rd. *W6* —2B **90**
Adler St. *E1* —3D **49**
Admiral Ct. *W1* —2D **41**
Admiral Ho. *SW1* —3C **98**
Admiral Hyson Ind. Est. *SE16* —4F **105**

Admiral Pl. *SE16* —2A **80**
Admirals Ct. *E6* —4F **61**
Admirals Ct. *SE1* —3B **76**
Admirals Way. *E14* —4E **81**
Admiralty Arch. —2E **71**
Admiralty Clo. *SE8* —5D **131**
Admiral Wlk. *W9* —1E **37**
Adolphus St. *SE8* —4C **130**
Adpar St. *W2* —1D **39**
Adrian Boult Ho. *E2* —2F **31**
Adrian Ho. *N1* —4C **12**
Adrian Ho. *SW8* —4F **121**
Adrian M. *SW10* —2A **116**
Adriatic Building. *E14* —5F **51**
Adriatic Ho. *E1* —5E **33**
Adron Ho. *SE16* —4C **106**
Adstock Ho. *N1* —2F **13**
Adventurers Ct. *E14* —1E **83**
Aegon Ho. *E14* —1A **110**
Affleck St. *N1* —1C **26**
Afsil Ho. *EC1* —2E **45**
Agar Gro. *NW1* —2C **10**
Agar Gro. Est. *NW1* —1D **11**
Agar Pl. *NW1* —2C **10**
Agar St. *WC2* —1F **71**
Agate Clo. *E16* —4E **59**
Agate Rd. *W6* —1B **90**
Agatha Clo. *E1* —2B **78**
Agdon St. *EC1* —4F **27**
Agnes Clo. *E6* —5E **61**
Agnes Ho. *W11* —1E **63**
Agnes St. *E14* —3C **52**
Aigburth Mans. *SW9* —5D **123**
Ailsa Ho. *E16* —1E **89**
Ailsa St. *E14* —1C **54**
Ainger Ho. *NW3* —2C **8**
(in two parts)
Ainger Rd. *NW3* —2B **8**
Ainsdale. *NW1* —1B **24**
Ainsdale Dri. *SE1* —1D **127**
Ainsley St. *E2* —3A **32**
Ainsty Est. *SE16* —4C **78**
Ainsty St. *SE16* —4C **78**
Ainsworth Ho. *NW8* —4A **6**
Ainsworth Way. *NW8* —3B **6**
Aintree Est. *SW6* —4A **114**
Aintree St. *SW6* —5A **114**
Aird Ho. *SE1* —2B **102**
Airdrie Clo. *N1* —2B **12**
Airlie Gdns. *W8* —3D **65**
Air St. *W1* —1C **70**
Aisgill Av. *W14* —1C **114**
(in two parts)
Aithan Ho. *E14* —4B **52**
Aitken Clo. *E8* —3D **17**
Ajax Ho. *E2* —1A **32**
Akbar Ho. *E14* —4F **109**
Akintaro Ho. *SE8* —2B **130**
Aland Ct. *SE16* —2A **108**
Alaska Bldgs. *SE1* —2B **104**
Alaska St. *SE1* —3D **73**
Alastor Ho. *E14* —1B **110**
Alban Highwalk. *EC2* —2C **46**
(in two parts)
Albany. *W1* —1B **70**
Albany Ct. *NW8* —1D **21**
Albany Courtyard. *W1* —1C **70**
Albany Mans. *SW11* —5A **118**
Albany M. *N1* —4D **13**
Albany M. *SE5* —3C **124**
Albany Rd. *SE5* —3C **124**
Albany St. *NW1* —5A **24**
Albany Ter. *NW1* —5A **24**
Alba Pl. *W11* —3B **36**
Albatross Way. *SE16* —5D **79**
Albemarle Ho. *SE8* —4C **108**
Albemarle St. *W1* —1A **70**
Albemarle Way. *EC1* —5F **27**
Alberta Est. *SE17* —5A **102**
Alberta Ho. *E14* —2C **82**

Alberta St. *SE17* —5F **101**
Albert Av. *SW8* —5B **122**
Albert Barnes Ho. *SE1* —2B **102**
Albert Bri. *SW3 & SW11* —3A **118**
Albert Bri. Rd. *SW11* —4A **118**
Albert Cotts. *E1* —1D **49**
Albert Ct. *SW7* —5D **67**
Albert Ct. Ga. *SW7* —5B **68**
Albert Embkmt. *SE1* —2B **100**
(Lambeth Pal. Rd.)
Albert Embkmt. *SE1* —1A **122**
(Vauxhall Cross)
Albert Gdns. *E1* —4D **51**
Albert Ga. *SW1* —4C **68**
Albert Gray Ho. *SW10* —4D **117**
Albert Hall Mans. *SW7* —5D **67**
(in two parts)
Albert Memorial. —5D **67**
Albert M. *E14* —5A **52**
Albert M. *W8* —1B **94**
Albert Pal. Mans. *SW11* —5F **119**
Albert Pl. *W8* —5A **66**
Albert Rd. *E16* —3F **87**
Albert Rd. *NW6* —1B **18**
Albert Sq. *SW8* —5B **122**
Albert Starr Ho. *SE8* —4D **107**
Albert St. *NW1* —4A **10**
Albert Ter. *NW1* —3D **9**
Albert Ter. M. *NW1* —3D **9**
Albert Wlk. *E16* —4E **89**
Albert Way. *SE15* —5F **127**
Albert Westcott Ho. *SE17* —5A **102**
Albery Theatre. —5F **43**
Albion Clo. *W2* —5A **40**
Albion Ct. *W6* —4A **90**
Albion Dri. *E8* —2B **16**
(in two parts)
Albion Est. *SE16* —5C **78**
Albion Gdns. *W6* —3A **90**
Albion Ga. *W2* —5A **40**
(in two parts)
Albion Ho. *E16* —3F **89**
Albion Ho. *SE8* —5D **131**
Albion M. *N1* —2D **13**
Albion M. *W2* —5A **40**
Albion M. *W6* —4A **90**
Albion Pl. *EC1* —1F **45**
Albion Pl. *EC2* —2E **47**
Albion Pl. *W6* —4A **90**
Albion Sq. *E8* —2B **16**
Albion St. *SE16* —5B **78**
Albion St. *W2* —4A **40**
Albion Ter. *E8* —2B **16**
Albion Way. *EC1* —2B **46**
Albion Wharf. *SW11* —4F **117**
Albion Yd. *N1* —1A **26**
Albury Ho. *SE1* —5A **74**
Albury St. *SE8* —3D **131**
Aldbridge St. *SE17* —5A **104**
Aldburgh M. *W1* —3E **41**
(in two parts)
Aldbury Ho. *SW3* —4F **95**
Aldebert Ter. *SW8* —5A **122**
Aldeburgh St. *SE10* —5D **113**
Aldenham Ho. *NW1* —1C **24**
Aldenham St. *NW1* —1C **24**
Alden Ho. *E8* —3F **17**
Aldensley Rd. *W6* —2A **90**
Alder Clo. *SE15* —3C **126**
Alderholt Way. *SE15* —4A **126**
Alder Ho. *SE15* —3C **126**
Aldermanbury. *EC2* —3C **46**
Aldermanbury Sq. *EC2* —2C **46**
Aldermans Wlk. *EC2* —2F **47**
Alderney Ho. *N1* —1C **14**
Alderney Rd. *E1* —4D **33**
Alderney St. *SW1* —4A **98**
Aldersgate St. *EC1* —1B **46**
Aldershot Rd. *NW6* —3C **4**
Alderson St. *W10* —4A **18**

Alderwick Ct. *N7* —1C **12**
Aldford Ho. *W1* —2D **69**
Aldford St. *W1* —2D **69**
Aldgate. (Junct.) —4C **48**
Aldgate. *EC3* —4B **48**
Aldgate Av. *E1* —3B **48**
Aldgate Barrs. *E1* —3C **48**
Aldgate High St. *EC3* —4B **48**
Aldgate Triangle. *E1* —3D **49**
Aldine Ct. *W12* —3C **62**
Aldine Pl. *W12* —4C **62**
Aldine St. *W12* —4C **62**
Aldington Ct. *E8* —2E **17**
Aldrick Ho. *N1* —4C **12**
Aldridge Rd. Vs. *W11* —2C **36**
Aldsworth Clo. *W9* —5F **19**
Aldwych. *WC2* —5B **44**
Aldwych Theatre. —4B **44**
Aldwyn Ho. *SW8* —4F **121**
Alexa Ct. *W8* —3E **93**
Alexander Fleming Mus. —3E **39**
Alexander Ho. *E14* —1E **109**
Alexander M. *W2* —3F **37**
Alexander Pl. *SW7* —3F **95**
Alexander Sq. *SW3* —2F **95**
Alexander St. *W2* —3E **37**
Alexandra Clo. *SE8* —2B **130**
Alexandra Ct. *SW7* —1C **94**
Alexandra Ct. *W2* —5A **38**
Alexandra Ct. *W9* —4C **20**
Alexandra Ho. *E16* —2F **85**
(off Wesley Av.)
Alexandra Ho. *W6* —5B **90**
Alexandra Mans. *SW3* —3D **117**
Alexandra Pl. *NW8* —3C **6**
Alexandra Rd. *NW8* —3C **6**
Alexandra St. *E16* —1D **57**
Alexandra St. *SE14* —4A **130**
Alexandra Ter. *E14* —5A **110**
Alexis St. *SE16* —3D **105**
Alford Ct. *N1* —1C **28**
Alford Pl. *N1* —1C **28**
Alfred M. *W1* —1D **43**
Alfred Pl. *WC1* —1D **43**
Alfred Rd. *W2* —1E **37**
Algar Ho. *SE1* —5F **73**
Algernon Rd. *NW6* —4D **5**
Alice Gilliatt Ct. *W14* —2B **114**
Alice Owen Technology Cen. *EC1*
—2F **27**
Alice Shepherd Ho. *E14* —5C **82**
Alice St. *SE1* —2F **103**
(in two parts)
Alie St. *E1* —4C **48**
Alison Clo. *E6* —4E **61**
Alison Ct. *SE1* —1D **127**
Allcott Ho. *W12* —4A **34**
Allen Edwards Dri. *SW8* —5F **121**
Allensbury Pl. *NW1* —2E **11**
Allen St. *W8* —1E **93**
Allerton Ho. *N1* —2D **29**
Allerton St. *N1* —2D **29**
Allestree Rd. *SW6* —5A **114**
Alleyn Ho. *SE1* —2E **103**
Allgood St. *E2* —1C **30**
Allhallows La. *EC4* —1D **75**
Allhallows Rd. *E6* —2F **59**
Alliance Rd. *E13* —1B **58**
Allingham St. *N1* —5B **14**
Allington Ct. *SW1* —2A **98**
Allington Rd. *W10* —1A **18**
Allington St. *SW1* —2A **98**
Alliston Ho. *E2* —3C **30**
Allitsen Rd. *NW8* —1F **21**
(in two parts)
Alloa Rd. *SE8* —5E **107**
Allom Ho. *W11* —5F **35**
Allonby Ho. *E14* —2F **51**
Alloway Rd. *E3* —2F **33**

All Saints Ct. *E1* —5C **50**
All Saints Ct. *SW11* —5F **119**
All Saints Ho. *W11* —2B **36**
All Saints Rd. *W11* —2B **36**
All Saints St. *N1* —1B **12**
Allsop Pl. *NW1* —5C **22**
All Souls' Pl. *W1* —2A **42**
Alma Birk Ho. *NW6* —1A **4**
Alma Gro. *SE1* —4C **104**
Alma Sq. *NW8* —1C **20**
Alma Ter. *W8* —2E **93**
Almeida St. *N1* —3F **13**
Almeida Theatre. —3F **13**
Almond Rd. *SE16* —3A **106**
Almondsbury Ct. *SE15* —4F **125**
(off Newent Clo.)
Almorah Rd. *N1* —2D **15**
Alnwick Rd. *E16* —5E **59**
Alperton St. *W10* —4A **18**
Alphabet Sq. *E3* —2E **53**
Alpha Clo. *NW1* —3A **22**
Alpha Gro. *E14* —5E **81**
Alpha Ho. *NW1* —5F **21**
Alpha Ho. *NW6* —5E **5**
Alpha Pl. *NW6* —5E **5**
Alpha Pl. *SW3* —2A **118**
Alpha Rd. *SE14* —5C **130**
Alpine Bus. Cen. *E6* —1E **61**
Alpine Rd. *SE16* —4C **106**
(in two parts)
Alpine Way. *E6* —1D **61**
Alsace Rd. *SE17* —5F **103**
Alscot Rd. *SE1* —3B **104**
(in two parts)
Alscot Rd. Ind. Est. *SE1* —2C **104**
Alscot Way. *SE1* —3B **104**
Alton St. *E14* —2F **53**
Alverstone Ho. *SE11* —3D **123**
Alverton St. *SE8* —2B **130**
(in two parts)
Alvey St. *SE17* —5F **103**
Alwyne La. *N1* —1A **14**
Alwyne Pl. *N1* —1B **14**
Alwyne Rd. *N1* —1B **14**
Alwyne Vs. *N1* —1A **14**
Alzette Ho. *E2* —1D **33**
Amazon St. *E1* —4F **49**
Ambassador Gdns. *E6* —2B **60**
Ambassadors' Ct. *SW1* —3C **60**
Ambassador Sq. *E14* —4F **109**
Ambassadors Theatre. —5E **43**
Ambergate St. *SE17* —5F **101**
Amberley Rd. *W9* —1E **37**
Ambleside. *NW1* —1A **24**
Ambleside Point. *SE15* —4B **128**
Ambrosden Av. *SW1* —2C **98**
Ambrose Clo. *E6* —2B **60**
Ambrose Ho. *E14* —2D **53**
Ambrose St. *SE16* —3F **105**
Amelia Ho. *W6* —5B **90**
Amelia St. *SE17* —5A **102**
Amen Corner. *EC4* —4A **46**
Amen Ct. *EC4* —4A **46**
America Sq. *EC3* —5B **48**
America St. *SE1* —3B **74**
Amersham Gro. *SE14* —4B **130**
Amersham Rd. *SE14* —5B **130**
Amersham Va. *SE14* —4B **130**
Amery Ho. *SE17* —5A **104**
Ames Cotts. *E14* —2F **51**
Ames Ho. *E2* —1D **33**
Amherst Ho. *SE16* —5E **79**
Amias Ho. *EC1* —4B **28**
Amiel St. *E1* —4C **32**
Amigo Ho. *SE1* —1E **101**
Amina Way. *SE16* —2D **105**
Amor Rd. *W6* —2B **90**
Amory Ho. *N1* —4C **12**
Amoy Pl. *E14* —4C **52**
(in two parts)

Ampthill Est. *NW1* —1C **24**
Ampton Pl. *WC1* —3B **26**
Ampton St. *WC1* —3B **26**
Amstel Ct. *SE15* —4B **126**
Amsterdam Rd. *E14* —2C **110**
Amundsen Ct. *E14* —5E **109**
Amwell St. *N1* —2D **27**
Amy Warne Clo. *E6* —1A **60**
Anchorage Ho. *E14* —5D **55**
Anchorage Point. *E14* —4C **80**
Anchor Brewhouse. *SE1* —3B **76**
Anchor Ct. *SW1* —4D **99**
Anchor Ho. *E16* —2B **56**
Anchor Ho. *E16* —4B **58**
Anchor Ho. *EC1* —4B **28**
Anchor St. *SE16* —3F **105**
Anchor Ter. *E1* —5C **32**
Anchor Wharf. *E3* —1F **53**
Anchor Yd. *EC1* —4C **28**
Andaman Ho. *E1* —4F **33**
Anderson Ho. *E14* —5B **54**
Anderson Ho. *W12* —4A **34**
Anderson Sq. *N1* —4F **13**
Anderson St. *SW3* —5B **96**
Andover Av. *E16* —4D **59**
Andover Pl. *NW6* —5F **5**
Andoversford Ct. *SE15* —3A **126**
Andrew Borde St. *WC2* —3E **43**
Andrewes Gdns. *E6* —3F **59**
Andrewes Highwalk. *EC2* —2C **46**
Andrewes Ho. *EC2* —2C **46**
Andrew Pl. *SW8* —5E **121**
Andrews Crosse. *WC2* —4D **45**
Andrews Ho. *NW3* —1B **8**
Andrew's Rd. *E8* —4F **17**
Andrew St. *E14* —3B **54**
Andrews Wlk. *SE17* —3A **124**
Angel. (Junct.) —1E **27**
Angel All. *E1* —3C **48**
Angel Cen., The. *N1* —1E **27**
Angel Ct. *EC2* —3E **47**
Angel Ct. *SW1* —3C **70**
Angel Ga. *EC1* —2A **28**
(in three parts)
Angelica Dri. *E6* —2E **61**
Angelina Ho. *SE15* —5E **127**
Angel M. *E1* —5A **50**
Angel M. *N1* —1E **27**
Angel Pas. *EC4* —1D **75**
Angel Pl. *SE1* —4D **75**
Angel Sq. *N1* —1F **27**
Angel St. *EC1* —3B **46**
Angel Wlk. *W6* —4B **90**
Angerstein Bus. Pk. *SE10* —4D **113**
Anglebury. *W2* —3D **37**
Anglesey Ho. *E14* —3D **53**
Anglia Ho. *E14* —3A **52**
Angrave Ct. *E8* —5D **17**
Angrave Pas. *E8* —3C **16**
Angus St. *SE14* —4A **130**
Anhalt Rd. *SW11* —4A **118**
Anley Rd. *W6* —5D **63**
Annabel Clo. *E14* —5F **53**
Anna Clo. *E8* —3C **16**
Annandale Rd. *SE10* —5C **112**
Anne Goodman Ho. *E1* —3B **50**
Annesley Ho. *SW9* —5E **123**
Annetts Cres. *N1* —2C **14**
Anning St. *EC2* —4A **30**
Ann La. *SW10* —4D **117**
Ann Moss Way. *SE16* —1B **106**
Ann's Clo. *SW1* —5C **68**
Ann's Pl. *E1* —2B **48**
Ansdell St. *W8* —1A **94**
Ansdell Ter. *W8* —1A **94**
Ansell Ho. *E1* —1B **50**
Anselm Rd. *SW6* —3D **115**
Ansleigh Pl. *W11* —1E **63**
Anson Ho. *E1* —5F **33**
Anson Ho. *SW1* —2B **120**

Antenor Ho. *E2* —1F **31**
Anthony Cope Ct. *N1* —2E **29**
Anthony Ho. *NW1* —5F **21**
Anthony St. *E1* —3A **50**
Antilles Bay. *E14* —4B **82**
Antill Rd. *E3* —2F **33**
Antill Ter. *E1* —3D **51**
Antony Ho. *SE14* —5D **129**
Antony Ho. *SE16* —3B **106**
Aphrodite Ct. *E14* —3D **109**
Apollo Bus. Cen. *SE8* —1E **129**
Apollo Ct. *E1* —1D **77**
Apollo Ct. *SW9* —5D **123**
Apollo Ho. *E2* —1A **32**
Apollo Ho. *SW10* —4D **117**
Apollo Pl. *SW10* —4D **117**
Apollo Theatre. —5D **43**
Apollo Victoria Theatre. —2B **98**
Apothecary St. *EC4* —4F **45**
Apple Blossom Ct. *SW8* —4E **121**
Appleby Rd. *E8* —1E **17**
Appleby Rd. *E16* —4C **56**
Appleby St. *E2* —5B **16**
Appleford Ho. *W10* —5A **18**
Appleford Rd. *W10* —5A **18**
Applegarth Ho. *SE1* —4A **74**
Applegarth Ho. *SE15* —4D **127**
Applegarth Rd. *W14* —2D **91**
Apple Tree Yd. *SW1* —2C **70**
Appold St. *EC2* —1F **47**
Approach Rd. *E2* —1B **32**
April Ct. *E2* —5E **17**
Apsley Ho. *E1* —2C **50**
Apsley Ho. *NW8* —5D **7**
Apsley Way. *W1* —4E **69**
(in two parts)
Aquila St. *NW8* —5E **7**
Aquinas St. *SE1* —3E **73**
Arabian Ho. *E1* —5F **33**
Aragon Ho. *E16* —2E **85**
Aragon Tower. *SE8* —4C **108**
Aral Ho. *E1* —5E **33**
Arapiles Ho. *E14* —3D **55**
Arbery Rd. *E3* —2F **33**
Arbon Ct. *N1* —4C **14**
Arborfield Ho. *E14* —5E **53**
Arbour Ho. *E1* —3D **51**
Arbour Sq. *E1* —3D **51**
Arbutus St. *E8* —3B **16**
Arcade, The. *EC2* —2F **47**
Arcadia Ct. *E1* —3B **48**
Arcadia St. *E14* —3E **53**
Archangel St. *SE16* —5E **79**
Archdale Ct. *W12* —3A **62**
Archdale Ho. *SE1* —1F **103**
Archel Rd. *W14* —2B **114**
Archer Ho. *W11* —5C **36**
Archers Lodge. *SE16* —1E **127**
Archer Sq. *SE14* —3F **129**
Archer St. *W1* —5D **43**
Archery Clo. *W2* —4A **40**
Archery Steps. *W2* —5A **40**
Arches, The. *NW1* —1F **9**
Arches, The. *SW8* —4D **121**
Arches, The. *WC2* —2A **72**
Archibald M. *W1* —1F **69**
Arch St. *SE1* —2B **102**
Archway Clo. *W10* —2D **35**
Arden Cres. *E14* —3E **109**
Arden Est. *N1* —1F **29**
Arden Ho. *N1* —1F **29**
Arden Ho. *SE11* —4B **100**
Ardent Ho. *E3* —1F **33**
Ardleigh Ho. *N1* —1F **15**
Ares Ct. *E14* —3D **109**
Arethusa Ho. *E14* —4E **109**
Argon M. *SW6* —5E **115**
Argos Ct. *SW9* —5D **123**
Argos Ho. *E2* —1F **31**
Argosy Ho. *SE8* —4A **108**

Argyle Ho. *E14* —1C **110**
Argyle Pl. *W6* —4A **90**
Argyle Rd. *E1* —4D **33**
Argyle Rd. *E16* —4A **58**
Argyle Sq. *WC1* —2A **26**
Argyle St. *NW1* —2F **25**
Argyle Wlk. *WC1* —3F **25**
Argyle Way. *SE16* —1E **127**
Argyll Mans. *SW3* —3E **117**
Argyll Mans. *W14* —3A **92**
Argyll Rd. *W8* —5D **65**
Argyll St. *W1* —4B **42**
Arica Ho. *SE16* —1A **106**
Ariel Ct. *SE11* —4F **101**
Ariel Way. *W12* —2D **62**
Arklow Ho. *SE5* —3D **125**
Arklow Rd. *SE14* —3B **130**
Arklow Rd. Trad. Est. *SE14* —3A **130**
Ark, The. *W6* —5D **91**
Arlington Av. *N1* —5C **14**
(in two parts)
Arlington Ho. *EC1* —2E **27**
Arlington Ho. *SE8* —2C **130**
Arlington Ho. *SW1* —2B **70**
Arlington Ho. *W12* —3A **62**
Arlington Pl. *SE10* —5B **132**
Arlington Rd. *NW1* —3F **9**
Arlington Sq. *N1* —5C **14**
Arlington St. *W1* —2B **70**
Arlington Way. *EC1* —2E **27**
Armada Ct. *SE8* —3D **131**
Armadale Rd. *SW6* —4D **115**
Armada St. *SE8* —3E **131**
Armada Way. *E6* —5F **61**
Arminger Rd. *W12* —3A **62**
Armitage Rd. *SE10* —5B **112**
Armsby Ho. *E1* —2B **50**
Armstrong Clo. *E6* —3B **60**
Armstrong Rd. *SW7* —2D **95**
Arncliffe. *NW6* —5A **6**
Arne Ho. *SE11* —5B **100**
Arne St. *WC2* —4A **44**
Arneway St. *SW1* —2E **99**
Arnhem Pl. *E14* —2D **109**
Arnhem Wharf. *E14* —2C **108**
Arnold Cir. *E2* —3B **30**
Arnold Est. *SE1* —5C **76**
(in two parts)
Arnold Ho. *SE17* —1A **124**
Arnold Mans. *W14* —2A **114**
Arnot Ho. *SE5* —5C **124**
Arnside St. *SE17* —2C **124**
Arran Ho. *E14* —3C **82**
Arran Wlk. *N1* —1B **14**
Arrol Ho. *SE1* —2C **102**
Arrow Ct. *SW5* —4D **93**
Arrowsmith Ho. *SE11* —5B **100**
Artemis Ct. *E14* —4D **109**
Artesian Rd. *W2* —4D **37**
Arthur Ct. *W2* —3F **37**
Arthur Ct. *W10* —4E **35**
Arthur Deakin Ho. *E1* —1D **49**
Arthur St. *EC4* —1E **75**
Artichoke Hill. *E1* —1F **77**
Artillery La. *E1* —2A **48**
Artillery Pas. *E1* —2A **48**
Artillery Pl. *SW1* —2D **99**
Artillery Row. *SW1* —2D **99**
Artisan Clo. *E6* —5F **61**
Artizan St. *E1* —3A **48**
Arts & Unicorn Theatre. —5F **43**
Arundel Bldgs. *SE1* —2A **104**
Arundel Ct. *SE16* —1A **128**
Arundel Ct. *SW3* —5A **96**
Arundel Gdns. *W11* —5B **36**
Arundel Gt. Ct. *WC2* —5C **44**
Arundel Mans. *SW6* —5C **114**
Arundel Pl. *N1* —1D **13**
Arundel St. *WC2* —5C **44**
Asbridge Ct. *W6* —2A **90**

Ascalon Ho. *SW8* —5B **120**
Ascalon St. *SW8* —5B **120**
Ascot Ct. *NW8* —3D **21**
Ascot Ho. *NW1* —2A **24**
Ascot Ho. *W9* —5D **19**
Ascot Lodge. *NW6* —4A **6**
Ashbee Ho. *E2* —3C **32**
Ashbridge St. *NW8* —5F **21**
Ashburn Gdns. *SW7* —3B **94**
Ashburnham Gro. *SE10* —5A **132**
Ashburnham Mans. *SW10* —4C **116**
Ashburnham Pl. *SE10* —5A **132**
Ashburnham Retreat. *SE10* —5A **132**
Ashburnham Rd. *SW10* —4C **116**
Ashburnham Tower. *SW10* —4D **117**
Ashburn Pl. *SW7* —3B **94**
Ashburton Ho. *W9* —4C **18**
Ashburton Rd. *E16* —3E **57**
Ashby Ct. *NW8* —4E **21**
Ashby Gro. *N1* —1C **14**
Ashby Ho. *N1* —1C **14**
Ashby St. *EC1* —3A **28**
Ash Ct. *W1* —3B **40**
Ashcroft Ho. *SW8* —5B **120**
Ashcroft Rd. *E3* —3F **33**
Ashcroft Sq. *W6* —4B **90**
Ashdene. *SE15* —5F **127**
Ashdown Ho. *SW1* —2C **98**
(off Victoria St.)
Ashdown Wlk. *E14* —3E **109**
Ashenden. *SE1* —3B **102**
Ashentree Ct. *EC4* —4E **45**
Asher Way. *E1* —1E **77**
Ashfield Ho. *W14* —5C **92**
Ashfield St. *E1* —2F **49**
Ashfield Yd. *E1* —2B **50**
Ashford Ho. *SE8* —2C **130**
Ashford St. *N1* —2F **29**
Ash Gro. *E8* —4F **17**
(in two parts)
Ashgrove Ct. *W9* —1D **37**
Ashgrove Ho. *SW1* —5E **99**
Ash Ho. *E14* —5B **82**
Ash Ho. *SE1* —4C **104**
Ash Ho. *W10* —4A **18**
Ashington Ho. *E1* —4A **32**
Ashland Pl. *W1* —1D **41**
Ashley Ct. *SW1* —2B **98**
Ashley Gdns. *SW1* —2C **98**
(in three parts)
Ashley Pl. *SW1* —2B **98**
(in two parts)
Ashmill St. *NW1* —1F **39**
Ashmole Pl. *SW8* —3D **123**
(in two parts)
Ashmole St. *SW8* —3C **122**
Ashmore. *NW1* —1D **11**
Ashmore Clo. *SE15* —5D **127**
Ashmore Ho. *W14* —2A **92**
Ashmore Rd. *W9* —2B **18**
Ashpark Ho. *E14* —3B **52**
Ashton Ho. *SW9* —5E **123**
Ashton St. *E14* —5B **54**
Ashwell Clo. *E6* —3A **60**
Ashworth Mans. *W9* —3A **20**
Ashworth Rd. *W9* —2A **20**
Aske Ho. *N1* —2F **29**
(in two parts)
Aske St. *N1* —2F **29**
Asolando Dri. *SE17* —5C **102**
Aspen Gdns. *W6* —5A **90**
Aspen Ho. *SE15* —3C **128**
Aspen Lodge. *W8* —2F **93**
Aspen Way. *E14* —1E **81**
Aspinden Rd. *SE16* —3A **106**
Assam St. *E1* —3D **49**
Assembly Pas. *E1* —1C **50**
Association Gallery, The. —4F **29**
Astbury Ho. *SE11* —2D **101**
Astbury Rd. *SE15* —5B **128**

Bardsey Pl. *E1* —5B **32**
Bardsley Ho. *SE10* —3B **132**
Bardsley La. *SE10* —3B **132**
Barents Ho. *E1* —5D **33**
Barfett St. *W10* —4B **18**
Barfleur Ho. *SE8* —4C **108**
Barford St. *N1* —4E **13**
Barge Ho. Rd. *E16* —3F **89**
Barge Ho. St. *SE1* —2E **73**
Barham Ho. *SE17* —5A **104**
Baring Ho. *E14* —4D **53**
Baring St. *N1* —4D **15**
Barker Dri. *NW1* —2C **10**
Barkers Arc. *W8* —5F **65**
Barker St. *SW10* —2B **116**
Barkham Ter. *SE1* —1E **101**
Barking Rd. *E16 & E13* —2B **56**
Bark Pl. *W2* —5F **37**
Barkston Gdns. *SW5* —4F **93**
Barkwith Ho. *SE14* —3D **129**
Barkworth Rd. *SE16* —1A **128**
Barlborough St. *SE14* —4D **129**
Barlby Gdns. *W10* —1D **35**
Barlby Rd. *W10* —2C **34**
Barleycorn Way. *E14* —5B **52**
  (in two parts)
Barley Mow Pas. *EC1* —2A **46**
Barley Shotts Bus. Pk. *W10* —1B **36**
Barling. *NW1* —1A **10**
Barlow Ho. *N1* —2D **29**
Barlow Ho. *SE16* —4A **106**
Barlow Ho. *W11* —5F **35**
Barlow Pl. *W1* —1A **70**
Barlow St. *SE17* —4E **103**
Barnaby Ct. *SE16* —5E **77**
Barnaby Pl. *SW7* —4D **95**
Barnard Ho. *E2* —2F **31**
*Barnard Lodge. W9* —1E **37**
  *(off Admiral Wlk.)*
Barnardo Gdns. *E1* —5D **51**
Barnardo St. *E1* —4D **51**
Barnards Ho. *SE16* —5B **80**
Barnard's Inn. *EC4* —3E **45**
Barnbrough. *NW1* —4B **10**
Barnby St. *NW1* —1C **24**
Barnes Ct. *E16* —1C **58**
Barnes Ct. *N1* —2D **13**
Barnes Ho. *SE14* —3D **129**
Barnes St. *E14* —3F **51**
Barnes Ter. *SE8* —1C **130**
Barnet Gro. *E2* —2D **31**
Barnett St. *E1* —3F **49**
Barnfield Pl. *E14* —4E **109**
Barnham St. *SE1* —4A **76**
**Barnsbury. —1C 12**
Barnsbury Est. *N1* —4C **12**
  (in two parts)
Barnsbury Gro. *N7* —1C **12**
Barnsbury Pk. *N1* —1D **13**
Barnsbury Rd. *N1* —5D **13**
Barnsbury Sq. *N1* —2D **13**
Barnsbury St. *N1* —2D **13**
Barnsbury Ter. *N1* —2C **12**
Barnsdale Av. *E14* —3E **109**
Barnsdale Rd. *W9* —4C **18**
Barnsley St. *E1* —4A **32**
Barnstaple Ho. *SE10* —5F **131**
Barnston Wlk. *N1* —3B **14**
Barnwell Ho. *SE5* —5F **125**
Barnwood Clo. *W9* —5F **19**
Baroness Rd. *E2* —2C **30**
**Barons Court. —5F 91**
Baron's Ct. Rd. *W14* —5F **91**
*Barons Court Theatre. —5A 92*
  *(off Comeragh Rd.)*
Barons Keep. *W14* —5F **91**
Baron's Pl. *SE1* —5E **73**
Baron St. *N1* —5D **13**
Baron Wlk. *E16* —1B **56**
Barque M. *SE8* —2D **131**

Barratt Ho. *N1* —1A **14**
Barret Ho. *NW6* —4D **5**
Barrett Ho. *SE17* —5C **102**
Barrett St. *W1* —4E **41**
Barrie Est. *W2* —5D **39**
Barrie Ho. *W2* —1C **66**
Barrier Point Rd. *E16* —3B **86**
Barrow Hill Est. *NW8* —1F **21**
Barrow Hill Rd. *NW8* —1F **21**
Barry Ho. *SE14* —5A **106**
Barry Rd. *E6* —3A **60**
Barter St. *WC1* —2A **44**
Bartholomew Clo. *EC1* —2A **46**
  (in two parts)
Bartholomew Ct. *E14* —1E **83**
Bartholomew Ct. *EC1* —4C **28**
Bartholomew La. *EC2* —4E **47**
Bartholomew Pl. *EC1* —2B **46**
Bartholomew Sq. *E1* —4A **32**
Bartholomew Sq. *EC1* —3C **28**
Bartholomew St. *SE1* —2E **103**
Bartle Rd. *W11* —4E **35**
Bartlett Clo. *E14* —5D **53**
Bartlett Ct. *EC4* —3E **45**
Bartletts Pas. *EC4* —3E **45**
Barton Clo. *E6* —3C **60**
Barton Ct. *W14* —5F **91**
Barton Ho. *N1* —1A **14**
Barton Rd. *W14* —5F **91** & 1A **114**
Barton St. *SW1* —1F **99**
Bartonway. *NW8* —4D **7**
Barwell Ho. *E2* —4E **31**
Baseing Clo. *E6* —5E **61**
Basevi Way. *SE8* —2E **131**
Basildon Ct. *W1* —1E **41**
Basil Ho. *SW8* —4F **121**
Basil St. *SW3* —1B **96**
Basin App. *E14* —4A **52**
Basinghall Av. *EC2* —3D **47**
Basinghall St. *EC2* —3C **46**
Basing Ho. Yd. *E2* —2A **30**
Basing Pl. *E2* —2A **30**
Basing St. *W11* —3B **36**
Basire St. *N1* —3B **14**
Basque Ct. *SE16* —5D **79**
Bassett Rd. *W10* —3E **35**
Bassingbourn Ho. *N1* —1E **13**
Bassishaw Highwalk. *EC2* —2D **47**
Basterfield Ho. *EC1* —5B **28**
Bastion Highwalk. *EC2* —2C **46**
Bastion Ho. *EC2* —2B **46**
Bastwick St. *EC1* —4B **28**
Batavia Ho. *SE14* —5A **130**
Batavia M. *SE14* —5A **130**
Batavia Rd. *SE14* —5A **130**
Batchelor St. *N1* —5E **13**
Bateman Ho. *SE11* —3F **123**
Bateman's Bldgs. *W1* —4D **43**
Bateman's Row. *EC2* —4A **30**
Bateman St. *W1* —4D **43**
Bate St. *E14* —5C **52**
Bath Clo. *SE15* —5A **128**
Bath Ct. *EC1* —5D **27**
Bath Gro. *E2* —1D **31**
Bath Ho. *E2* —4E **31**
Bath Ho. *SE1* —1B **102**
Bath Pl. *EC2* —2F **29**
Bath Pl. *W6* —5C **90**
Baths App. *SW6* —4C **114**
Bath St. *EC1* —3C **28**
Bath Ter. *SE1* —2B **102**
Bathurst Ho. *W12* —1A **34**
Bathurst M. *W2* —5E **39**
Bathurst St. *W2* —5E **39**
Batman Clo. *W12* —1A **62**
Batoum Gdns. *W6* —1C **90**
Batson Ho. *E1* —5C **49**
Batten Clo. *E6* —4C **60**
Batten Ho. *W10* —3A **18**
Battersea Bri. *SW3 & SW11* —4E **117**

Battersea Bri. Rd. *SW11* —4F **117**
Battersea Chu. Rd. *SW11* —5E **117**
Battersea Dogs' Home. —5A **120**
Battersea Pk.— 4D **119**
Battersea Pk. Children's Zoo.—4D **119**
Battersea Pk. Rd. *SW11 & SW8*
  —5A **120**
Battishill St. *N1* —2F **13**
Battlebridge Ct. *N1* —5A **12**
Battle Bri. La. *SE1* —3F **75**
Battle Bri. Rd. *NW1* —1F **25**
Battle Ho. *SE15* —3D **127**
Batty St. *E1* —3E **49**
Bawtree Rd. *SE14* —4F **129**
Baxendale St. *E2* —2D **31**
Baxter Rd. *E16* —3C **58**
Bay Ct. *E1* —5D **33**
Bayer Ho. *EC1* —5B **28**
Bayes Ct. *NW3* —1B **8**
Bayford M. *E8* —2F **17**
Bayford St. *E8* —2F **17**
Bayham Pl. *NW1* —4B **10**
Bayham St. *NW1* —3A **10**
Bayley St. *W1* —2D **43**
Baylis Rd. *SE1* —5D **73**
Baynard Ct. *EC4* —5B **46**
Bayne Clo. *E6* —4C **60**
Baynes St. *NW1* —2C **10**
Bayonne Rd. *W6* —3A **114**
**Bayswater. —5A 38**
Bayswater Rd. *W2* —1F **65**
Baythorne St. *E3* —1C **52**
Bayton Ct. *E8* —2E **17**
Bazalgette Ho. *NW8* —4E **21**
Bazeley Ho. *SE1* —5F **73**
Bazely St. *E14* —5B **54**
BBC Television Cen. —1B 62
Beach Ho. *SW5* —5D **93**
Beacon Ho. *E14* —5F **109**
Beacon Ho. *SE5* —5F **125**
Beacons Clo. *E6* —2A **60**
Beaconsfield Rd. *SE17* —2E **125**
Beaconsfield Ter. Rd. *E14* —2F **91**
Beaconsfield Wlk. *E6* —4E **61**
Beadon Rd. *W6* —4B **90**
Beak St. *W1* —5C **42**
Beaminster Ho. *SW8* —4B **122**
Beamish Ho. *SE16* —4A **106**
Bear All. *EC4* —3F **45**
Bear Gdns. *SE1* —2B **74**
Bear La. *SE1* —2A **74**
Bear St. *WC2* —5E **43**
Beatrice Ho. *W6* —5B **90**
Beatrice Pl. *W8* —2F **93**
Beatrice Rd. *SE1* —4E **105**
Beatrix Ho. *SW5* —5A **94**
Beatson Wlk. *SE16* —2F **79**
  (in two parts)
Beatty Ho. *E14* —4E **81**
Beatty Ho. *NW1* —4B **24**
Beatty Ho. *SW1* —1C **120**
Beatty St. *NW1* —5B **10**
Beauchamp Pl. *SW3* —1A **96**
Beauchamp St. *EC1* —2D **45**
Beauclerc Rd. *W6* —1A **90**
Beaufort Ct. *E14* —4E **81**
Beaufort Dri. *E6* —2E **61**
Beaufort Gdns. *SW3* —1A **96**
Beaufort Ho. *E16* —2F **85**
Beaufort Ho. *SW1* —1D **121**
Beaufort M. *SW6* —2C **114**
Beaufort St. *SW3* —1D **117**
Beaufort Ter. *E14* —5B **110**
Beaufoy Ho. *SW8* —4B **122**
Beaufoy Wlk. *SE11* —4C **100**
Beaulieu Av. *E16* —2F **85**
Beaulieu Lodge. *E14* —2D **111**
Beaumont. *W14* —4C **92**
Beaumont Av. *W14* —5B **92**
Beaumont Bldgs. *WC2* —4A **44**

Beaumont Ct. *W1* —1E **41**
Beaumont Cres. *W14* —5B **92**
Beaumont Gro. *E1* —5D **33**
Beaumont Lodge. *E8* —1E **17**
Beaumont M. *W1* —1E **41**
Beaumont Pl. *W1* —4C **24**
Beaumont Sq. *E1* —1D **51**
Beaumont St. *W1* —1E **41**
Beaumont Wlk. *NW3* —1C **8**
Beauvale. *NW1* —1E **9**
Beccles St. *E14* —4C **52**
Bechtel Ho. *W6* —4D **91**
Becket Ho. *E16* —2F **85**
Becket Ho. *SE1* —5D **75**
Becket St. *SE1* —1D **103**
Beckett Ho. *E1* —2B **50**
Beckfoot. *NW1* —1C **24**
Beckford Pl. *SE17* —1C **124**
Beckham Ho. *SE11* —4C **100**
Beck Rd. *E8* —3F **17**
**Beckton. —2D 61**
**Beckton Park. —5B 60**
Beckton Retail Pk. *E6* —1D **61**
Beckton Rd. *E16* —1C **56**
Beckway St. *SE17* —4E **103**
(in two parts)
Bedale St. *SE1* —3D **75**
Beddalls Farm Ct. *E6* —1F **59**
Bedefield. *WC1* —3A **26**
Bedford Av. *WC1* —2E **43**
Bedfordbury. *WC2* —1F **71**
Bedford Ct. *WC2* —1F **71**
(in two parts)
Bedford Ct. Mans. *WC1* —2E **43**
Bedford Gdns. *W8* —3D **65**
Bedford Pas. *SW6* —4A **114**
Bedford Pas. *W1* —1C **42**
Bedford Pl. *WC1* —1F **43**
Bedford Row. *WC1* —1C **44**
Bedford Sq. *WC1* —2E **43**
Bedford St. *WC2* —5F **43**
Bedford Way. *WC1* —5E **25**
Bedmond Ho. *SW3* —5F **95**
Bedser Clo. *SE11* —2C **122**
Beeby Rd. *E16* —2F **57**
Beech Clo. *SE8* —3C **130**
Beech Ct. *W1* —3B **40**
Beechdene. *SE15* —5F **127**
Beechey Ho. *E1* —3A **78**
Beech Gdns. *EC2* —1B **46**
Beech Ho. *SE16* —4C **78**
Beech St. *EC2* —1B **46**
Beech Tree Clo. *N1* —1D **13**
Beechwood Ho. *E2* —5E **14**
Beehive Clo. *E8* —1B **16**
Bee Pas. *EC3* —4F **47**
Beeston Ho. *SE1* —2D **103**
Beeston Pl. *SW1* —2A **98**
Beethoven St. *W10* —2A **18**
Begonia Clo. *E6* —1A **60**
Bekesbourne St. *E14* —4F **51**
Belford Ho. *E8* —3C **16**
Belfry Clo. *SE16* —5A **106**
Belgrave Ct. *E14* —1C **80**
Belgrave Ct. *SW8* —5B **120**
Belgrave Gdns. *NW8* —4A **6**
Belgrave Ho. *SW9* —3D **123**
Belgrave M. N. *SW1* —1D **97**
Belgrave M. S. *SW1* —1E **97**
Belgrave M. W. *SW1* —1D **97**
Belgrave Pl. *SW1* —1E **97**
Belgrave Rd. *SW1* —4A **98**
Belgrave Sq. *SW1* —1D **97**
Belgrave St. *E1* —2E **51**
Belgrave Yd. *SW1* —2F **97**
**Belgravia. —2E 97**
Belgravia Ct. *SW1* —2F **97**
Belgravia Ho. *SW1* —1D **97**
Belgrove St. *NW1* —2A **26**
Belitha Vs. *N1* —1C **12**

Bellamy Clo. *E14* —4D **81**
Bellamy Clo. *W14* —1C **114**
Bellamy's Ct. *SE16* —2D **79**
Bellevue Pl. *E1* —5B **32**
Bellflower Clo. *E6* —1F **59**
Bell Ho. *SE10* —3B **132**
Bell Inn Yd. *EC3* —4E **47**
Bell La. *E1* —2B **48**
Bell La. *E16* —3C **84**
Bellmaker Ct. *E3* —1D **53**
Bellot Gdns. *SE10* —5A **112**
Bellot St. *SE10* —5A **112**
Bell St. *NW1* —1F **39**
Bell Wharf La. *EC4* —1C **74**
Bell Yd. *WC2* —4D **45**
Belmont St. *NW1* —1E **9**
Belsize Pk. *NW3* —1D **7**
Belsize Rd. *NW6* —4E **5**
Belton Way. *E3* —1D **53**
Belvedere Bldgs. *SE1* —5A **74**
Belvedere Pl. *SE1* —5A **74**
Belvedere Rd. *SE1* —4C **72**
Bembridge Ho. *SE8* —4B **108**
Bemerton Est. *N1* —2B **12**
Bemerton St. *N1* —3B **12**
Benbow Ct. *W6* —1B **90**
Benbow Ho. *SE8* —2E **131**
Benbow Rd. *W6* —1A **90**
Benbow St. *SE8* —2E **131**
Bence Ho. *SE8* —4F **107**
Bendall M. *NW1* —1A **40**
Ben Ezra Ct. *SE17* —4C **102**
Benfleet Ct. *E8* —3C **16**
Bengal Ct. *EC3* —4E **47**
Bengal Ho. *E1* —1E **51**
Benhill Rd. *SE5* —5E **125**
Benjamin Clo. *E8* —3E **17**
Benjamin St. *EC1* —1F **45**
Ben Jonson Ct. *N1* —5A **16**
Ben Jonson Ho. *EC2* —1C **46**
Ben Jonson Pl. *EC2* —1C **46**
Ben Jonson Rd. *E1* —2E **51**
Benledi St. *E14* —3D **55**
Bennelong Clo. *W12* —5A **34**
Bennet's Hill. *EC4* —5A **46**
Bennet St. *SW1* —2B **70**
Bennett Ho. *SW1* —3E **99**
Bennett Rd. *E13* —1B **58**
Bennett's Yd. *SW1* —2E **99**
Ben Smith Way. *SE16* —1E **105**
Benson Ho. *E2* —4B **30**
Benson Ho. *SE1* —3E **73**
Benson Quay. *E1* —1B **78**
Bentham Ct. *N1* —2B **14**
Bentham St. *SE1* —1D **103**
Ben Tillet Clo. *E16* —3B **88**
Bentinck Clo. *NW8* —1A **22**
Bentinck Ho. *W12* —5A **34**
Bentinck M. *W1* —3E **41**
Bentinck St. *W1* —3E **41**
Bentworth Ct. *E2* —4D **31**
Bentworth Rd. *W12* —4A **34**
Benville Ho. *SW8* —5C **122**
Benwick Clo. *SE16* —3A **106**
Benyon Ct. *N1* —3F **15**
Benyon Ho. *EC1* —2E **27**
Benyon Rd. *N1* —3E **15**
Berberis Ho. *E3* —1E **53**
Berber Pl. *E14* —5D **53**
Berenger Tower. *SW10* —4D **117**
Berenger Wlk. *SW10* —4D **117**
Bere St. *E1* —5E **51**
Bergen Sq. *SE16* —1A **108**
Berghem M. *W14* —2E **91**
Bergholt M. *NW1* —2C **10**
Berglen Ct. *E14* —4F **51**
Bering Sq. *E14* —5E **109**
Bering Wlk. *E16* —4D **59**
Berkeley Ct. *NW1* —5C **22**
Berkeley Gdns. *W8* —3E **65**

Berkeley Ho. *SE8* —1B **130**
Berkeley M. *W1* —4C **40**
Berkeley Sq. *W1* —1A **70**
Berkeley St. *W1* —1A **70**
Berkeley Tower. *E14* —2C **80**
Berkley Gro. *NW1* —2C **8**
Berkley Rd. *NW1* —2C **8**
**Bermondsey. —5C 76**
Bermondsey Sq. *SE1* —1A **104**
Bermondsey St. *SE1* —3F **75**
Bermondsey Trad. Est. *SE16* —5B **106**
Bermondsey Wall E. *SE16* —5E **77**
Bermondsey Wall W. *SE16* —4D **77**
Bernard Angell Ho. *SE10* —2E **133**
Bernard Cassidy St. *E16* —1C **56**
Bernard Mans. *WC1* —5F **25**
Bernard Shaw Ct. *NW1* —1B **10**
Bernard St. *WC1* —5F **25**
Bernard Sunley Ho. *SW9* —5D **123**
Berners Ho. *N1* —5D **13**
Berners M. *W1* —2C **42**
Berners Pl. *W1* —3C **42**
Berners Rd. *N1* —4F **13**
Berners St. *W1* —2C **42**
Berner Ter. *E1* —4E **49**
Berryfield Rd. *SE17* —5A **102**
Berry Ho. *E1* —5A **32**
Berry Pl. *EC1* —3A **28**
Berry St. *EC1* —4A **28**
Berthon St. *SE8* —4E **131**
Berwick Rd. *E16* —4A **58**
Berwick St. *W1* —3C **42**
Beryl Av. *E6* —1A **60**
Besant Ho. *NW8* —3B **6**
Besford Ho. *E2* —5E **17**
Bessborough Gdns. *SW1* —5E **99**
Bessborough Pl. *SW1* —5D **99**
Bessborough St. *SW1* —5D **99**
Bessemer Ct. *NW1* —1C **10**
Bessie Lansbury Clo. *E6* —4D **61**
Besson St. *SE14* —5D **129**
Bessy St. *E2* —2C **32**
Bestwood St. *SE8* —4E **107**
Bethal Est. *SE1* —3A **76**
Bethersden Ho. *SE17* —5A **104**
Bethlehem Ho. *E14* —5C **52**
**Bethnal Green. —3F 31**
Bethnal Green Mus. of Childhood.
—2B 32
Bethnal Grn. Rd. *E1 & E2* —4B **30**
Bethwin Rd. *SE5* —4A **124**
Betsham Ho. *SE1* —4D **75**
Betterton Ho. *WC2* —4A **44**
Betterton St. *WC2* —4A **44**
Betts Ho. *E1* —5F **49**
Betts Rd. *E16* —5A **58**
Betts St. *E1* —5F **49**
Betty May Gray Ho. *E14* —3C **110**
Bevan Ho. *WC1* —1A **44**
Bevan St. *N1* —4C **14**
Bevenden St. *N1* —2E **29**
Beverston M. *W1* —2B **40**
Bevin Clo. *SE16* —2F **79**
Bevin Ct. *WC1* —2C **26**
Bevington Rd. *W10* —1A **36**
Bevington St. *SE16* —5E **77**
Bevin Ho. *E2* —2C **32**
Bevin Way. *WC1* —2D **27**
Bevis Marks. *EC3* —3A **48**
Bewdley St. *N1* —1D **13**
Bewick M. *SE15* —5F **127**
Bewley Ho. *E1* —5A **50**
Bewley St. *E1* —5A **50**
Bianca Rd. *SE15* —3C **126**
Bibury Clo. *SE15* —3A **126**
(in two parts)
Bickenhall Mans. *NW1* —1C **40**
(in two parts)
Bickenhall St. *W1* —1C **40**
Bicknell Ho. *E1* —4E **49**

Bonding Yd. Wlk. *SE16* —5A **80**
Bondway. *SW8* —3A **122**
Bonhill St. *EC2* —5E **29**
Bonner Rd. *E2* —1B **32**
Bonner St. *E2* —1C **32**
Bonnington Ho. *N1* —1B **26**
Bonnington Sq. *SW8* —2B **122**
Bonny St. *NW1* —2B **10**
Bonsor St. *SE5* —5F **125**
Booker Clo. *E14* —2C **52**
Boord St. *SE10* —2A **112**
Booth Clo. *E9* —4F **17**
Booth La. *EC4* —5B **46**
Booth's Pl. *W1* —2C **42**
Boot St. *N1* —3F **29**
Boreas Wlk. *N1* —1A **28**
Boreham Av. *E16* —4D **57**
Boreman Ho. *SE10* —2B **132**
Borough High St. *SE1* —5C **74**
Borough Rd. *SE1* —1F **101**
Borough Sq. *SE1* —5B **74**
**Borough, The. —4D 75**
Borrett Clo. *SE17* —1B **124**
Borrowdale. *NW1* —3B **24**
Borthwick St. *SE8* —1D **131**
Boscobel Pl. *SW1* —3E **97**
Boscobel St. *W2* —5E **21**
Boss Ho. *SE1* —4B **76**
Boss St. *SE1* —4B **76**
Boston Pl. *NW1* —5B **22**
Bosun Clo. *E14* —4E **81**
Boswell Ct. *W14* —2E **91**
Boswell Ct. *WC1* —1A **44**
Boswell Ho. *WC1* —1A **44**
Boswell St. *WC1* —1A **44**
Bosworth Ho. *W10* —5A **18**
Bosworth Rd. *W10* —5A **18**
Botha Rd. *E13* —1A **58**
Bothwell Clo. *E16* —2C **56**
Botolph All. *EC3* —5F **47**
Botolph La. *EC3* —1F **75**
Botts M. *W2* —4E **37**
Boughton Ho. *SE1* —4D **75**
Boulcott St. *E1* —4E **51**
Boulogne Ho. *SE1* —1B **104**
Boultwood Rd. *E6* —4B **60**
Boundary Ho. *SE5* —4B **124**
Boundary La. *SE5* —3C **124**
*Boundary M. NW8 —3C 6*
*(off Boundary Rd.)*
Boundary Pas. *E1* —4B **30**
Boundary Rd. *NW8* —4A **6**
Boundary Row. *SE1* —4F **73**
Boundary St. *E2* —3B **30**
(in two parts)
Bourchier St. *W1* —5D **43**
(in two parts)
Bourdon Pl. *W1* —5A **42**
Bourdon St. *W1* —1F **69**
Bourlet Clo. *W1* —2B **42**
Bourne Est. *EC1* —1D **45**
Bourne M. *W1* —3E **41**
Bourne St. *SW1* —4D **97**
Bourne Ter. *W2* —1F **37**
Bouverie Pl. *W2* —3E **39**
Bouverie St. *EC4* —4E **45**
Bowater Ho. *EC1* —5B **28**
Bow Brook, The. *E2* —1E **33**
Bow Chyd. *EC4* —4C **46**
**Bow Common. —1E 53**
Bow Comn. La. *E3* —1C **52**
Bowden St. *SE11* —5E **101**
Bowditch. *SE8* —4B **108**
(in two parts)
Bowen St. *E14* —3F **53**
Bower Av. *SE10* —5F **133**
Bower Ho. *SE14* —5D **129**
Bowerman Av. *SE14* —3A **130**
Bower St. *E1* —4D **51**
Bowers Wlk. *E6* —3A **60**

Bowes-Lyon Hall. *E16* —2E **85**
(in two parts)
Bowhill Clo. *SW9* —4E **123**
Bowland Yd. *SW1* —5C **68**
Bow La. *EC4* —4C **46**
Bowl Ct. *EC2* —5A **30**
Bowles Rd. *SE1* —2D **127**
Bowley Ho. *SE16* —1D **105**
Bowling Grn. La. *EC1* —4E **27**
Bowling Grn. Pl. *SE1* —4D **75**
Bowling Grn. St. *SE11* —2D **123**
Bowling Grn. Wlk. *N1* —2F **29**
Bowman Av. *E16* —5C **56**
Bowman's Bldgs. *NW1* —1F **39**
Bowman's M. *E1* —5D **49**
Bowmore Wlk. *NW1* —1E **11**
Bowness Ho. *SE15* —4B **128**
Bowry Ho. *E14* —2C **52**
Bowsprit Point. *E14* —1D **109**
Bow St. *WC2* —4E **44**
Bowyer Clo. *E6* —1C **60**
Bowyer Ho. *N1* —4A **16**
Bowyer Pl. *SE5* —4C **124**
Bowyer St. *SE5* —4C **124**
Boxley St. *E16* —3F **85**
Boxmoor Ho. *W11* —3E **63**
Box Tree Ho. *SE8* —1A **130**
Boxworth Gro. *N1* —3C **12**
Boyce Ho. *W10* —3B **18**
Boydell Ct. *NW8* —2D **7**
(in two parts)
Boyd St. *E1* —4E **49**
Boyfield St. *SE1* —5A **74**
Boyle St. *W1* —5B **42**
Boyne Ter. M. *W11* —2B **64**
Boyson Rd. *SE5* —2C **124**
(in two parts)
Boyson Wlk. *SE17* —2C **124**
Boyton Clo. *E1* —4C **32**
Boyton Ho. *NW8* —5E **7**
Brabant Ct. *EC3* —5F **47**
Brabazon St. *E14* —3F **53**
Brabner Ho. *E2* —2D **31**
Bracer Ho. *N1* —4A **16**
Bracewell Rd. *W10* —2B **34**
Brackenbury Gdns. *W6* —1A **90**
Brackenbury Rd. *W6* —1A **90**
Bracken Clo. *E6* —1B **60**
Bracken Ho. *E3* —1E **53**
Brackley Ct. *NW8* —4D **21**
Brackley St. *EC1* —1C **46**
Bracklyn Ct. *N1* —5D **15**
(in three parts)
Bracklyn St. *N1* —5D **15**
Bradbeer Ho. *E2* —3B **32**
Braddyll St. *SE10* —1F **133**
Bradenham. *SE17* —2D **125**
Bradenham Clo. *SE17* —2D **125**
Braden St. *W9* —5F **19**
Bradfield Ct. *NW1* —1A **10**
Bradfield Rd. *E16* —4E **85**
Bradford Ho. *W14* —2E **91**
Bradiston Rd. *W9* —2C **18**
Bradley Clo. *N7* —1A **12**
Bradley Ho. *E2* —1E **31**
Bradley Ho. *SE16* —3A **106**
Bradley's Clo. *N1* —5E **13**
Bradley Stone Rd. *E6* —2B **60**
Bradmead. *SW8* —5A **120**
Bradmore Pk. Rd. *W6* —2A **90**
Brad St. *SE1* —3E **73**
Bradwell Ho. *NW6* —4F **5**
Brady Ho. *SW8* —5C **120**
Bradymead. *E6* —3E **61**
Brady St. *E1* —4F **31**
Braemar Clo. *SE16* —1F **127**
Braemar Ho. *W9* —3B **20**
Braemar Rd. *E13* —1C **56**
Braes St. *N1* —1A **14**
Braganza St. *SE17* —5F **101**

Braham Ho. *SE11* —1C **122**
Braham St. *E1* —4C **48**
Braidwood Pas. *EC1* —1B **46**
Braintree Ho. *E1* —4B **32**
Braintree St. *E2* —4B **32**
Braithwaite Ho. *E14* —3D **55**
Braithwaite Ho. *EC1* —4D **29**
Braithwaite Tower. *W2* —1D **39**
Bramah Tea & Coffee Mus. —4C **76**
Bramber. *WC1* —3F **25**
Bramber Rd. *W14* —2B **114**
Bramble Ho. *E3* —1E **53**
Brambling Ct. *SE8* —3B **130**
Bramcote Gro. *SE16* —5B **106**
Bramerton St. *SW3* —2F **117**
Bramham Gdns. *SW5* —5F **93**
Bramley Cres. *SW8* —4E **121**
Bramley Ho. *W10* —4E **35**
Bramley Rd. *W10* —1E **63**
Brampton. *WC1* —2B **44**
Bramshurst. *NW8* —4A **6**
Bramwell Ho. *SE1* —2C **102**
Bramwell Ho. *SW1* —1B **120**
Bramwell M. *N1* —3C **12**
Brancaster Ho. *E1* —3E **33**
Branch Pl. *N1* —4E **15**
Branch Rd. *E14* —5F **51**
Branch St. *SE5* —5A **126**
Brandon Est. *SE17* —3F **123**
Brandon Mans. *W14* —2A **114**
Brandon M. *EC2* —2D **47**
Brandon Rd. *N7* —1F **11**
Brandon St. *SE17* —4C **102**
(in three parts)
Brandreth Rd. *E6* —3C **60**
Brand St. *SE10* —5B **132**
Brangton Rd. *SE11* —1C **122**
Brangwyn Ct. *W14* —2F **91**
Branksome Ho. *SW8* —4B **122**
Branscombe. *NW1* —4C **10**
Bransdale Clo. *NW6* —3E **5**
Brantwood Ho. *SE5* —4B **124**
Brassey Ho. *E14* —5E **81**
Brass Talley All. *SE16* —5E **79**
Brathay. *NW1* —1C **24**
Bratley St. *E1* —5D **31**
Bravington Pl. *W9* —4B **18**
Bravington Rd. *W9* —1B **18**
Brawne Ho. *SE17* —3A **124**
Bray. *NW3* —1F **7**
Bray Cres. *SE16* —4D **79**
Bray Dri. *E16* —5C **56**
Brayfield Ter. *N1* —2D **13**
Brayford Sq. *E1* —5C **50**
Bray Pas. *E16* —5D **57**
Bray Pl. *SW3* —5B **96**
Bread St. *EC4* —5C **46**
(in two parts)
Breamore Ho. *SE15* —4E **127**
Bream's Bldgs. *EC4* —3D **45**
Brechin Pl. *SW7* —5C **94**
Brecon Ho. *W2* —3B **38**
Brecon Rd. *W6* —3A **114**
Bredel Ho. *E14* —2D **53**
Breezers Ct. *E1* —1E **77**
Breezer's Hill. *E1* —1E **77**
Bremner Rd. *SW7* —1C **94**
Brendon St. *W1* —3A **40**
Brenley Ho. *SE1* —4D **75**
Brenton St. *E14* —3A **52**
Brent Rd. *E16* —3E **57**
Bressenden Pl. *SW1* —1A **98**
Breton Highwalk. *EC2* —1C **46**
Breton Ho. *EC1* —1C **46**
Breton Ho. *SE1* —1B **104**
Brettell St. *SE17* —1E **125**
Brettinghurst. *SE1* —1D **127**
Brewer's Grn. *SW1* —1C **98**
Brewer's Hall Garden. *EC2* —2C **46**
Brewer St. *W1* —1C **70**

# Cadbury Way—Caradoc St.

Cadbury Way. *SE16* —2C **104**
(in two parts)
Cadell Clo. *E2* —1C **30**
Cade Rd. *SE10* —5D **133**
Cadet Dri. *SE1* —5C **104**
Cadet Pl. *SE10* —5F **111**
Cadiz St. *SE17* —1C **124**
Cadman Clo. *SW9* —5F **123**
Cadmore Ho. *N1* —2F **13**
Cadmus Ct. *SW9* —5D **123**
Cadnam Lodge. *E14* —2C **110**
Cadogan Ct. *SW3* —4B **96**
Cadogan Gdns. *SW3* —3C **96**
Cadogan Ga. *SW1* —3C **96**
Cadogan Ho. *SW3* —3E **117**
Cadogan La. *SW1* —2D **97**
Cadogan Pl. *SW1* —1C **96**
Cadogan Sq. *SW1* —2B **96**
Cadogan St. *SW3* —4B **96**
Caernarvon Ho. *E16* —2F **85**
Caernarvon Ho. *W2* —3B **38**
Cahill St. *EC1* —5C **28**
Cahir St. *E14* —4F **109**
Caird St. *W10* —3A **18**
Caister Ho. *N7* —1C **12**
Caithness Ho. *N1* —3B **12**
Caithness Rd. *W14* —3D **91**
Calcott Ct. *W14* —2F **91**
Calcraft Ho. *E2* —1B **32**
Calder Ct. *SE16* —2B **80**
Calderon Ho. *NW8* —5F **7**
Calderon Pl. *W10* —2B **34**
Caldew St. *SE5* —4D **125**
Caldwell St. *SW9* —5C **122**
Caldy Wlk. *N1* —1C **14**
Caleb St. *SE1* —4C **74**
Caledonia Ho. *E14* —4A **52**
Caledonian Rd. *N7 & N1* —1B **12**
Caledonian Wharf. *E14* —4D **111**
Caledonia St. *N1* —1A **26**
Cale St. *SW3* —5F **95**
Caletock Way. *SE10* —5B **112**
Calgarth. *NW1* —1C **24**
Calgary Ct. *SE16* —5C **78**
Caliban Tower. *N1* —1F **29**
Callahan Cotts. *E1* —1B **50**
Callcott Ct. *NW6* —2B **4**
Callcott Rd. *NW6* —2B **4**
Callcott St. *W8* —2D **65**
Callendar Rd. *SW7* —1D **95**
Callingham Clo. *E14* —2C **52**
Callow St. *SW3* —2C **116**
Calmington Rd. *SE5* —2A **126**
Calshot Ho. *N1* —5B **12**
Calshot St. *N1* —5B **12**
Calstock. *NW1* —4D **11**
Calstock Ho. *SE11* —5E **101**
Calthorpe St. *WC1* —4C **26**
Calvert Av. *E1* —3A **30**
Calvert Ho. *W12* —5A **34**
Calverton. *SE17* —2F **125**
Calvert Rd. *SE10* —5B **112**
Calvert's Bldgs. *SE1* —3D **75**
Calvert St. *NW1* —3D **9**
Calvin St. *E1* —5B **30**
Calypso Way. *SE16* —2B **108**
Cambay Ho. *E1* —5F **33**
Camber Ho. *SE15* —2C **128**
Camberley Ho. *NW1* —1A **24**
Camberwell New Rd. *SE5* —3D **123**
Camberwell Rd. *SE17 & SE5*
—2C **124**
Cambourne M. *W11* —4F **35**
Cambria Ho. *E14* —3A **52**
Cambria St. *SW6* —5A **116**
Cambridge Av. *NW6* —5E **5**
Cambridge Cir. *WC2* —4E **43**
Cambridge Ct. *E2* —1A **32**
Cambridge Ct. *NW6* —5E **5**
(in three parts)

Cambridge Ct. *W2* —2F **39**
Cambridge Ct. *W6* —3C **90**
Cambridge Cres. *E2* —1F **31**
Cambridge Gdns. *NW6* —5E **5**
Cambridge Gdns. *W10* —3E **35**
Cambridge Ga. *NW1* —4F **23**
Cambridge Ga. M. *NW1* —4A **24**
Cambridge Gro. *W6* —3A **90**
Cambridge Heath Rd. *E1 & E2*
—1A **32** & 5F **17**
Cambridge Ho. *W6* —3A **90**
Cambridge Pl. *W8* —5A **66**
Cambridge Rd. *NW6* —2E **19**
(in two parts)
Cambridge Sq. *W2* —3F **39**
Cambridge St. *SW1* —4A **98**
Cambridge Ter. *NW1* —3F **23**
Cambridge Ter. M. *NW1* —3A **24**
Cambridge Theatre. —4F **43**
Cambus Rd. *E16* —4C **72**
Cam Ct. *SE15* —3B **126**
Camden Ct. *NW1* —2C **10**
Camden Gdns. *NW1* —2A **10**
Camden High St. *NW1* —2A **10**
Camden Ho. *SE8* —1B **130**
Camdenhurst St. *E14* —3A **52**
Camden Lock Market. —3A **10**
Camden Lock Pl. *NW1* —2F **9**
Camden M. *NW1* —1C **10**
Camden Passage. —5F **13**
Camden Pas. *N1* —5F **13**
(in two parts)
Camden Peoples Theatre. —4B **24**
Camden Rd. *NW1 & N7* —2B **10**
Camden Sq. *NW1* —1D **11**
(in two parts)
Camden St. *NW1* —2A **10**
Camden Studios. *NW1* —4C **10**
Camden Town. —3A **10**
Camden Wlk. *N1* —4F **13**
(in two parts)
Camelford. *NW1* —4C **10**
Camelford Ct. *W11* —5F **35**
Camelford Ho. *SE1* —1A **122**
Camelford Wlk. *W11* —4F **35**
Camellia Ho. *SE8* —4C **130**
Camellia St. *SW8* —5F **121**
Camel Rd. *E16* —2E **87**
Camera Pl. *SW10* —3D **117**
Cameret Ct. *W14* —4E **63**
Cameron Ho. *NW8* —5F **7**
Cameron Ho. *SE5* —5B **124**
Cameron Pl. *E1* —3A **50**
Camilla Rd. *SE16* —4F **105**
Camlet St. *E2* —4B **30**
Camley St. *NW1* —2D **11**
Camomile St. *EC2* —3F **47**
Campania Building. *E1* —5E **51**
Campbell Ct. *SW7* —2B **94**
Campbell Ho. *SW1* —1B **120**
Campbell Ho. *W12* —1A **62**
Campbell Wlk. *N1* —3A **12**
Campden Gro. *W8* —4E **65**
Campden Hill. *W8* —4C **64**
Campden Hill Ct. *W8* —4E **65**
Campden Hill Gdns. *W8* —2D **65**
Campden Hill Ga. *W8* —4D **65**
Campden Hill Mans. *W8* —2E **65**
Campden Hill Pl. *W11* —2C **64**
Campden Hill Rd. *W11* —2D **65**
Campden Hill Sq. *W11* —2C **64**
Campden Ho. *NW6* —1D **7**
Campden Ho. *W8* —3E **65**
Campden Ho. Clo. *W8* —4D **65**
Campden Houses. *W8* —3D **65**
Campden St. *W8* —3D **65**
Camperdown St. *E1* —4C **48**
Campion Clo. *E6* —5C **60**
Camplin St. *SE14* —4E **129**
Canada Est. *SE16* —1C **106**

Canada Ho. *SE16* —2F **107**
Canada Sq. *E14* —2F **81**
Canada St. *SE16* —5D **79**
Canada Way. *W12* —5A **34**
Canada Wharf. *SE16* —2B **80**
Canal App. *SE8* —2F **129**
Canal Bridge. (Junct.) —2E **127**
Canal Building. *N1* —5B **14**
Canal Clo. *E1* —4F **33**
Canal Gro. *SE15* —2E **127**
Canal Path. *E2* —4B **16**
Canal Rd. *E3* —4F **33**
Canal St. *SE5* —3D **125**
Canal Wlk. *N1* —3E **15**
Canary Wharf. —2F **81**
Cancell Rd. *SW9* —5E **123**
Candida Ct. *NW1* —1A **10**
Candover St. *W1* —2B **42**
Canfield Gdns. *NW6* —1F **5**
Cann Ho. *W14* —2A **92**
Canning Ho. *W12* —1A **62**
Canning Pas. *W8* —1B **94**
(in two parts)
Canning Pl. *W8* —1B **94**
Canning Pl. M. *W8* —1B **94**
Canning Town. —4C **56**
Canning Town. (Junct.) —2A **56**
Cannon Dri. *E14* —1D **81**
Cannon Ho. *SE11* —4C **100**
Cannon St. *EC4* —4B **46**
Cannon St. Rd. *E1* —3F **49**
Cannon Wharf Bus. Cen. *SE8* —4F **107**
Cannon Workshops. *E14* —1D **81**
Canon Beck Rd. *SE16* —4C **78**
Canonbury Bus. Cen. *N1* —3C **14**
Canonbury Ct. *N1* —2A **14**
Canonbury Cres. *N1* —1C **14**
Canonbury Gro. *N1* —1B **14**
Canonbury La. *N1* —1F **13**
Canonbury Pl. *N1* —1A **14**
Canonbury Rd. *N1* —1A **14**
Canonbury Sq. *N1* —1A **14**
Canonbury St. *N1* —1B **14**
Canonbury Vs. *N1* —2A **14**
Canon Row. *SW1* —5F **71**
(in two parts)
Canon St. *N1* —4B **14**
Canrobert St. *E2* —1F **31**
Cantelowes Rd. *NW1* —1E **11**
Canterbury Clo. *E6* —3B **60**
Canterbury Ct. *NW6* —5D **5**
Canterbury Ho. *SE1* —1C **100**
Canterbury Ho. *SW9* —4E **123**
Canterbury Ind. Pk. *SE15* —3C **128**
Canterbury Pl. *SE17* —4A **102**
Canterbury Rd. *NW6* —1C **18**
(in two parts)
Canterbury Ter. *NW6* —5D **5**
Cantium Retail Pk. *SE1* —2D **127**
Canton St. *E14* —4D **53**
Canute Gdns. *SE16* —3D **107**
Canvey St. *SE1* —2B **74**
Cape Henry Ct. *E14* —1E **83**
Capel Ct. *EC2* —4E **47**
Capener's Clo. *SW1* —5C **68**
Cape Yd. *E1* —2E **77**
Capital Wharf. *E1* —3E **77**
Capland Ho. *NW8* —4E **21**
Capland St. *NW8* —4E **21**
Caple Ho. *SW10* —4C **116**
Capper St. *W1* —5C **24**
Capstan Ct. *E1* —1C **78**
Capstan Ho. *E14* —5D **55**
Capstan Ho. *E14* —4C **110**
Capstan Rd. *SE8* —3B **108**
Capstan Sq. *E14* —5C **82**
Capstan Way. *SE16* —3A **80**
Capulet M. *E16* —2D **85**
Caradoc Clo. *W2* —3D **37**
Caradoc St. *SE10* —5F **111**

# Caravel Clo.—Cerney M.

Caravel Clo. *E14* —1D **109**
Caravel M. *SE8* —2D **131**
Caraway Clo. *E13* —1F **57**
Caraway Heights. *E14* —1B **82**
Carbis Rd. *E14* —3B **52**
Carburton St. *W1* —1A **42**
Cardale St. *E14* —1B **110**
Cardiff Ho. *SE15* —3E **127**
Cardigan St. *SE11* —5D **101**
Cardigan Wlk. *N1* —1C **14**
Cardinal Bourne St. *SE1* —2E **103**
Cardinal Cap All. *SE1* —2B **74**
Cardinal Ct. *E1* —1D **77**
Cardine M. *SE15* —4F **127**
Cardington St. *NW1* —2C **24**
Cardorss Ho. *W6* —1A **90**
Cardross St. *W6* —1A **90**
Career Ct. *SE16* —4D **79**
Carew Ct. *SE14* —3D **129**
Carey Ct. *SE5* —5B **124**
Carey La. *EC2* —3B **46**
Carey Mans. *SW1* —3D **99**
Carey Pl. *SW1* —4D **99**
Carey St. *WC2* —4C **44**
Carfree Clo. *N1* —1E **13**
Carinthia Ct. *SE16* —3F **107**
Carisbrooke Gdns. *SE15* —4C **126**
Carlisle Av. *EC3* —4B **48**
Carlisle La. *SE1* —2C **100**
Carlisle Mans. *SW1* —3B **98**
Carlisle Pl. *SW1* —2B **98**
Carlisle Rd. *NW6* —3A **4**
Carlisle St. *W1* —4D **43**
Carlos Pl. *W1* —1E **69**
Carlow St. *NW1* —5B **10**
Carlton Ct. *W9* —5A **6**
Carlton Gdns. *SW1* —2D **71**
Carlton Gro. *SE15* —5A **128**
Carlton Hill. *NW8* —1A **20**
Carlton Ho. *NW6* —5D **5**
(in five parts)
*Carlton Ho. SE16* —5D *79*
*(off Wolfe Cres.)*
Carlton Ho. Ter. *SW1* —3D **71**
Carlton Mans. *NW6* —2E **5**
Carlton Mans. *W9* —2F **19**
Carlton Sq. *E1* —4D **33**
(in two parts)
Carlton St. *SW1* —1D **71**
Carlton Tower Pl. *SW1* —1C **96**
Carlton Va. *NW6* —1C **18**
Carlyle M. *E1* —4E **33**
Carlyle's House. —3F **117**
Carlyle Sq. *SW3* —1E **117**
Carmarthen Pl. *SE1* —4F **75**
Carmel Ct. *W8* —4F **65**
Carmelite St. *EC4* —5E **45**
Carmen St. *E14* —3F **53**
Carmichael Ho. *E14* —5B **54**
Carnaby St. *W1* —4B **42**
Carnegie St. *N1* —4B **12**
Carnoustie Dri. *N1* —2B **12**
(in two parts)
Caroline Clo. *W2* —1A **66**
Caroline Gdns. *E2* —2A **30**
Caroline Gdns. *SE15* —4F **127**
Caroline Ho. *W6* —5B **90**
Caroline Pl. *W2* —5A **38**
Caroline Pl. M. *W2* —1A **66**
Caroline St. *E1* —4E **51**
Caroline Ter. *SW1* —4D **97**
Carol St. *NW1* —3B **10**
Caronia Ct. *SE16* —3F **107**
Carpenter Ho. *E14* —2D **53**
Carpenters Ct. *NW1* —3B **10**
Carpenter St. *W1* —1F **69**
Carradale Ho. *E14* —3B **54**
Carriage Dri. E. *SW11* —4E **119**
Carriage Dri. N. *SW11* —5B **118**
(in two parts)

Carriage Dri. S. *SW11* —5E **119**
Carriage Dri. W. *SW11* —5B **118**
Carrick Ho. *SE11* —5F **101**
Carrick M. *SE8* —2D **131**
Carrington Ho. *W1* —3F **69**
Carrington St. *W1* —3F **69**
Carroll Ho. *W2* —5D **39**
Carron Clo. *E14* —3A **54**
Carroun Rd. *SW8* —4B **122**
Carr St. *E14* —2A **52**
(in two parts)
Carson Rd. *E16* —1E **57**
Carter Ct. *EC4* —4A **46**
Carteret Ho. *W12* —5A **34**
Carteret St. *SW1* —5D **71**
Carteret Way. *SE8* —4A **108**
Carter Ho. *E1* —2B **48**
Carter La. *EC4* —4A **46**
Carter Pl. *SE17* —1C **124**
Carter St. *SE17* —2B **124**
Carthew Rd. *W6* —2A **90**
Carthew Vs. *W6* —1A **90**
Carthusian St. *EC1* —1B **46**
Cartier Circ. *E14* —2A **82**
Carting La. *WC2* —1A **72**
Cartmel. *NW1* —2B **24**
Carton Ho. *SE16* —1D **105**
Carton Ho. *W11* —1E **63**
Cartwright Gdns. *WC1* —3F **25**
Cartwright Ho. *SE1* —2C **102**
Cartwright St. *E1* —5C **48**
Carvel Ho. *E14* —5C **110**
Casby Ho. *SE16* —1D **105**
Cascades Tower. *E14* —3D **81**
Casella Rd. *SE14* —5D **129**
Caspian Ho. *E1* —1E **51**
Caspian St. *SE5* —4D **125**
Caspian Wlk. *E16* —4D **59**
Cassidy Rd. *SW6* —5D **115**
(in two parts)
Casson Ho. *E1* —1D **49**
Casson St. *E1* —2D **49**
Castalia Sq. *E14* —5B **82**
Castellain Mans. *W9* —3F **19**
(in two parts)
Castellain Rd. *W9* —4F **19**
Castell Ho. *SE8* —4E **131**
Casterbridge. *NW6* —3A **6**
Casterbridge. *W11* —3C **36**
Castleacre. *W2* —4F **39**
Castle Baynard St. *EC4* —5A **46**
Castlebrook Clo. *SE11* —3F **101**
Castle Ct. *EC3* —4E **47**
Castleford Ct. *NW8* —4E **21**
Castlehaven Rd. *NW1* —2F **9**
Castle Ho. *SE1* —3B **102**
Castle Ho. *SW8* —4A **122**
Castle Ind. Est. *SE17* —3B **102**
Castle La. *SW1* —1B **98**
Castle Mead. *SE5* —5C **124**
Castle Pl. *NW1* —1A **10**
Castlereagh St. *W1* —1B **40**
Castle Rd. *NW1* —1F **9**
Castleton Ho. *E14* —3C **110**
Castletown Rd. *W14* —1A **114**
Castle Wharf. *E14* —5A **56**
Castle Yd. *SE1* —2A **74**
Castor La. *E14* —1F **81**
Catesby St. *SE17* —4E **103**
Cathay Ho. *SE16* —5A **78**
Cathay St. *SE16* —5A **78**
Cathcart Rd. *SW10* —2A **116**
Cathedral Lodge. *EC1* —1B **46**
Cathedral Mans. *SW1* —3B **98**
Cathedral Piazza. *SW1* —2B **98**
Cathedral Pl. *EC4* —4B **46**
Cathedral St. *SE1* —2D **75**
Catherine Griffiths Ct. *EC1* —4E **27**
Catherine Gro. *SE10* —5F **131**
Catherine Ho. *N1* —4F **15**

Catherine Pl. *SW1* —1B **98**
Catherine St. *WC2* —5B **44**
Catherine Wheel All. *EC2* —2A **48**
(in two parts)
Catherine Wheel Yd. *SW1* —3B **70**
Catherwood Ct. *N1* —2D **29**
Cathnor Rd. *W12* —5A **62**
Catlin St. *SE16* —1E **127**
Cator St. *SE15* —4C **126**
(Commercial Way)
Cator St. *SE15* —3B **126**
(St George's Way)
Cato St. *W1* —2A **40**
Catton St. *WC1* —2B **44**
Caughley Ho. *SE11* —2C **100**
Causton Cotts. *E14* —2A **52**
Causton Ho. *SE5* —4C **124**
Causton St. *SW1* —4E **99**
Cavaye Pl. *SW10* —1C **116**
Cavell Ho. *N1* —4F **15**
Cavell St. *E1* —1A **50**
Cavendish Av. *NW8* —1E **21**
Cavendish Clo. *NW6* —1B **4**
Cavendish Clo. *NW8* —2E **21**
Cavendish Ct. *EC3* —3A **48**
Cavendish Ho. *NW8* —1E **21**
Cavendish Mans. *EC1* —5D **27**
Cavendish M. N. *W1* —1A **42**
Cavendish M. S. *W1* —2A **42**
Cavendish Pl. *W1* —3A **42**
Cavendish Rd. *NW6* —2A **4**
Cavendish Sq. *W1* —3A **42**
Cavendish St. *N1* —1D **29**
Caversham Ho. *SE15* —3D **127**
Caversham St. *SW3* —2B **118**
Caverswall St. *W12* —3B **34**
Cavour Ho. *SE17* —5A **102**
Caxton Rd. *W12* —3D **63**
Caxton St. *SW1* —1C **98**
Caxton St. N. *E16* —4B **56**
Caxton St. S. *E16* —1C **84**
Caxton Wlk. *WC2* —4E **43**
Cayton Pl. *EC1* —3D **29**
Cayton St. *EC1* —3D **29**
Cecil Ct. *NW6* —2F **5**
Cecil Ct. *SW10* —2B **116**
Cecil Ct. *WC2* —1F **71**
Cecil Rhodes Ho. *NW1* —5D **11**
Cedar Ct. *N1* —1C **14**
Cedar Ct. *W1* —3A **40**
Cedar Ho. *E14* —5B **82**
Cedar Ho. *SE16* —5D **79**
Cedar Ho. *W8* —1F **93**
Cedarne Rd. *SW6* —5F **115**
Cedar Way. *NW1* —2D **11**
Cedar Way Ind. Est. *NW1* —2D **11**
Celandine Clo. *E3* —2D **53**
Celandine Dri. *E8* —1C **16**
Celbridge M. *W2* —3A **38**
Celia Ho. *N1* —1F **29**
Celtic St. *E14* —1A **54**
Cenotaph. —4F **71**
Centaur St. *SE1* —1C **100**
Central Av. *SW11* —5B **118**
Central Criminal Court. —3A **46**
(Old Bailey)
Central Markets (Smithfield).
—2F **45**
Central St. *EC1* —2B **28**
Centre Heights. *NW3* —1D **7**
Centre Point. *SE1* —5D **105**
Centrepoint. *WC1* —3E **43**
Centre Point Ho. *WC2* —3E **43**
Centre St. *E2* —1F **31**
Centric Clo. *NW1* —3F **9**
Centurion Clo. *N7* —1B **12**
Cephas Av. *E1* —4C **32**
Cephas Ho. *E1* —5B **32**
Cephas St. *E1* —5B **32**
Cerney M. *W2* —5D **39**

Cervantes Ct. *W2* —4A **38**
Cester St. *E2* —4D **17**
Ceylon Rd. *W14* —2E **91**
Chadbourn St. *E14* —2A **54**
Chadston Ho. *N1* —1A **14**
Chadswell. *WC1* —3A **26**
Chadwell St. *EC1* —2E **27**
Chadwick St. *SW1* —2E **99**
Chadwin Rd. *E13* —1F **57**
Chadworth Ho. *EC1* —3B **28**
Chagford St. *NW1* —5B **22**
Chalbury Wlk. *N1* —5C **12**
Chalcot Cres. *NW1* —2C **8**
Chalcot Rd. *NW1* —2D **9**
Chalcot Sq. *NW1* —2C **8**
(in two parts)
Chaldon Rd. *SW6* —4A **114**
Chalfont Ct. *NW1* —5C **22**
Chalfont Ho. *SE16* —1F **105**
Chalford. *NW3* —1C **6**
**Chalk Farm. —1D 9**
Chalk Farm Rd. *NW1* —1D **9**
Chalk Hill Rd. *W6* —4D **91**
Chalk Rd. *E13* —1A **58**
Chalkwell Ho. *E1* —4E **51**
Challenger Ho. *E14* —5A **52**
Challoner Cres. *W14* —1B **114**
Challoner St. *W14* —5B **92**
Chalmers Wlk. *SE17* —3A **124**
Chalton Ho. *NW1* —2D **25**
Chalton St. *NW1* —5C **10**
(in three parts)
Chamberlain Ho. *E1* —5B **50**
Chamberlain Ho. *NW1* —1D **25**
Chamberlain Ho. *SE1* —5D **73**
Chamberlain St. *NW1* —2C **8**
Chambers St. *SE16* —4D **77**
Chamber St. *E1* —5C **48**
Chambers Wharf. *SE16* —4E **77**
Chambord St. *E2* —2C **30**
Champlain Ho. *W12* —1A **62**
Chancellor Ho. *E1* —3A **78**
Chancellor Pas. *E14* —3E **81**
Chancellors Ct. *WC1* —1B **44**
Chancel St. *SE1* —3F **73**
Chancery Bldgs. *E1* —5A **50**
Chancery La. *WC2* —2C **44**
Chance St. *E2 & E1* —4B **30**
Chandler Av. *E16* —1D **57**
Chandlers M. *E14* —4D **81**
Chandler St. *E1* —2A **78**
Chandler Way. *SE15* —5B **126**
(Diamond St.)
Chandler Way. *SE15* —3A **126**
(St George's Way)
Chandlery Ho. *E1* —4D **49**
Chandlery, The. *SE1* —1E **101**
Chandos Pl. *WC2* —1F **71**
Chandos St. *W1* —2A **42**
Change All. *EC3* —4E **47**
Channel Ho. *E14* —2F **51**
Chantry Clo. *W9* —5C **18**
Chantry Sq. *W8* —2F **93**
Chantry St. *N1* —4A **14**
Chapel Ct. *SE1* —4D **75**
Chapel Ho. St. *E14* —5A **110**
Chapel Mkt. *N1* —5C **13**
*Chapel of St John the Evangelist.*
*(off Tower of London)* —1B 76
Chapel Pl. *EC2* —3F **29**
Chapel Pl. *N1* —5E **13**
Chapel Pl. *W1* —4F **41**
Chapel Side. *W2* —5F **37**
Chapel St. *SW1* —1E **97**
Chapel St. *W2* —2F **39**
Chaplin Clo. *SE1* —4E **73**
Chapman Ho. *E1* —4A **50**
Chapman St. *E1* —5F **49**
Chapone Pl. *W1* —4D **43**
Chapter Chambers. *SW1* —4D **99**

Chapter Ho. Ct. *EC4* —4B **46**
Chapter Rd. *SE17* —1A **124**
Chapter St. *SW1* —4D **99**
Charcroft Ct. *W14* —5D **63**
Chardin Ho. *SW9* —5E **123**
Chardwell Clo. *E6* —3B **60**
Charecroft Way. *W12* —5D **63**
Charfield St. *W9* —5A **20**
Charford Rd. *E16* —2E **57**
Chargrove Clo. *SE16* —4E **79**
Charing Cross. *SW1* —2F **71**
Charing Cross Rd. *WC2* —3E **43**
Charing Ho. *SE1* —4E **73**
Charlbert Ct. *NW8* —5F **7**
Charlbert St. *NW8* —5F **7**
Charles Auffray Ho. *E1* —2C **50**
*Charles Darwin Ho. E2 —2F 31*
*(off Canrobert St.)*
Charles Dickens Ho. *E2* —2E **31**
Charles Flemwell M. *E16* —2E **85**
Charles Gardner Ct. *N1* —2E **29**
Charles La. *NW8* —1E **21**
Charles MacKenzie Ho. *SE16* —3D **105**
Charles Pl. *NW1* —3C **24**
Charles Rowan Ho. *WC1* —3D **27**
Charles II Pl. *SW3* —1A **118**
Charles II St. *SW1* —2D **71**
Charles Simmons Ho. *WC1* —3C **26**
Charles Sq. *N1* —3E **29**
Charles Sq. Est. *N1* —3E **29**
Charles St. *E16* —3C **86**
Charles St. *W1* —2F **69**
Charleston St. *SE17* —4C **102**
Charles Townsend Ho. *EC1* —3F **27**
Charles Whincup Rd. *E16* —2F **85**
Charlesworth Ho. *E14* —4C **52**
Charleville Mans. *W14* —1A **114**
Charleville Rd. *W14* —1A **114**
Charlie Chaplin Wlk. *SE1* —3C **72**
Charlotte Ct. *SE17* —3F **103**
Charlotte Ho. *E16* —2F **85**
Charlotte M. *W1* —1C **42**
Charlotte M. *W10* —4D **35**
Charlotte M. *W14* —5A **92**
Charlotte Pl. *SW1* —4B **98**
Charlotte Pl. *W1* —2C **42**
Charlotte Rd. *EC1* —3F **29**
Charlotte St. *W1* —1C **42**
Charlotte Ter. *N1* —4C **12**
Charlton Ct. *E2* —5C **16**
Charlton Pl. *N1* —5F **13**
Charlwood Ho. *SW1* —4D **99**
Charlwood Houses. *WC1* —3A **26**
Charlwood Pl. *SW1* —4C **98**
Charlwood St. *SW1* —1B **120**
(in two parts)
Charmans Ho. *SW8* —4F **121**
Charmouth Ho. *SW8* —4B **122**
Charnock Ho. *W12* —1A **62**
Charnwood Gdns. *E14* —3E **109**
Charrington St. *NW1* —5D **11**
Charter Ho. *WC2* —4A **44**
Charterhouse Bldgs. *EC1* —5B **28**
Charterhouse M. *EC1* —1A **46**
Charterhouse Sq. *EC1* —1A **46**
Charterhouse St. *EC1* —2E **45**
Charteris Rd. *NW6* —4C **4**
Chartes Ho. *SE1* —1A **104**
Chartham Ho. *SE1* —1E **103**
Chart Ho. *E14* —5F **109**
Chartridge. *SE17* —2D **125**
Chart St. *N1* —2E **29**
Chaseley St. *E14* —4F **51**
Chasemore Ho. *SW6* —4A **114**
Chater Ho. *E2* —2D **33**
Chatham St. *SE17* —3D **103**
Chatsworth Ct. *W8* —3D **93**
Chatsworth Ho. *E16* —2D **85**
Chatsworth Rd. *NW2* —1A **4**
Chaucer Dri. *SE1* —4C **104**

Chaucer Ho. *SW1* —1B **120**
Chaucer Mans. *W14* —2A **114**
*Chaucer Theatre. —3C 48*
Chaulden Ho. *EC1* —3E **29**
Chauntler Clo. *E16* —5A **58**
Cheadle Ct. *NW8* —4E **21**
Cheadle Ho. *E14* —4B **52**
Cheapside. *EC2* —4B **46**
Chearsley. *SE17* —3C **102**
Cheddington Ho. *E2* —4D **17**
Chedworth Clo. *E16* —3B **56**
Cheesemans Ter. *W14* —1B **114**
(in two parts)
Chelmsford Clo. *E6* —3B **60**
**Chelsea. —1F 117**
Chelsea Bri. *SW1 & SW8* —2F **119**
Chelsea Bri. Bus. Cen. *SW8* —5F **119**
Chelsea Bri. Rd. *SW1* —5C **96**
Chelsea Bri. Wharf. *SW8* —3A **120**
Chelsea Cloisters. *SW3* —4A **96**
Chelsea Embkmt. *SW3* —3F **117**
Chelsea Farm Ho. Studios. *SW10*
—3E **117**
*Chelsea F.C. —3F 115*
Chelsea Gdns. *SW1* —1E **119**
Chelsea Ga. *SW1* —1E **119**
Chelsea Lodge. *SW3* —2C **118**
Chelsea Mnr. Ct. *SW3* —2A **118**
Chelsea Mnr. Gdns. *SW3* —2A **118**
Chelsea Mnr. St. *SW3* —1F **117**
Chelsea Pk. Gdns. *SW3* —2D **117**
*Chelsea Physic Garden. —2B 118*
Chelsea Reach Tower. *SW10* —4D **117**
Chelsea Sq. *SW3* —5E **95**
Chelsea Studios. *SW6* —4A **116**
Chelsea Towers. *SW3* —1A **118**
Chelsea Village. *SW6* —4A **116**
Chelsea Wharf. *SW10* —5D **117**
Chelsfield Ho. *SE17* —4F **103**
Cheltenham Ter. *SW3* —5C **96**
Chelwood Ho. *W2* —4E **39**
Cheney Rd. *NW1* —1F **25**
Chenies M. *WC1* —5D **25**
Chenies Pl. *NW1* —5E **11**
Chenies St. *WC1* —1D **43**
Chenies, The. *NW1* —5E **11**
Cheniston Gdns. *W8* —1F **93**
Chepstow Corner. *W2* —4E **37**
Chepstow Ct. *W2* —5D **37**
Chepstow Cres. *W11* —5D **37**
Chepstow Pl. *W2* —4E **37**
Chepstow Rd. *W2* —3E **37**
Chepstow Vs. *W11* —5C **36**
Chepstow Wlk. *SE15* —5B **126**
Chequers Ct. *EC1* —5D **29**
Chequers Ho. *NW8* —4F **21**
Chequer St. *EC1* —5C **28**
(in two parts)
Cherbury Ct. *N1* —1E **29**
Cherbury St. *N1* —1E **29**
Cherry Garden Ho. *SE16* —5F **77**
Cherry Garden St. *SE16* —5F **77**
Cherry Tree Ct. *NW1* —1C **10**
Cherry Tree Wlk. *EC1* —5C **28**
Cherrywood Clo. *E3* —2F **33**
Cherwell Ho. *NW8* —5E **21**
Chesham Clo. *SW1* —2D **97**
Chesham Flats. *W1* —5E **41**
Chesham M. *SW1* —1D **97**
Chesham Pl. *SW1* —2D **97**
(in two parts)
Chesham St. *SW1* —2D **97**
Cheshire Ct. *EC4* —4E **45**
Cheshire St. *E2* —4C **30**
Cheshunt Ho. *NW6* —4F **5**
Chesil Ct. *SW3* —2A **118**
Chesilton Rd. *SW6* —5B **114**
Chesney St. *SW9* —4E **19**
Chesson Rd. *W14* —2B **114**
Chester Clo. *SW1* —5F **69**

# Chester Clo.—Claylands Rd.

Chester Clo. N. *NW1* —2A **24**
Chester Clo. S. *NW1* —3A **24**
Chester Cotts. *SW1* —4D **97**
Chester Ct. *NW1* —2A **24**
Chester Ct. *SE5* —5D **125**
Chester Ct. *SE8* —5E **107**
Chesterfield Gdns. *SE10* —5D **133**
Chesterfield Gdns. *W1* —2F **69**
Chesterfield Hill. *W1* —2F **69**
Chesterfield Ho. *W1* —2E **69**
Chesterfield St. *W1* —2F **69**
Chesterfield Wlk. *SE10* —5E **133**
Chesterfield Way. *SE15* —5B **128**
Chester Ga. *NW1* —3F **23**
Chester Ho. *SE8* —2C **130**
Chester Ho. *SW1* —3F **97**
Chester Ho. *SW9* —4E **123**
Chester M. *SW1* —1F **97**
Chester Pl. *NW1* —2F **23**
Chester Rd. *NW1* —3E **23**
Chester Row. *SW1* —4D **97**
Chester Sq. *SW1* —3E **97**
Chester Sq. M. *SW1* —2F **97**
Chester St. *E2* —4E **31**
Chester St. *SW1* —1E **97**
Chester Ter. *NW1* —2F **23**
(in three parts)
Chesterton Rd. *W10* —2E **35**
Chesterton Sq. *W8* —3C **92**
Chester Way. *SE11* —4E **101**
Chestnut All. *SW6* —2C **114**
Chestnut Ct. *SW6* —3C **114**
Chestnut Ct. *W8* —2F **93**
Chettle Clo. *SE1* —1D **103**
Chetwode Ho. *NW8* —4F **21**
Chetwood Wlk. *E6* —3A **60**
Cheval Pl. *SW7* —1A **96**
Cheval St. *E14* —1D **109**
Chevening Rd. *NW6* —4A **4**
Chevening Rd. *SE10* —5C **112**
Cheverell Ho. *E2* —5E **17**
Cheviot Ct. *SE14* —3C **128**
Cheviot Ho. *E1* —3A **50**
Chevron Clo. *E16* —3E **57**
Cheylesmore Ho. *SW1* —1F **119**
Cheyne Ct. *SW3* —2B **118**
Cheyne Gdns. *SW3* —2A **118**
Cheyne M. *SW3* —3A **118**
Cheyne Pl. *SW3* —2B **118**
Cheyne Row. *SW3* —3F **117**
Cheyne Wlk. *SW10 & SW3* —4D **117**
(in three parts)
Chicheley St. *SE1* —4C **72**
Chichester Clo. *E6* —4A **60**
Chichester Ho. *NW6* —1D **19**
Chichester Ho. *SW9* —4D **123**
Chichester Rents. *WC2* —3D **45**
Chichester Rd. *NW6* —1D **19**
Chichester Rd. *W2* —1A **38**
Chichester St. *SW1* —1C **120**
Chichester Way. *E14* —3D **111**
Chicksand Ho. *E1* —1D **49**
Chicksand St. *E1* —2C **48**
(in two parts)
Chigwell Hill. *E1* —1F **77**
Chilcot Clo. *E14* —4F **53**
Childeric Rd. *SE14* —4A **130**
Childers St. *SE8* —2A **130**
Child's Pl. *SW5* —4E **93**
Child's St. *SW5* —4E **93**
Child's Wlk. *SW5* —4E **93**
Chilham Ho. *SE1* —1E **103**
Chilham Ho. *SE15* —2C **128**
Chilianwalla Memorial. —2D **119**
Chiltern Ct. *NW1* —5C **22**
Chiltern Ct. *SE14* —4C **128**
Chiltern Ho. *SE17* —2E **125**
Chiltern St. *W1* —1D **41**
Chilton Gro. *SE8* —4E **107**
Chilton St. *E2* —4C **30**

Chilver St. *SE10* —5C **112**
Chilworth M. *W2* —4D **39**
Chilworth St. *W2* —4C **38**
Chimney Ct. *E1* —3A **78**
China Ct. *E1* —2F **77**
China Wharf. *SE16* —4D **77**
Ching Ct. *WC2* —4F **43**
Chinnock's Wharf. *E14* —5F **51**
Chipka St. *E14* —5B **82**
(in two parts)
Chipley St. *SE14* —3F **129**
Chippenham Ho. *SW1* —1A **120**
Chippenham Gdns. *NW6* —3D **19**
Chippenham M. *W9* —5D **19**
Chippenham Rd. *W9* —4D **19**
Chipperfield Ho. *SW3* —5F **95**
Chiswell St. *EC1* —1D **47**
Chitty St. *W1* —4E **42**
Choppin's Ct. *E1* —2A **78**
Chrisp Ho. *SE10* —2F **133**
Chrisp St. *E14* —2F **53**
(in two parts)
Christchurch Av. *NW6* —2A **4**
Christchurch St. *SW3* —2B **118**
Christchurch Ter. *SW3* —2B **118**
Christchurch Way. *SE10* —5A **112**
Christian Ct. *SE16* —3B **80**
Christian Pl. *E1* —4E **49**
Christian St. *E1* —3E **49**
Christie Ho. *SE10* —5B **112**
Christina St. *EC2* —4F **29**
Christopher Clo. *SE16* —5D **79**
Christopher Pl. *NW1* —2E **25**
Christophers M. *W11* —2A **64**
Christopher St. *EC2* —1E **47**
Chryssell Rd. *SW9* —5E **123**
Chubworthy St. *SE14* —3F **129**
Chudleigh St. *E1* —3D **51**
Chumleigh St. *SE5* —2F **125**
Church Cloisters. *EC3* —1F **75**
Church Clo. *W8* —4F **65**
Church Ct. *SE16* —4B **80**
Church Entry. *EC4* —4A **46**
Churchfields. *SE10* —3B **132**
Church Ho. *SW1* —1E **99**
Churchill Gdns. *SW1* —1B **120**
(in three parts)
Churchill Gdns. Rd. *SW1* —1A **120**
Churchill Pl. *E14* —2A **82**
Churchill Rd. *E16* —4B **58**
Church Mead. *SE5* —5C **124**
Church Pas. *EC2* —3C **46**
(off Guildhall Yd.)
Church Pl. *SW1* —1C **70**
Church Rd. *N1* —1C **14**
Church St. *E16* —3F **89**
Church St. *W2 & NW8* —1E **39**
Church St. Est. *NW8* —5E **21**
(in two parts)
Churchward Ho. *W14* —1C **114**
Churchway. *NW1* —2E **25**
(in two parts)
Churchyard Row. *SE11* —3A **102**
Churton Pl. *SW1* —4C **98**
Churton St. *SW1* —4C **98**
Chusan Pl. *E14* —4C **52**
Cicely Ho. *NW8* —1E **21**
Cinnabar Wharf Central. *E1* —3E **77**
Cinnabar Wharf E. *E1* —3E **77**
Cinnabar Wharf W. *E1* —3D **77**
Cinnamon St. *E1* —3A **78**
Cinnamon Wharf. *SE1* —4C **76**
Circle, The. *SE1* —4C **76**
Circus Lodge. *NW8* —2D **21**
Circus M. *W1* —1B **40**
Circus Pl. *EC2* —2E **47**
Circus Rd. *NW8* —2D **21**
Circus St. *SE10* —5B **132**
Cirencester St. *W2* —1F **37**
Citadel Pl. *SE11* —5B **100**

Citrus Ho. *SE8* —1B **130**
City Bus. Cen. *SE16* —5B **78**
City Central Est. *EC1* —3B **28**
City Garden Row. *N1* —1A **28**
City Harbour. *E14* —2A **110**
City Heights. *SE1* —3A **76**
**City of London. —4D 47**
City Pavilion. *EC1* —1F **45**
City Rd. *EC1* —1F **27**
City Tower. *EC2* —2D **47**
Clabon M. *SW1* —2B **96**
Clack St. *SE16* —5C **78**
Claire Pl. *E14* —1E **109**
Clandon Ho. *SE1* —5A **74**
Clanfield Way. *SE15* —4A **126**
Clanricarde Gdns. *W2* —1E **65**
Clapham Rd. *SW4 & SW9* —5C **122**
Clara Grant Ho. *E14* —1E **109**
Clare Ct. *WC1* —3A **26**
Claredale Ho. *E2* —1F **31**
Claredale St. *E2* —1E **31**
Clare Gdns. *W11* —4A **36**
Clare Ho. *E16* —1E **89**
Clare La. *N1* —2C **14**
Clare Mkt. *WC2* —4C **44**
Clare M. *SW6* —5F **115**
Claremont Clo. *E16* —3E **89**
Claremont Clo. *N1* —1E **27**
Claremont Rd. *W9* —1A **18**
Claremont Sq. *N1* —1D **27**
Claremont St. *E16* —3E **89**
Claremont St. *SE10* —3A **132**
Clarence Ct. *W6* —4A **90**
Clarence Gdns. *NW1* —3A **24**
Clarence Ga. Gdns. *NW1* —5C **22**
Clarence House. —4C **70**
Clarence M. *SE16* —3D **79**
Clarence Pas. *NW1* —1F **25**
Clarence Rd. *E16* —1A **56**
Clarence Rd. *NW6* —2B **4**
Clarence Ter. *NW1* —4C **22**
Clarence Way. *NW1* —1F **9**
Clarendon Clo. *W2* —5F **39**
Clarendon Cross. *W11* —1A **64**
Clarendon Flats. *W1* —4E **41**
Clarendon Gdns. *W9* —5C **20**
Clarendon Gro. *NW1* —2D **25**
Clarendon Ho. *NW1* —1C **24**
Clarendon M. *W2* —5F **39**
Clarendon Pl. *W2* —5F **39**
Clarendon Rd. *W11* —5F **35**
Clarendon St. *SW1* —1A **120**
Clarendon Ter. *W9* —4C **20**
Clarendon Wlk. *W11* —4F **35**
Clare St. *E2* —1A **32** & 5F **17**
Clareville Gro. *SW7* —4C **94**
Clareville Gro. M. *SW7* —4C **94**
Clareville St. *SW7* —4C **94**
Clarewood Ct. *W1* —2B **40**
Clarges M. *W1* —2F **69**
Clarges St. *W1* —2A **70**
Clarion Ho. *E3* —1F **33**
(off Roman Rd.)
Clarion Ho. *SW1* —5C **98**
Clarion Ho. *W1* —4D **43**
Clarissa Ho. *E14* —3A **54**
Clarissa St. *E8* —3B **16**
Clarke's M. *W1* —1E **41**
Clarkson Rd. *E16* —3B **56**
Clarkson Row. *NW1* —5B **10**
Clarkson St. *E2* —2F **31**
Clark's Pl. *EC2* —3F **47**
Clark St. *E1* —2A **50**
Claude St. *E14* —3D **109**
Clavell St. *SE10* —3B **132**
Claverton St. *SW1* —1C **120**
Clave St. *E1* —3B **78**
Claydon. *SE17* —3B **102**
Claylands Pl. *SW8* —4D **123**
Claylands Rd. *SW8* —3C **122**

*148 A-Z Inner London & Docklands Super Scale Atlas*

Collingwood Ho. *SW1* —1D **121**
Collingwood Ho. *W1* —1B **42**
Collingwood St. *E1* —4A **32**
Collins Ct. *E8* —1D **17**
Collins Ho. *E14* —5B **54**
Collins Ho. *SE10* —5B **112**
Collinson Ct. *SE1* —5B **74**
Collinson Ho. *SE15* —4D **127**
Collinson St. *SE1* —5B **74**
Collinson Wlk. *SE1* —5B **74**
Collin's Yd. *N1* —4F **13**
Coll's Rd. *SE15* —5C **128**
Colman Rd. *E16* —2B **58**
Colmans Wharf. *E14* —1F **53**
Colmar Clo. *E1* —4D **33**
Colnbrook St. *SE1* —2F **101**
Colombo St. *SE1* —3F **73**
Colomb St. *SE10* —5A **112**
Colonnade. *WC1* —5F **25**
Colonnades, The. *W2* —3A **38**
Colonnade, The. *SE8* —4B **108**
Colonnade Wlk. *SW1* —4F **97**
Colosseum Ter. *NW1* —3A **24**
Colour Ct. *SW1* —3C **70**
Colstead Ho. *E1* —4A **50**
Coltman Ho. *E14* —3A **52**
Coltman Ho. *SE10* —2B **132**
Columbia Point. *SE16* —1C **106**
Columbia Rd. *E2* —2B **30**
*Columbia Road Market. —2C 30*
   *(off Columbia Rd.)*
Columbine Av. *E6* —2F **59**
Columbus Ct. *SE16* —3C **78**
Columbus Ct. Yd. *E14* —2D **81**
Colverson Ho. *E1* —2B **50**
Colville Est. *N1* —4F **15**
Colville Est. W. *E2* —3C **30**
Colville Gdns. *W11* —4C **36**
   (in two parts)
Colville Houses. *W11* —3B **36**
Colville M. *W11* —4C **36**
Colville Pl. *W1* —2C **42**
Colville Rd. *W11* —4C **36**
Colville Sq. *W11* —4B **36**
Colville Sq. M. *W11* —4B **36**
Colville Ter. *W11* —4B **36**
Colworth Gro. *SE17* —4C **102**
Colwyn Ho. *SE1* —2D **101**
Colyer Clo. *N1* —5C **12**
Combedale Rd. *SE10* —5D **113**
Comber Gro. *SE5* —5C **124**
Comber Ho. *SE5* —5C **124**
Combe, The. *NW1* —3A **24**
   (in two parts)
*Comedy Store. —1D 71*
*Comedy Theatre. —1D 71*
Comeragh M. *W14* —1A **114**
Comeragh Rd. *W14* —1A **114**
Comerell Pl. *SE10* —5B **112**
Comet Pl. *SE8* —5D **131**
   (in two parts)
Comet St. *SE8* —5D **131**
Commercial Dock Path. *SE16*
   —1B **108**
Commercial Rd. *E1* —3D **49**
Commercial St. *E1* —5B **30**
Commercial Way. *SE15* —5B **126**
Commerell St. *SE10* —5A **112**
Commodity Quay. *E1* —1C **76**
Commodore Ho. *E14* —5B **54**
Commodore St. *E1* —5F **33**
Commonwealth Av. *W12* —1A **62**
   (in two parts)
Compass Ct. *SE1* —3B **76**
Compass Point. *E14* —5C **52**
Compayne Gdns. *NW6* —1F **5**
Compton Av. *N1* —1F **13**
Compton Clo. *E3* —1E **53**
Compton Clo. *NW1* —3A **24**
Compton Pas. *EC1* —4A **28**

Compton Pl. *WC1* —4F **25**
Compton Rd. *N1* —1A **14**
Compton St. *EC1* —4F **27**
Compton Ter. *N1* —1F **13**
Comus Ho. *SE17* —4F **103**
Comus Pl. *SE17* —4F **103**
Comyns Clo. *E16* —1B **56**
Conant Ho. *SE17* —2F **123**
Conant M. *E1* —5D **49**
Concert Hall App. *SE1* —3C **72**
Concord Cen., The. *W12* —4D **63**
Concorde Dri. *E6* —1B **60**
Concordia Wharf. *E14* —3C **82**
Conder St. *E14* —3F **51**
Condray Pl. *SW11* —5F **117**
Conduit Av. *SE10* —5E **133**
Conduit Ct. *WC2* —5F **43**
Conduit M. *W2* —4D **39**
Conduit Pas. *W2* —4D **39**
Conduit Pl. *W2* —4D **39**
Conduit St. *W1* —5A **42**
Coney Way. *SW8* —3C **122**
Congers Ho. *SE8* —4E **131**
Congreve St. *SE17* —3F **103**
Congreve Wlk. *E16* —2E **59**
Coningham Ct. *SW10* —4C **116**
Coningham Rd. *W12* —4A **62**
Conisbrough. *NW1* —4B **10**
Coniston. *NW1* —2B **24**
Coniston Ct. *SE16* —4D **79**
Coniston Ct. *W2* —4A **40**
Conistone Way. *N7* —1A **12**
Coniston Ho. *SE5* —4B **124**
Conlan St. *W10* —4A **18**
Conley St. *SE10* —5A **112**
Connaught Bri. *E16* —3D **87**
Connaught Clo. *W2* —4A **40**
Connaught Ho. *W1* —1F **69**
Connaught Pl. *W2* —5B **40**
Connaught Rd. *E16* —5D **59**
   (in two parts)
Connaught Roundabout. *E16*
   —5D **59**
Connaught Sq. *W2* —4B **40**
Connaught St. *W2* —4F **39**
Connell Ct. *SE14* —2D **129**
Connett Ho. *E2* —1E **31**
Conrad Ho. *E14* —5A **52**
*Conrad Ho. E16* —2F *85*
   *(off Wesley Av.)*
Conrad Ho. *SW8* —4F **121**
Consort Ho. *E14* —1A **132**
Consort Ho. *W2* —1A **66**
Consort Lodge. *NW8* —4B **8**
Cons St. *SE1* —4E **73**
Constable Av. *E16* —2F **85**
Constable Ct. *SE16* —5A **106**
Constable Ho. *NW3* —1C **8**
Constance Allen Ho. *W10* —4E **35**
Constance St. *E16* —3F **87**
Constant Ho. *E14* —1A **82**
Constitution Hill. *SW1* —4F **69**
Content St. *SE17* —4D **103**
Convent Gdns. *W11* —4B **36**
Conway Ho. *E14* —4E **109**
Conway M. *W1* —5B **24**
Conway St. *W1* —5B **24**
   (in two parts)
Conybeare. *NW3* —1A **8**
Conyer St. *E3* —1F **33**
Cook Ct. *SE16* —3C **78**
Cookham Cres. *SE16* —4D **79**
Cookham Ho. *E2* —4B **30**
Cook's Rd. *SE17* —2F **123**
Coolfin Rd. *E16* —1E **57**
Coomassie Rd. *W9* —4B **18**
Coombs St. *N1* —1A **28**
Coomer M. *SW6* —3C **114**
Coomer Pl. *SW6* —3C **114**
Coomer Rd. *SW6* —3C **114**

Cooper Clo. *SE1* —5E **73**
Cooper Ho. *NW8* —5D **21**
Coopers Clo. *E1* —5B **32**
Coopers La. *NW1* —5E **11**
Cooper's Rd. *SE1* —1C **126**
Coopers Row. *EC3* —5B **48**
Cooper St. *E16* —2C **56**
Cope Ho. *EC1* —3C **28**
Copeland Dri. *E14* —3E **109**
Copeland Ho. *SE11* —2C **100**
Copenhagen Ho. *N1* —4C **12**
Copenhagen Pl. *E14* —3C **52**
   (in two parts)
Copenhagen St. *N1* —4A **12**
Cope Pl. *W8* —2D **93**
Cope St. *SE16* —3D **107**
Copford Wlk. *N1* —3B **14**
Copley Clo. *SE17* —3A **124**
Copley St. *E1* —2D **51**
Copnor Way. *SE15* —4A **126**
Copperas St. *SE8* —3F **131**
Copperfield Ho. *SE1* —5D **77**
Copperfield Ho. *W1* —1E **41**
Copperfield Ho. *W11* —2E **63**
Copperfield Rd. *E3* —1A **52**
Copperfield St. *SE1* —4A **74**
Copper Row. *SE1* —3B **76**
Copthall Av. *EC2* —3E **47**
   (in three parts)
Copthall Bldgs. *EC2* —3D **47**
Copthall Clo. *EC2* —3D **47**
Coptic St. *WC1* —2F **43**
Coral Ho. *E1* —5F **33**
Coral St. *SE1* —5E **73**
Coram Ho. *WC1* —4F **25**
Coram St. *WC1* —5F **25**
Corbet Ct. *EC3* —4E **47**
Corbet Ho. *N1* —5D **13**
Corbet Pl. *E1* —1B **48**
Corbett Ho. *SW10* —2B **116**
Corbetts La. *SE16* —4B **106**
   (in two parts)
Corbetts Pas. *SE16* —4B **106**
Corbetts Wharf. *SE16* —4F **77**
Corbidge Ct. *SE8* —2F **131**
Corbiere Ho. *N1* —3E **15**
Corbridge Cres. *E2* —5F **17**
Cordelia Ho. *N1* —5A **16**
Cordelia St. *E14* —3F **53**
Cording St. *E14* —2A **54**
Cord Way. *E14* —1E **109**
Corelli Ct. *SW5* —4D **93**
Corfe Ho. *SW8* —4B **122**
Corfield St. *E2* —3A **32**
Coriander Av. *E14* —4D **55**
Cork Sq. *E1* —2F **77**
Cork St. *W1* —1B **70**
Cork St. M. *W1* —1B **70**
Corlett St. *NW1* —1F **39**
Cormorant Ct. *SE8* —2B **130**
Cornbury Ho. *SE8* —2D **131**
Cornelia St. *N7* —1C **12**
Cornell Building. *E1* —3D **49**
Corner Ho. St. *WC2* —2F **71**
Cornhill. *EC3* —4E **47**
Cornick Ho. *SE16* —2A **106**
Cornish Ho. *SE17* —3F **123**
Cornwall Av. *E2* —3B **32**
Cornwall Cres. *W11* —5F **35**
Cornwall Gdns. *SW7* —2A **94**
Cornwall Gdns. Wlk. *SW7* —2A **94**
*Cornwallis Ho. SE16* —5F *77*
   *(off Cherry Garden St.)*
Cornwallis Ho. *W12* —1A **62**
Cornwall Mans. *SW10* —4C **116**
Cornwall Mans. *W14* —1D **91**
Cornwall M. S. *SW7* —2B **94**
Cornwall M. W. *SW7* —2A **94**
Cornwall Rd. *SE1* —2D **73**
Cornwall Sq. *SE11* —5F **101**

Cornwall St. *E1* —5A **50**
Cornwall Ter. *NW1* —5C **22**
Cornwall Ter. M. *NW1* —5C **22**
Cornwood Dri. *E1* —3B **50**
Coronation Ct. *W10* —2B **34**
Coronet St. *N1* —3F **29**
Corporation Row. *EC1* —4E **27**
Corringham Ho. *E1* —4E **51**
Corry Ho. *E14* —5F **53**
Corsham St. *N1* —3E **29**
Corunna Rd. *SW8* —5C **120**
Corvette Sq. *SE10* —2E **133**
Coryton Path. *W9* —4C **18**
Cosgrove Ho. *E2* —4E **17**
Cosmo Pl. *WC1* —1A **44**
Cosser St. *SE1* —1D **101**
Cosway Mans. *NW1* —1A **40**
Cosway St. *NW1* —1A **40**
Cotall St. *E14* —3E **53**
Cotes Ho. *NW8* —5F **21**
Cotham St. *SE17* —4C **102**
Cotleigh Rd. *NW6* —1D **5**
Cotman Ho. *NW8* —5F **7**
Cotswold Ct. *EC1* —4B **28**
*Cottage Clo. E1 —5C 32*
*(off Hayfield Pas.)*
Cottage Grn. *SE5* —4E **125**
Cottage Pl. *SW3* —1F **95**
Cottage St. *E14* —5A **54**
Cottesbrook St. *SE14* —4F **129**
Cottesloe Ho. *NW8* —4F **21**
Cottesloe M. *SE1* —1E **101**
*Cottesloe Theatre. —2D 73*
*(off Royal National Theatre)*
Cottesmore Ct. *W8* —1A **94**
Cottesmore Gdns. *W8* —1A **94**
Cottingham Rd. *SW8* —4C **122**
Cottington St. *SE11* —5E **101**
Cottle Way. *SE16* —5A **78**
Cottons Cen. *SE1* —2F **75**
Cotton's Gdns. *E2* —2A **30**
Cottons La. *SE1* —2E **75**
Cotton St. *E14* —5B **54**
Coulson St. *SW3* —5B **96**
Coulter Rd. *W6* —2A **90**
Councillor St. *SE5* —5B **124**
Counter Ct. *SE1* —3D **75**
Counter St. *SE1* —3F **75**
County Gro. *SE5* —5B **124**
County Hall Apartments. *SE1* —5B **72**
County Rd. *E6* —2F **61**
County St. *SE1* —2C **102**
Courtauld Ho. *E2* —4E **17**
—5B **44**
Courtenay Sq. *SE11* —1D **123**
Courtenay St. *SE11* —5D **101**
Courtfield Gdns. *SW5* —4F **93**
Courtfield Ho. *WC1* —1D **45**
Courtfield M. *SW5* —4A **94**
Courtfield Rd. *SW7* —4B **94**
Courthope Ho. *SE16* —2C **106**
Courthope Ho. *SW8* —5F **121**
Courtnell St. *W2* —3D **37**
Courtney Ho. *W14* —1A **92**
Court St. *E1* —1F **49**
Court Theatre Holland Pk. —5C **64**
Courtville Ho. *W10* —3A **18**
Courtyard, The. *N1* —1C **12**
Courtyard, The. *NW1* —2E **9**
Courtyard Theatre. —1A **26**
Cousin La. *EC4* —1D **75**
Couzens Ho. *E3* —1C **52**
Covelees Wall. *E6* —3D **61**
Covell Ct. *SE8* —5E **131**
**Covent Garden. —5A 44**
Covent Garden. —5A **44**
Covent Garden. *WC2* —5A **44**
Coventry Clo. *E6* —4B **60**
Coventry Clo. *NW6* —5E **5**

Coventry Rd. *E1 & E2* —4A **32**
Coventry St. *W1* —1D **71**
Coverdale Rd. *W12* —3A **62**
Coverley Clo. *E1* —1E **49**
Coverley Point. *SE11* —4B **100**
Cowan Clo. *E6* —3A **60**
Cowcross St. *EC1* —1F **45**
Cowdenbeath Path. *N1* —3B **12**
Cow Leaze. *E6* —3E **61**
Cowley Rd. *SW9* —5E **123**
Cowley St. *SW1* —2F **99**
Cowling Clo. *W11* —2F **63**
Cowper Ho. *SE17* —5C **102**
Cowper Ho. *SW1* —1E **121**
Cowper's Ct. *EC3* —4E **47**
Cowper St. *EC2* —4E **29**
Cowper Ter. *W10* —2D **35**
Cowthorpe Rd. *SW8* —5E **121**
Cox Ho. *W6* —2A **114**
Cox's Ct. *E1* —2B **48**
Coxson Way. *SE1* —5B **76**
Crabtree Clo. *E2* —1B **30**
Crafts Council & Gallery. —1E **27**
Cragie Ho. *SE1* —4C **104**
Craig's Ct. *SW1* —2F **71**
Craik Ct. *NW6* —1C **18**
Crail Row. *SE17* —4E **103**
Cramer St. *W1* —2E **41**
Crampton St. *SE17* —4B **102**
Cranbourn All. *WC2* —5E **43**
Cranbourne Pas. *SE16* —5F **77**
Cranbourn Ho. *SE16* —5F **77**
Cranbourn St. *WC2* —5E **43**
Cranbrook. *NW1* —4C **10**
Cranbrook Est. *E2* —1D **33**
Cranbrook St. *E2* —1E **33**
Crandley Ct. *SE8* —4A **108**
Crane Ct. *EC4* —4E **45**
Crane Ho. *E3* —1F **83**
Crane Mead. *SE16* —4D **107**
Crane St. *SE10* —1D **133**
Cranfield Ct. *W1* —2A **40**
Cranfield Ho. *WC1* —1F **43**
Cranfield Row. *SE1* —1E **101**
Cranford Cotts. *E1* —5E **51**
Cranford St. *E1* —5E **51**
Cranleigh Houses. *NW1* —1C **24**
Cranleigh St. *NW1* —1C **24**
Cranley Gdns. *SW7* —5C **94**
Cranley M. *SW7* —5C **94**
Cranley Pl. *SW7* —4D **95**
Cranley Rd. *E13* —1F **57**
Cranmer Ct. *SW3* —5A **96**
Cranmer Ho. *SW9* —4D **123**
Cranmer Rd. *SW9* —4E **123**
Cranston Est. *N1* —5E **15**
Cranswick Rd. *SE16* —5A **106**
Cranwell Clo. *E3* —1F **53**
Cranwood Ct. *EC1* —3E **29**
Cranwood St. *EC1* —3E **29**
Craven Hill. *W2* —5C **38**
Craven Hill Gdns. *W2* —5B **38**
(in two parts)
Craven Hill M. *W2* —5C **38**
Craven Lodge. *W2* —5C **38**
Craven Pas. *WC2* —2F **71**
Craven Rd. *W2* —5C **38**
Craven St. *WC2* —2F **71**
Craven Ter. *W2* —5C **38**
Crawford Bldgs. *W1* —1F **40**
Crawford Mans. *W1* —2A **40**
Crawford M. *W1* —2B **40**
Crawford Pas. *EC1* —5D **27**
Crawford Pl. *W2* —3A **40**
Crawford Point. *E16* —3B **56**
Crawford St. *W1* —2A **40**
Crayford Clo. *E6* —3F **59**
Crayford Ho. *SE1* —5E **75**
Crayle Ho. *EC1* —4F **27**
Creasy Est. *SE1* —2F **103**

Credenhill Ho. *SE15* —4F **127**
Crediton Rd. *E16* —3D **57**
Credon Rd. *SE16* —5A **106**
Creechurch La. *EC3* —4A **48**
(in two parts)
Creechurch Pl. *EC3* —4A **48**
Creed St. *EC4* —4A **46**
Creed La. *EC4* —4A **46**
Creek Ho. *W14* —1A **92**
Creek Rd. *SE8 & SE10* —3D **131**
Creekside. *SE8* —3F **131**
Cremer Bus. Cen. *E2* —1B **30**
Cremer Ho. *SE8* —5E **131**
Cremer St. *E2* —1B **30**
Cremorne Est. *SW10* —3E **117**
Cremorne Rd. *SW10* —5C **116**
Creon Ct. *SW9* —5D **123**
Crescent. *EC3* —5B **48**
Crescent Ho. *EC1* —5B **28**
Crescent Pl. *SW3* —3F **95**
Crescent Row. *EC1* —5B **28**
Crescent St. *N1* —1C **12**
Crescent Wharf. *E16* —3A **86**
(in two parts)
Cressal Ho. *E14* —1E **109**
Cresswell Gdns. *SW5* —5B **94**
Cresswell Pl. *SW10* —5B **94**
Cressy Ct. *E1* —1C **50**
Cressy Ct. *W6* —1A **90**
Cressy Houses. *E1* —1C **50**
Cressy Pl. *E1* —1C **50**
Cresta Ho. *NW3* —1D **7**
Crestfield St. *NW1* —2A **26**
Crewdson Rd. *SW9* —4D **123**
Crewkerne Ct. *SW11* —5E **117**
Crews St. *E14* —3D **109**
Cricketers Ct. *SE11* —4F **101**
Crimscott St. *SE1* —2A **104**
Crimsworth Rd. *SW8* —5E **121**
Crinan St. *N1* —5A **12**
Cringle St. *SW8* —4B **120**
Cripplegate St. *EC2* —1C **46**
Crispe Ho. *N1* —4C **12**
Crispin St. *E1* —2B **48**
Criterion Theatre. —1D **71**
Crofters Ct. *SE8* —4F **107**
Crofters Way. *NW1* —3D **11**
Croft Ho. *W10* —3A **18**
Crofts Ho. *E2* —5E **17**
Crofts St. *E1* —1D **77**
Croft St. *SE8* —4F **107**
Crogsland Rd. *NW1* —1D **9**
Cromarty Ho. *E1* —2F **51**
Cromer St. *WC1* —3F **25**
Crompton Ho. *SE1* —2C **102**
Crompton Ho. *W2* —5D **21**
Crompton St. *W2* —5D **21**
Cromwell Av. *W6* —5A **90**
Cromwell Clo. *E1* —2E **77**
Cromwell Cres. *W8* —3D **93**
Cromwell Gdns. *SW7* —3E **95**
Cromwell Gro. *W6* —1C **90**
Cromwell Highwalk. *EC2* —1C **46**
Cromwell Lodge. *E1* —5B **32**
Cromwell M. *SW7* —3E **95**
Cromwell Pl. *EC2* —1C **46**
Cromwell Pl. *SW7* —3E **95**
Cromwell Rd. *SW5 & SW7* —3E **93**
Cromwell Tower. *EC2* —1C **46**
Crondall Ct. *N1* —1E **29**
Crondall St. *N1* —1E **29**
Crone Ct. *NW6* —1C **18**
Cronin St. *SE15* —5B **126**
Crooked Billet Yd. *E2* —2A **30**
Crooke Rd. *SE8* —5F **107**
Coombs Rd. *E16* —2B **58**
Croom's Hill. *SE10* —4C **132**
Croom's Hill Gro. *SE10* —4C **132**
Cropley St. *N1* —5D **15**
(in two parts)

# Digby St.—Dudmaston M.

Digby St. *E2* —3C **32**
Diggon St. *E1* —2D **51**
Dighton Ct. *SE17* —3B **124**
Dignum St. *N1* —5D **13**
Dilke St. *SW3* —2C **118**
Dilston Gro. *SE16* —3B **106**
Dimes Pl. *W6* —4A **90**
Dingle Gdns. *E14* —5E **53**
Dingley Pl. *EC1* —3C **28**
Dingley Rd. *EC1* —3B **28**
Dinmont Est. *E2* —5E **17**
Dinmont Ho. *E2* —5E **17**
Dinmont St. *E2* —1F **31**
Dinnington Ho. *E1* —4A **32**
Dinton Ho. *NW8* —4F **21**
Disbrowe Rd. *W6* —3A **114**
Discovery Bus. Pk. *SE16* —2D **105**
Discovery Ho. *E14* —5B **54**
Discovery Wlk. *E1* —2F **77**
Disney Pl. *SE1* —4C **74**
Disney St. *SE1* —4C **74**
Diss St. *E2* —2B **30**
Distaff La. *EC4* —5B **46**
Distin St. *SE11* —4D **101**
Ditchburn St. *E14* —1C **82**
Dixon Clo. *E6* —3C **60**
Dixon Ho. *W10* —4D **35**
Dixon's All. *SE16* —5F **77**
Dobson Clo. *NW6* —2D **7**
Dobson Ho. *SE5* —4E **125**
Dobson Ho. *SE14* —3D **129**
Doby Ct. *EC4* —5C **46**
Dock Cotts. *E1* —1C **78**
Dockers Tanner Rd. *E14* —3D **109**
Dockhead. *SE1* —5C **76**
Dockhead Wharf. *SE1* —4C **76**
Dock Hill Av. *SE16* —3E **79**
Dockland St. *E16* —3D **89**
(in two parts)
Dockley Rd. *SE16* —2D **105**
Dockley Rd. Ind. Est. *SE16* —2D **105**
Dock Offices. *SE16* —1C **106**
Dock Rd. *E16* —1C **84**
Dockside Rd. *E16* —1D **87**
Dock St. *E1* —5D **49**
Dodd Ho. *SE16* —4A **106**
Doddington Gro. *SE17* —2F **123**
Doddington Pl. *SE17* —2F **123**
Dodson St. *SE1* —5E **73**
Dod St. *E14* —4C **52**
Dog and Duck Yd. *WC1* —1C **44**
Dolben Ct. *SE8* —4B **108**
Dolben St. *SE1* —3F **73**
(in two parts)
Dolland Ho. *SE11* —1C **122**
Dolland St. *SE11* —1C **122**
Dollar Bay Ct. *E14* —4B **82**
Dolphin Clo. *SE16* —4D **79**
Dolphin La. *E14* —1F **81**
Dolphin Sq. *SW1* —1C **120**
Dolphin Tower. *SE8* —3C **130**
Dombey Ho. *SE1* —5D **77**
Dombey Ho. *W11* —2E **63**
Dombey St. *WC1* —1B **44**
(in two parts)
Domingo St. *EC1* —4B **28**
Dominion Ho. *E14* —5A **110**
Dominion St. *EC2* —1E **47**
Dominion Theatre. —3E **43**
Donaldson Rd. *NW6* —4C **4**
Donegal Ho. *E1* —4A **32**
Donegal St. *N1* —1C **26**
Doneraile Ho. *SW1* —1F **119**
Dongola Rd. *E1* —1F **51**
Donkin Ho. *SE16* —4A **106**
Donmar Warehouse Theatre.
—4F **43**
Donne Ho. *E14* —3D **53**
Donne Ho. *SE14* —3D **129**
Donnelly Ct. *SW6* —4A **114**

Donne Pl. *SW3* —3A **96**
Donnington Ct. *NW1* —1A **10**
Donoghue Cotts. *E14* —2A **52**
Donovan Ct. *SW10* —1D **117**
Donovan Ho. *E1* —5B **50**
Don Phelan Clo. *SE5* —5D **125**
(in two parts)
Doon St. *SE1* —2D **73**
Dora Ho. *E14* —3B **52**
Dora Ho. *W11* —1E **63**
Dorando Clo. *W12* —5A **34**
Dora St. *E14* —3B **52**
Dorchester Ct. *N1* —1A **16**
Doric Ho. *E2* —1D **33**
Doric Way. *NW1* —2D **25**
Dorking Clo. *SE8* —2B **130**
Dorking Ho. *SE1* —1E **103**
Dorman Way. *NW8* —3D **7**
Dormstone Ho. *SE17* —4F **103**
Dorney. *NW3* —1A **8**
Dorrington St. *EC1* —1D **45**
Dorrit Ho. *W11* —2E **63**
Dorrit St. *SE1* —4C **74**
Dorset Bldgs. *EC4* —4F **45**
Dorset Clo. *NW1* —1B **40**
Dorset Ct. *N1* —1A **16**
Dorset Ho. *NW1* —5C **22**
Dorset Ri. *EC4* —4F **45**
Dorset Rd. *SW8* —4A **122**
Dorset Sq. *NW1* —5B **22**
Dorset St. *W1* —2C **40**
Dorton Clo. *SE15* —5A **126**
Doughty Ct. *E1* —2E **78**
Doughty Ho. *SW10* —3C **116**
Doughty M. *WC1* —5B **26**
Doughty St. *WC1* —4B **26**
Douglas Ct. *NW6* —2E **5**
Douglas Johnstone Ho. *SW6*
—3B **114**
Douglas Pl. *SW1* —4D **99**
Douglas Rd. *E1* —1E **57**
Douglas Rd. *N1* —1B **14**
Douglas Rd. *NW6* —3C **4**
Douglas Rd. S. *N1* —1C **14**
Douglas St. *SW1* —4D **99**
Douglas Waite Ho. *NW6* —1F **5**
Douglas Way. *SE8* —5D **131**
Douglas Way. *SE14* —5C **130**
(in two parts)
Doulton Ho. *SE11* —2C **100**
Douro Pl. *W8* —1A **94**
Douthwaite Sq. *E1* —2E **77**
Dove App. *E6* —2F **59**
Dove Ct. *EC2* —4D **47**
Dovehouse St. *SW3* —5E **95**
Dove M. *SW5* —4B **94**
Dover Flats. *SE1* —4A **104**
Dover Ho. *SE15* —2C **128**
Dove Row. *E2* —4D **17**
Dover St. *W1* —1A **70**
Dover Yd. *W1* —2B **70**
Doves Yd. *N1* —4E **13**
Doveton Ho. *E1* —4B **32**
Doveton St. *E1* —4B **32**
Dove Wlk. *SW1* —5D **97**
Dovey Lodge. *N1* —1E **13**
Dowgate Hill. *EC4* —5D **47**
Dowland St. *W10* —2A **18**
Dowlas St. *SE5* —4F **125**
Dowler Ho. *E1* —4E **49**
Downend Ct. *SE15* —3B **126**
Downey Ho. *E1* —5D **33**
Downfield Clo. *W9* —5F **19**
Downham Rd. *N1* —2D **15**
Downings. *E6* —3E **61**
Downing St. *SW1* —4F **71**
Down Pl. *W6* —4A **90**
Down St. *W1* —3F **69**
Down St. M. *W1* —3F **69**
Downtown Rd. *SE16* —4A **80**

Dowrey St. *N1* —3D **13**
Dowson Ho. *E1* —4D **51**
Doyce St. *SE1* —4B **74**
D'Oyley St. *SW1* —3D **97**
Draco St. *SE17* —2B **124**
Dragon Rd. *SE15* —3F **125**
Dragon Yd. *WC2* —3A **44**
Dragoon Rd. *SE8* —1B **130**
Drake Clo. *SE16* —4E **79**
Drake Ct. *W12* —5B **62**
Drake Hall. *E16* —2F **85**
(in two parts)
Drake Ho. *E1* —2B **50**
Drake Ho. *E14* —5A **52**
Drake Ho. *SW1* —2D **121**
Drakeland Ho. *W9* —4C **18**
Drakes Courtyard. *NW6* —1C **4**
Drake St. *WC1* —2B **44**
Draper Ho. *SE1* —3A **102**
Draper Pl. *N1* —3A **14**
Drapers Gdns. *EC2* —3E **47**
Drappers Way. *SE16* —3E **105**
Drawdock Rd. *SE10* —4E **83**
Draycott Av. *SW3* —3A **96**
Draycott Pl. *SW3* —4B **96**
Draycott Ter. *SW3* —4C **96**
Drayford Clo. *W9* —4C **18**
Drayson M. *W8* —5E **65**
Drayton Gdns. *SW10* —5C **94**
Drayton Ho. *SE5* —5D **125**
Dreadnought St. *SE10* —2A **112**
Dreadnought Wharf. *SE10* —2A **132**
Dresden Ho. *SE11* —3C **100**
Drewett Ho. *E1* —4E **49**
Drew Rd. *E16* —3E **87**
(in three parts)
Driffield Rd. *E3* —1F **33**
Drill Hall Arts Cen. —1D **43**
Drinkwater Ho. *SE5* —5D **125**
Dr Johnson's House. —3E **45**
Dron Ho. *E1* —1B **50**
Droop St. *W10* —4A **18**
Drovers Pl. *SE15* —4A **128**
Druid St. *SE1* —4A **76**
Drummond Cres. *NW1* —2D **25**
Drummond Ga. *SW1* —5E **99**
Drummond Ho. *E2* —5E **17**
Drummond Rd. *SE16* —1F **105**
Drummond St. *NW1* —4B **24**
Drum St. *E1* —3C **48**
Drury La. *WC2* —3A **44**
Drury Lane Theatre. —4B **44**
Dryburgh Ho. *SW1* —5F **97**
Dryden Ct. *SE11* —4E **101**
Dryden Mans. *W14* —2A **114**
Dryden St. *WC2* —4A **44**
Dryfield Wlk. *SE8* —2D **131**
Drysdale Ho. *N1* —2A **30**
Drysdale Pl. *N1* —2A **30**
Drysdale St. *N1* —3A **30**
Dublin Av. *E8* —3E **17**
Ducal St. *E2* —3C **30**
Du Cane Clo. *W12* —4B **34**
Du Cane Rd. *W12* —4A **34**
Duchess M. *W1* —2A **42**
Duchess of Bedford Ho. *W8* —4D **65**
Duchess of Bedford's Wlk. *W8*
—5C **64**
Duchess St. *W1* —2A **42**
Duchess Theatre. —5B **44**
Duchy St. *SE1* —2E **73**
(in two parts)
Duckett St. *E1* —5E **33**
Duck La. *W1* —4D **43**
Dudley Ct. *W1* —4B **40**
Dudley Ct. *WC2* —3F **43**
Dudley Ho. *W2* —2D **39**
Dudley Rd. *NW6* —5A **4**
Dudley St. *W2* —2D **39**
Dudmaston M. *SW3* —5E **95**

Duffell Ho. *SE11* —1C **122**
Dufferin Av. *EC1* —5D **29**
Dufferin Ct. *EC1* —5D **29**
Dufferin St. *EC1* —5C **28**
Duff St. *E14* —4F **53**
Dufour's Pl. *W1* —4C **42**
Dugard Way. *SE11* —3F **101**
Duke of Wellington Pl. *SW1* —5E **69**
Duke of York Memorial. —3E **71**
Duke of York's Theatre. —1F **71**
Duke of York St. *SW1* —2C **70**
Duke Shore Wharf. *E14* —1B **80**
Duke's Ho. *SW1* —3E **99**
Dukes La. *W8* —4E **65**
Duke's M. *W1* —3E **41**
Duke's Pl. *EC3* —4A **48**
Duke's Rd. *NW1* —3E **25**
Duke St. *SW1* —2C **70**
Duke St. *W1* —3E **41**
Duke St. Hill. *SE1* —2E **75**
Duke St. Mans. *W1* —4E **41**
Duke's Yd. *W1* —5E **41**
Dulford St. *W11* —5F **35**
Dulverton. *NW1* —4C **10**
Dulverton Mans. *WC1* —5C **26**
Dumain Ct. *SE11* —4F **101**
Dumpton Pl. *NW1* —2D **9**
Dunbar Wharf. *E14* —1B **80**
Dunbridge St. *E2* —4E **31**
Duncan Ho. *NW3* —1B **8**
Duncan Ho. *SW1* —1C **120**
Duncannon Ho. *SW1* —1E **121**
Duncannon St. *WC2* —1F **71**
Duncan Rd. *E8* —4F **17**
Duncan St. *N1* —5F **13**
Duncan Ter. *N1* —1F **27**
(in two parts)
Dunch St. *E1* —4A **50**
Dundalk Ho. *E1* —3B **50**
Dundee Ct. *E1* —3F **77**
Dundee Ho. *W9* —2B **20**
Dundee St. *E1* —3F **77**
Dundee Wharf. *E14* —1C **80**
Dundonald Clo. *E6* —3A **60**
Dundonald Ho. *E14* —4F **81**
Dunedin Ho. *E16* —3C **88**
Dunelm St. *E1* —3D **51**
Dunkeld Ho. *E14* —3E **55**
Dunlin Ho. *SE16* —3E **107**
Dunloe Ct. *E2* —1C **30**
Dunloe St. *E2* —1B **30**
Dunlop Pl. *SE16* —2C **104**
Dunmore Point. *E2* —3B **30**
Dunmore Rd. *NW6* —4A **4**
Dunmow Ho. *SE11* —5C **100**
Dunmow Wlk. *N1* —3B **14**
Dunnage Cres. *SE16* —3B **108**
(in two parts)
Dunnico Ho. *SE17* —5F **103**
Dunnock Clo. *E6* —3A **60**
Dunn's Pas. *WC1* —3A **44**
Dunoon Ho. *N1* —4B **12**
Dunraven St. *W1* —5C **40**
Dunsany Rd. *W14* —2D **91**
Dunstable M. *W1* —1E **41**
Dunstan Houses. *E1* —1C **50**
Dunster Ct. *EC3* —5A **48**
Dunster Gdns. *NW6* —1C **4**
Dunsterville Way. *SE1* —5E **75**
Dunston Rd. *E8* —4B **16**
Dunston St. *E8* —3B **16**
Dunton Rd. *SE1* —5B **104**
Dunworth M. *W11* —3B **36**
Duplex Ride. *SW1* —5C **68**
Dupree Rd. *SE7* —5F **113**
Durands Wlk. *SE16* —4A **80**
Durant St. *E2* —2D **31**
Durban Ho. *W12* —1A **62**
Durdans Ho. *NW1* —1A **10**
Durell Ho. *SE16* —5D **79**

Durfey Ho. *SE5* —4E **125**
Durham Ct. *NW6* —1E **19**
(in two parts)
Durham Ho. St. *WC2* —1A **72**
Durham Pl. *SW3* —1B **118**
Durham Rd. *E16* —1A **56**
Durham Row. *E1* —2E **51**
Durham St. *SE11* —1B **122**
Durham Ter. *W2* —3F **37**
Durham Yd. *E2* —2F **31**
Durnford St. *SE10* —3C **132**
Durrels Ho. *W14* —3C **92**
Dursley Ct. *SE15* —4A **126**
Durward St. *E1* —1F **49**
Durweston M. *W1* —1C **40**
Durweston St. *W1* —2C **40**
Duthie St. *E14* —1E **82**
Dyer's Bldgs. *EC1* —2D **45**
Dymock Ct. *SE15* —3A **126**
Dyne Rd. *NW6* —2A **4**
Dynham Rd. *NW6* —1D **5**
Dyott St. *WC1* —3A **43**
Dysart St. *EC2* —5F **29**
Dyson Ho. *SE10* —5B **112**

**E**agle Clo. *SE16* —1B **128**
Eagle Ct. *EC1* —1F **45**
Eagle Ho. *E1* —5A **32**
Eagle Pl. *SW10* —5C **94**
Eagle Pl. *W1* —1C **70**
Eagle St. *WC1* —2B **44**
Eagle Wharf Ct. *SE1* —3B **76**
*Eagle Wharf E. E14* —*5F **51***
*(off Narrow St.)*
Eagle Wharf Rd. *N1* —5C **14**
*Eagle Wharf W. E14* —*5F **51***
*(off Narrow St.)*
Eamont Ct. *NW8* —5A **8**
Eamont St. *NW8* —5F **7**
Eardley Cres. *SW5* —5E **93**
Earlham St. *WC2* —4E **43**
Earl Ho. *NW8* —2F **21**
Earlom Ho. *WC1* —3D **27**
**Earl's Court. —5E 93**
**Earl's Court Exhibition Building.**
—1D **115**
Earls Ct. Gdns. *SW5* —4F **93**
Earl's Ct. Rd. *W8 & SW5* —1D **93**
Earl's Ct. Sq. *SW5* —5E **93**
Earlsferry Way. *N1* —2A **12**
(in two parts)
Earls Ter. *W8* —2C **92**
Earlstoke St. *EC1* —2F **27**
Earl St. *EC2* —1F **47**
Earls Wlk. *W8* —3D **93**
Earlswood St. *SE10* —1F **133**
Early M. *NW1* —3A **10**
Earnshaw St. *WC2* —3E **43**
Earsby St. *W14* —3A **92**
(in three parts)
Easley's M. *W1* —3E **41**
E. Arbour St. *E1* —3D **51**
E. Beckton District Cen. *E6* —2C **60**
East Block. *SE1* —4C **72**
Eastbourne M. *W2* —3C **38**
Eastbourne Ter. *W2* —3C **38**
Eastbury Rd. *E6* —1D **61**
Eastbury Ter. *E1* —5D **33**
Eastcastle St. *W1* —3B **42**
Eastcheap. *EC3* —5F **47**
E. Ferry Rd. *E14* —1A **110**
Eastfield St. *E14* —2A **52**
E. Ham Ind. Est. *E6* —1F **59**
E. Ham Mnr. Way. *E6* —4D **61**
E. Harding St. *EC4* —3E **45**
E. India Bldgs. *E14* —5E **53**
E. India Dock Ho. *E14* —4C **54**
E. India Dock Rd. *E14* —4D **53**
Eastlake Ho. *NW8* —5E **21**

East La. *SE16* —4D **77**
(Chambers St.)
East La. *SE16* —5D **77**
(Scott Lidgett Cres.)
*East Lodge. E16* —*2E **85***
*(off Wesley Av.)*
E. Mount St. *E1* —1A **50**
Eastney St. *SE10* —1D **133**
Easton St. *WC1* —4D **27**
East Parkside. *SE10* —5A **84**
East Pas. *EC1* —1A **46**
East Point. *SE1* —5D **105**
E. Poultry Av. *EC1* —2F **45**
East Rd. *EC1* —3D **29**
East Row. *W10* —5A **18**
Eastry Ho. *SW8* —5F **121**
East Smithfield. *E1* —1C **76**
East St. *SE17* —5C **102**
E. Surrey Gro. *SE15* —5B **126**
E. Tenter St. *E1* —4C **48**
Eastwell Ho. *SE1* —1E **103**
Eaton Clo. *SW1* —4D **97**
Eaton Ga. *SW1* —3D **97**
Eaton Ho. *E14* —1C **80**
Eaton La. *SW1* —2A **98**
Eaton Mans. *SW1* —4D **97**
Eaton M. N. *SW1* —3D **97**
Eaton M. S. *SW1* —3E **97**
Eaton M. W. *SW1* —3E **97**
Eaton Pl. *SW1* —2D **97**
Eaton Row. *SW1* —2F **97**
Eaton Sq. *SW1* —3D **97**
Eaton Ter. *SW1* —3D **97**
Eaton Ter. M. *SW1* —3D **97**
Ebbisham Dri. *SW8* —2B **122**
Ebenezer Ho. *SE11* —4E **101**
Ebenezer Mussel Ho. *E2* —1B **32**
Ebenezer St. *N1* —2D **29**
Ebley Clo. *SE15* —3B **126**
Ebor St. *E2* —4B **30**
Ebury Bri. *SW1* —5F **97**
Ebury Bri. Est. *SW1* —5F **97**
Ebury Bri. Rd. *SW1* —1E **119**
Ebury M. *SW1* —3E **97**
Ebury M. E. *SW1* —3F **97**
Ebury Sq. *SW1* —4E **97**
Ebury St. *SW1* —4E **97**
Ecclesbourne Rd. *N1* —2C **14**
Eccleston Bri. *SW1* —3A **98**
Eccleston M. *SW1* —2E **97**
Eccleston Pl. *SW1* —4F **97**
Eccleston Sq. *SW1* —4A **98**
Eccleston Sq. M. *SW1* —4B **98**
Eccleston St. *SW1* —2E **97**
Eckford St. *N1* —5D **13**
Eclipse Rd. *E13* —1F **57**
Edbrooke Rd. *W9* —5D **19**
Eddystone Tower. *SE8* —5A **108**
Edenbridge Clo. *SE16* —1F **127**
Eden Clo. *W8* —1E **93**
Edenham Way. *W10* —1B **36**
Eden Ho. *NW8* —5F **21**
Edgar Ho. *SW8* —4F **121**
Edgcott Ho. *W10* —1B **34**
Edge St. *W8* —2E **65**
Edgeworth Ho. *NW8* —3B **6**
Edgson Ho. *SW1* —5F **97**
Edgware Rd. *W2* —5D **21**
Edinburgh Clo. *E2* —1B **32**
Edinburgh Ct. *SE16* —2E **79**
Edinburgh Ga. *SW1* —4B **68**
Edinburgh Ho. *W9* —2A **20**
Edison Building. *E14* —4D **81**
Edis St. *NW1* —3D **9**
Edith Brinson Ho. *E14* —3E **55**
Edith Gro. *SW10* —3B **116**
Edith Ho. *W6* —5B **90**
Edith Neville Cotts. *NW1* —2D **25**
Edith Ramsay Ho. *E1* —1F **51**
Edith Rd. *W14* —4F **91**

Edith Row. *SW6* —5A **116**
Edith St. *E2* —5C **16**
Edith Summerskill Ho. *SW6* —4C **114**
Edith Ter. *SW10* —4B **116**
Edith Vs. *W14* —4B **92**
Edith Yd. *SW10* —4C **116**
Edmonton Ct. *SE16* —1C **106**
Edmund Halley Way. *SE10* —5F **83**
Edmund Ho. *SE17* —1A **124**
Edmund Hurst Dri. *E6* —2F **61**
Edmund St. *SE5* —4D **125**
Ednam Ho. *SE15* —3D **127**
Edric Ho. *SW1* —3E **99**
Edric Rd. *SE14* —4D **129**
Edward Bond Ho. *WC1* —3A **26**
Edward Ct. *E16* —1D **57**
Edward Dodd Ct. *N1* —2E **29**
Edward Edward's Ho. *SE1* —3F **73**
Edwardes Pl. *W8* —2C **92**
Edwardes Sq. *W8* —2C **92**
Edward Ho. *SE11* —5C **100**
Edward Mann Clo. *E1* —4E **51**
Edward M. *NW1* —2A **24**
Edward Pl. *SE8* —3C **130**
Edward Robinson Ho. *SE14* —4D **129**
Edward's Cotts. *N1* —1F **13**
Edwards M. *N1* —1E **13**
Edwards M. *W1* —4D **41**
Edward Sq. *N1* —4B **12**
Edward Sq. *SE16* —2A **80**
Edward St. *E16* —1D **57**
(in two parts)
Edward St. *SE14* —4A **130**
Edwin Ho. *SE15* —5D **127**
Edwin St. *E1* —4C **32**
Edwin St. *E16* —2D **57**
Effie Pl. *SW6* —5E **115**
Effie Rd. *SW6* —5E **115**
Egbert St. *NW1* —3D **9**
Egerton Cres. *SW3* —3A **96**
Egerton Dri. *SE10* —5A **132**
Egerton Gdns. *SW3* —2F **95**
Egerton Gdns. M. *SW3* —2A **96**
Egerton Pl. *SW3* —2A **96**
Egerton Ter. *SW3* —2A **96**
Egham Rd. *E13* —1A **58**
Eglington Ct. *SE17* —2B **124**
Eglon M. *NW1* —2C **8**
Egmont St. *SE14* —5E **129**
Egret Ho. *SE16* —3E **107**
Eider Ct. *SE8* —2B **130**
Eileen Wilkinson Ho. *SW6* —3B **114**
Eisenhower Dri. *E6* —1A **60**
Elan Ct. *E1* —2F **49**
Elba Pl. *SE17* —3C **102**
Elbourne Ct. *SE16* —2E **107**
Elbourn Ho. *SW3* —5F **95**
Elbury Dri. *E16* —4E **57**
Elcho St. *SW11* —5F **117**
Elcot Av. *SE15* —4F **127**
Elderfield Ho. *E14* —5D **53**
Elder St. *E1* —1B **48**
(in two parts)
Elder Wlk. *N1* —3A **14**
Eldon Ct. *NW6* —4D **5**
Eldon Rd. *W8* —2A **94**
Eldon St. *EC2* —2E **47**
Eldridge Ct. *SE16* —2D **105**
Eleanor Clo. *SE16* —4D **79**
Eleanor Ho. *W6* —5B **90**
Eleanor Rd. *E8* —1F **17**
Elephant & Castle. (Junct.) —2A **102**
Elephant & Castle. *SE1* —3A **102**
Elephant La. *SE16* —4B **78**
Elephant Rd. *SE17* —3B **102**
Elf Row. *E1* —5C **50**
Elgar Clo. *SE8* —5D **131**
Elgar Ct. *W14* —2F **91**
Elgar Ho. *NW6* —1C **6**
Elgar Ho. *SW1* —1A **120**

Elgar St. *SE16* —5A **80**
Elgin Av. *W9* —5C **18**
Elgin Ct. *W9* —4F **19**
Elgin Cres. *W11* —1A **64**
Elgin Est. *W9* —5D **19**
Elgin Ho. *E14* —4F **53**
Elgin Mans. *W9* —3F **19**
Elgin M. *W11* —4A **36**
Elgin M. N. *W9* —2A **20**
Elgin M. S. *W9* —2A **20**
Elgood Clo. *W11* —1F **63**
Elgood Ho. *NW8* —1E **21**
Elia M. *N1* —1F **27**
Elias Ho. *SW8* —3D **123**
Elia St. *N1* —1F **27**
Elim Est. *SE1* —1F **103**
Elim St. *SE1* —1E **103**
(in two parts)
Eliot M. *NW8* —1B **20**
Elizabeth Av. *N1* —3C **14**
Elizabeth Bri. *SW1* —4F **97**
Elizabeth Clo. *E14* —4F **53**
Elizabeth Clo. *W9* —5C **20**
Elizabeth Ct. *SW1* —2E **99**
Elizabeth Ct. *SE10* —3E **117**
Elizabeth Fry M. *E8* —2F **17**
Elizabeth Ho. *SE11* —4E **101**
Elizabeth Ho. *W6* —5C **90**
Elizabeth Ind. Est. *SE14* —2E **129**
Elizabeth Newcomen Ho. *SE1*
—4D **75**
Elizabeth Sq. *SE16* —1F **79**
Elizabeth St. *SW1* —3E **97**
Elkington Point. *SE11* —4D **101**
Elkstone Ct. *SE15* —3F **125**
Elkstone Rd. *W10* —1B **36**
Elland Ho. *E14* —4B **52**
Ellenborough Ho. *W12* —5A **34**
Ellen St. *E1* —4E **49**
Ellen Wilkinson Ho. *E2* —2D **33**
Ellerslie Rd. *W12* —2A **62**
Ellery Ho. *SE17* —4E **103**
Ellesmere Rd. *E3* —1F **33**
Ellesmere St. *E14* —3F **53**
Ellingfort Rd. *E8* —1F **17**
Ellington Ho. *SE1* —2C **102**
Elliot Ho. *W1* —2A **40**
Elliott Rd. *SW9* —5F **123**
Elliott's Pl. *N1* —4A **14**
Elliott Sq. *NW3* —2A **8**
Elliotts Row. *SE11* —3F **101**
Ellis Franklin Ct. *NW8* —5B **6**
Ellis Ho. *SE17* —5D **103**
Ellis St. *SW1* —3C **96**
Ellsworth St. *E2* —2A **32**
Ellwood Ct. *W9* —5F **19**
Elmbridge Wlk. *E8* —1E **17**
Elm Ct. *EC4* —5D **45**
Elmer Ho. *NW1* —1F **39**
Elmfield Way. *W9* —1D **37**
Elm Friars Wlk. *NW1* —1E **11**
Elm Ho. *E14* —5B **82**
Elm Ho. *W10* —4A **18**
Elmington Est. *SE5* —4E **125**
Elmington Rd. *SE5* —5D **125**
Elmley Clo. *E6* —4F **61**
Elmore St. *N1* —1C **14**
Elm Pk. Chambers. *SW10* —1D **117**
Elm Pk. Gdns. *SW10* —1D **117**
Elm Pk. Ho. *SW10* —1D **117**
Elm Pk. La. *SW3* —1D **117**
Elm Pk. Mans. *SW10* —2C **116**
Elm Pk. Rd. *SW3* —2D **117**
Elm Pl. *SW7* —5D **98**
Elm Quay Ct. *SW8* —3D **121**
Elmslie Point. *E3* —1C **52**
Elms M. *W2* —5D **39**
Elm St. *WC1* —5C **26**
Elmton Ct. *NW8* —4D **21**
Elm Tree Clo. *NW8* —2D **21**

Elm Tree Ct. *NW8* —2D **21**
Elm Tree Rd. *NW8* —2D **21**
Elnathan M. *W9* —5A **20**
Elsa Cotts. *E14* —2A **52**
Elsa St. *E1* —2F **51**
Elsden M. *E2* —1C **32**
Elsham Rd. *W14* —5F **63**
Elsham Ter. *W14* —1F **91**
Elsie La. Ct. *W2* —2E **37**
Elsinore Ho. *N1* —4D **13**
Elsinore Ho. *W6* —5C **90**
Elsted St. *SE17* —4E **103**
Elsworthy Ri. *NW3* —1A **8**
Elsworthy Rd. *NW3* —3F **7**
Elsworthy Ter. *NW3* —2A **8**
Elvaston M. *SW7* —1C **94**
Elvaston Pl. *SW7* —2B **94**
Elver Gdns. *E2* —1E **31**
Elverton St. *SW1* —3D **99**
Elwin St. *E2* —2D **31**
Elworth Ho. *SW8* —5C **122**
Ely Cotts. *SW8* —5B **122**
Ely Ct. *EC1* —2E **45**
Ely Ct. *NW6* —5D **5**
(in two parts)
Ely Ho. *SE15* —4E **127**
Ely Pl. *EC1* —2E **45**
Elystan Pl. *SW3* —5A **96**
Elystan St. *SW3* —4F **95**
Elystan Wlk. *N1* —4D **13**
Embankment Gdns. *SW3* —2C **118**
Embankment Pl. *WC2* —2A **72**
Embassy Ct. *NW8* —1E **21**
Embassy Ho. *NW6* —1F **5**
Emba St. *SE16* —5E **77**
Emberton. *SE17* —2F **125**
Emberton Ct. *EC1* —3F **27**
Emerald Clo. *E16* —4F **59**
Emerald St. *WC1* —1B **44**
Emerson St. *SE1* —2B **74**
Emery Hill St. *SW1* —2C **98**
Emery St. *SE1* —1E **101**
Emily St. *E16* —4B **56**
Emmanuel Ho. *SE11* —4D **101**
Emma St. *E2* —5F **17**
Emminster. *NW6* —3F **5**
Emmott Clo. *E1* —5F **33**
Emperor's Ga. *SW7* —2A **94**
Empingham Ho. *SE8* —3E **107**
Empire Wharf Rd. *E14* —4D **111**
Empress Pl. *SW6* —1D **115**
Empress St. *SE17* —2C **124**
Enbrook St. *W10* —3A **18**
Endell St. *WC2* —3F **43**
Enderby St. *SE10* —5F **111**
Endsleigh Gdns. *WC1* —4D **25**
Endsleigh Pl. *WC1* —4E **25**
Endsleigh St. *WC1* —4D **25**
Enfield Cloisters. *N1* —2F **29**
Enfield Rd. *N1* —2A **16**
Enford St. *W1* —1B **40**
Engine Ct. *SW1* —3C **70**
Englefield. *NW1* —3B **24**
Englefield Rd. *N1* —1D **15**
English Grounds. *SE1* —3F **75**
Enid St. *SE16* —1C **104**
Ennerdale. *NW1* —2B **24**
Ennis Ho. *E14* —4A **54**
Ennismore Gdns. *SW7* —5F **67**
Ennismore Gdns. M. *SW7* —1F **95**
Ennismore M. *SW7* —1F **95**
Ennismore St. *SW7* —1F **95**
Ensbury Ho. *SW8* —4B **122**
Ensign Ho. *E14* —4E **81**
Ensign Ind. Cen. *E1* —1D **77**
Ensign St. *E1* —5D **49**
Ensor M. *SW7* —5D **95**
Enterprise Bus. Pk. *E14* —5F **81**
Enterprise Ho. *E14* —5A **110**
Enterprise Ind. Est. *SE16* —1C **128**

Fonda Ct. *E14* —1D **81**
Fontenoy Ho. *SE11* —4F **101**
Forber Ho. *E2* —3B **32**
Forbes St. *E1* —4E **49**
Fordham St. *E1* —3E **49**
Fordingley Rd. *W9* —3C **18**
Fords Pk. Rd. *E16* —2D **57**
Ford Sq. *E1* —2A **50**
Ford St. *E16* —3B **56**
Foreland Ho. *W11* —5F **35**
Foreshore. *SE8* —4B **108**
Forest Gro. *E8* —1C **16**
Fore St. *EC2* —2C **46**
Fore St. Av. *EC2* —2D **47**
Forest Rd. *E8* —1B **16**
Forge Pl. *NW1* —1E **9**
Former County Hall. —4B **72**
Formosa Ho. *E1* —5F **33**
Formosa St. *W9* —5A **20**
Formunt Clo. *E16* —2C **56**
Forset Ct. *W1* —3A **40**
Forset St. *W1* —3A **40**
Forston St. *N1* —5C **14**
Forsyth Gdns. *SE17* —2A **124**
Forsyth Ho. *SW1* —5C **98**
Fortescue Av. *E8* —2F **17**
Fortis Clo. *E16* —4B **58**
Fort Rd. *SE1* —4C **104**
Fort St. *E1* —2A **48**
Fort St. *E16* —3A **86**
Fortune Ho. *EC1* —5C **28**
Fortune Ho. *SE11* —4D **101**
Fortune St. *EC1* —5C **28**
Fortune Theatre. —4A **44**
Forty Acre La. *E16* —2D **57**
Forum Magnus Sq. *SE1* —4B **72**
Fosbrooke Ho. *SW8* —5F **121**
Fosbury M. *W2* —1A **66**
Foscote M. *W9* —5E **19**
Foster Ct. *E16* —5C **56**
Foster Ct. *NW1* —1B **10**
Foster La. *EC2* —3B **46**
Foubert's Pl. *W1* —4B **42**
Foulis Ter. *SW7* —5E **95**
Founder Clo. *E6* —4F **61**
Founders Ct. *EC2* —3D **47**
Founders Ho. *SW1* —5D **99**
Foundling Ct. *WC1* —4F **25**
Foundry Clo. *SE16* —2F **79**
Foundry M. *NW1* —4C **24**
Fountain Ct. *EC4* —5D **45**
Fountain Ct. *SW1* —4F **97**
Fountain Grn. Sq. *SE16* —5E **77**
Fountain Ho. *NW6* —2A **4**
Fountain Ho. *W1* —2D **69**
Fountain Sq. *SW1* —3A **98**
Fount St. *SW8* —5E **121**
Fournier St. *E1* —1B **48**
Fourth Av. *W10* —4A **18**
Fowey Clo. *E1* —2F **77**
Fowey Ho. *SE11* —5E **101**
Fowler Rd. *N1* —3A **14**
Fox & Knot St. *EC1* —1A **46**
Fox Clo. *E1* —4C **32**
Fox Clo. *E16* —2D **57**
Foxcote. *SE5* —1A **126**
Foxcroft. *WC1* —1C **26**
Foxfield. *NW1* —4A **10**
Foxley Rd. *SW9* —4E **123**
Foxley Sq. *SW9* —5F **123**
Fox Rd. *E16* —2B **56**
Foxton Ho. *E16* —4E **89**
Frampton. *NW1* —2D **11**
Frampton Ho. *NW8* —5E **21**
Frampton St. *W2* —5E **21**
Francis Clo. *E14* —3D **111**
Francis Ct. *EC1* —1F **45**
Francis Ct. *SE14* —3D **129**
Francis Ho. *N1* —4F **15**

Francis St. *SW1* —3B **98**
Francis Wlk. *N1* —3B **12**
Frank Beswick Ho. *SW6* —3C **114**
Frankham Ho. *SE8* —5E **131**
Frankham St. *SE8* —5D **131**
Frank Ho. *SW8* —4F **121**
Frankland Clo. *SE16* —2A **106**
Frankland Rd. *SW7* —2D **95**
Franklin Building. *E14* —4D **81**
Franklin Ho. *E1* —3A **78**
Franklin Sq. *W14* —1C **114**
Franklin's Row. *SW3* —5C **96**
Frank Soskice Ho. *SW6* —3C **114**
Frank Whymark Ho. *SE16* —5B **78**
Frans Hals Ct. *E14* —1C **110**
Fraser Clo. *E6* —3F **59**
Fraser Ct. *SW8* —1B **110**
Frazier St. *SE1* —5D **73**
Frean St. *SE16* —1D **105**
Frearson Ho. *WC1* —2C **26**
Freda Corbett Clo. *SE15* —4D **127**
Frederica St. *N7* —1B **12**
Frederick Charrington Ho. *E1*
                                    —4B **32**
Frederick Clo. *W2* —5A **40**
Frederick Cres. *SW9* —5F **123**
Frederick Rd. *SE17* —2A **124**
Frederick's Pl. *EC2* —4D **47**
Frederick Sq. *SE16* —1F **79**
Frederick's Row. *EC1* —2F **27**
Frederick St. *WC1* —3B **26**
Frederick Ter. *E8* —2B **16**
Frederic M. *SW1* —5C **68**
Freeling Ho. *NW8* —3D **7**
Freeling St. *N1* —2A **12**
  (in two parts)
Freemantle St. *SE17* —5F **103**
Freemasons Rd. *E16* —5C **59**
Free Trade Wharf. *E1* —5D **51**
Fremantle Ho. *E1* —5F **31**
French Ordinary Ct. *EC3* —5A **48**
French Pl. *E1* —4A **30**
Frensham St. *SE15* —3E **127**
Freshfield Av. *E8* —1B **16**
Freshwater Ct. *W1* —2A **40**
  (off Crawford St.)
Freston Rd. *W10 & W11* —5D **35**
Freswick Ho. *SE8* —3E **107**
Frewell Ho. *EC1* —1D **45**
Friars Clo. *SE1* —2A **74**
Friars Mead. *E14* —2B **110**
Friar St. *EC4* —4A **46**
Friary Ct. *SW1* —3C **70**
Friary Est. *SE15* —3E **127**
  (in two parts)
Friary Rd. *SE15* —3E **127**
Friday St. *EC4* —5B **46**
Friend St. *EC1* —2F **27**
Frigate Ho. *E14* —4E **110**
Frigate M. *SE8* —2D **131**
Frimley St. *E1* —5D **33**
Frimley Way. *E1* —4D **33**
Frinstead Ho. *W10* —5D **35**
Frith Ho. *NW8* —5E **21**
Frith St. *W1* —4D **43**
Frithville Ct. *W12* —3B **62**
Frithville Gdns. *W12* —2B **62**
Frobisher Ct. *SE10* —2D **133**
Frobisher Ct. *W12* —5B **62**
Frobisher Cres. *EC2* —1C **46**
Frobisher Ho. *E1* —2A **78**
Frobisher Ho. *SW1* —2D **121**
Frobisher Pas. *E14* —2E **81**
Frobisher Rd. *E6* —3C **60**
Frobisher St. *SE10* —2F **133**
  (in two parts)
Frome St. *N1* —1B **14**
Frostic Wlk. *E1* —2C **48**
Fruiterers Pas. *EC4* —1C **74**
  (off Queen St. Pl.)

Frying Pan All. *E1* —2B **48**
Fulbeck Ho. *N7* —1B **12**
Fulbourne St. *E1* —1F **49**
Fulcher Ho. *N1* —4F **15**
Fulcher Ho. *SE8* —1B **130**
Fulford St. *SE16* —5A **78**
Fulham Broadway. (Junct.) —5E **115**
Fulham B'way. *SW6* —5E **115**
Fulham Ct. *SW6* —5D **115**
  (in two parts)
Fulham Pal. Rd. *W6 & SW6* —5C **90**
Fulham Rd. *SW6* —5D **115**
Fulham Rd. *SW10 & SW3* —5E **115**
Fuller Clo. *E2* —4D **31**
Fullwood's M. *N1* —2E **29**
Fulmar Ho. *SE16* —3E **107**
Fulmer Ho. *NW1* —5A **22**
Fulmer Rd. *E16* —2D **59**
Fulneck. *E1* —1C **50**
Fulton M. *W2* —5B **38**
Fulwood Pl. *WC1* —2C **44**
Furber St. *W6* —2A **90**
Furley Ho. *SE15* —4E **127**
Furley Rd. *SE15* —5E **127**
Furness Ho. *SW1* —5F **97**
Furnival Mans. *W1* —2B **42**
Furnival St. *EC4* —3D **45**
Fursecroft. *W1* —3B **40**
Furze St. *E3* —1E **53**
Fye Foot La. *EC4* —5B **46**
  (in two parts)
Fynes St. *SW1* —3D **99**

G ables Clo. *SE5* —5F **125**
Gabriel Ho. *SE11* —3B **100**
Gabriels Wharf. *SE1* —2E **73**
Gaddesden Ho. *EC1* —3E **29**
Gadebridge Ho. *SW3* —5F **95**
  (off Cale St.)
Gadsden Ho. *W10* —5A **18**
Gadwall Clo. *E16* —3F **57**
Gage Brown Ho. *W10* —4E **35**
Gage Rd. *E16* —1A **56**
Gage St. *WC1* —1A **44**
Gainford Ho. *E2* —2F **31**
Gainford St. *N1* —3D **13**
Gainsborough Ct. *SE16* —5A **106**
Gainsborough Ct. *W12* —4B **62**
Gainsborough Ho. *E14* —5A **52**
Gainsborough Ho. *SW1* —4E **99**
Gainsborough Mans. *W14* —2A **114**
Gainsford St. *SE1* —4B **76**
Gairloch Ho. *NW1* —1D **11**
Gaitskell Ho. *SE17* —2F **125**
Galbraith St. *E14* —1B **110**
Galena Ho. *W6* —4A **90**
Galena Rd. *W6* —4A **90**
Galen Pl. *WC1* —2A **44**
Gales Gdns. *E2* —3A **32**
Gale St. *E3* —1E **53**
Galleon Clo. *SE16* —4C **78**
Galleon Ho. *E14* —4C **110**
Gallery Ct. *SE1* —5D **75**
Gallery Ct. *SW10* —3B **116**
Galleywall Rd. *SE16* —3F **105**
Galleywall Rd. Trad. Est. *SE16* —4A **106**
Galleywood Ho. *W10* —1B **34**
Gallions Rd. *SE7* —4F **113**
  (in two parts)
Galsworthy Av. *E14* —2A **52**
Galsworthy Ho. *W1* —4A **36**
Galton St. *W10* —3A **18**
Galveston Ho. *E1* —1F **33**
Galway Clo. *SE16* —1A **128**
Galway Ho. *E1* —1E **51**
Galway Ho. *EC1* —3C **28**
Galway St. *EC1* —3C **28**
Gambia St. *SE1* —3A **74**
Gambier Ho. *EC1* —3C **28**

# Gandolfi St.—Glenkerry Ho.

Gandolfi St. *SE15* —3F **125**
Ganton St. *W1* —5B **42**
Garbett Ho. *SE17* —2F **123**
Garbutt Pl. *W1* —2E **41**
Garden Ct. *WC2* —5D **45**
Garden M. *W2* —1E **65**
Garden Pl. *E8* —4C **16**
Garden Rd. *NW8* —2C **20**
Garden Row. *SE1* —2F **101**
Garden St. *E1* —2E **51**
Garden Ter. *SW1* —5D **99**
Garden Ter. *SW7* —5A **68**
Garden Wlk. *EC2* —4F **29**
Gardners La. *EC4* —5B **46**
Gard St. *EC1* —2A **28**
Garford St. *E14* —1D **81**
Garland Ct. *E14* —1D **81**
Garlick Hill. *EC4* —5C **46**
Garnault M. *EC1* —3E **27**
Garnault Pl. *EC1* —3E **27**
Garner St. *E2* —1E **31**
Garnet Ho. *E1* —2B **78**
Garnet St. *E1* —1B **78**
Garnet Wlk. *E6* —1A **60**
Garnies Clo. *SE15* —4B **126**
Garrett Ho. *W12* —4A **34**
Garrett St. *EC1* —4C **28**
Garrick Ho. *W1* —3F **69**
Garrick St. *WC2* —5F **43**
Garrick Theatre. —1F **71**
Garrick Yd. *WC2* —5F **43**
Garsdale Ter. *W14* —5C **92**
Garson Ho. *W2* —5D **39**
Garston Ho. *N1* —2F **13**
Garter Way. *SE16* —5D **79**
Garvary Rd. *E16* —4A **58**
Garway Rd. *W2* —4F **37**
Gascoigne Pl. *E2* —3B **30**
Gascony Av. *NW6* —2D **5**
(in two parts)
Gaselee St. *E14* —1C **82**
Gaskin St. *N1* —3F **13**
Gaspar Clo. *SW5* —3A **94**
Gaspar M. *SW5* —3A **94**
Gasson Ho. *SE14* —3D **129**
Gastigny Ho. *EC1* —3C **28**
Gataker Ho. *SE16* —1A **106**
Gataker St. *SE16* —1A **106**
Gatcombe Rd. *E16* —2E **85**
Gate Hill Ct. *W11* —2C **64**
Gateforth St. *NW8* —5F **21**
Gate Lodge. *W9* —1E **37**
Gate M. *SW7* —5A **68**
Gatesborough St. *EC2* —4F **29**
Gates Ct. *SE17* —1B **124**
Gatesden. *WC1* —3A **26**
Gate St. *WC2* —3B **44**
Gate Theatre, The. —2D **65**
Gateway. *SE17* —2C **124**
Gateway Arc. *N1* —5F **13**
Gateways, The. *SW3* —4A **96**
Gathorne St. *E2* —1E **33**
Gatliff Clo. *SW1* —1F **119**
Gatliff Rd. *SW1* —1F **119**
(in two parts)
Gattis Wharf. *N1* —5A **12**
Gatwick Ho. *E14* —3B **52**
Gaugin Ct. *SE16* —5F **105**
Gaumont Ter. *W12* —4B **62**
Gaunt St. *SE1* —1B **102**
Gautrey Sq. *E6* —4C **60**
Gavel St. *SE17* —3E **103**
Gawber St. *E2* —2B **32**
Gaydon Ho. *W2* —1F **37**
Gayfere St. *SW1* —2F **99**
Gayhurst. *SE17* —2E **125**
Gayhurst Ho. *NW8* —4F **21**
Gayhurst Rd. *E8* —1D **17**
Gaymead. *NW8* —4A **6**

Gaysley Ho. *SE11* —4D **101**
Gaywood St. *SE1* —2A **102**
Gaza St. *SE17* —1F **123**
Gaze Ho. *E14* —4D **55**
Gedling Pl. *SE1* —1C **104**
Gees Ct. *W1* —4E **41**
Gee St. *EC1* —4B **28**
Geffrye Ct. *N1* —1A **30**
Geffrye Est. *N1* —1A **30**
Geffrye Mus. —1B **30**
Geffrye St. *E2* —5B **16**
Geldart Rd. *SE15* —5F **127**
Gemini Bus. Cen. *E16* —1E **55**
Gemini Bus. Est. *SE14* —1E **129**
Gemini Ct. *E1* —1D **77**
Genoa Ho. *E1* —5E **33**
Geoffrey Ho. *SE1* —1E **103**
Geographers A-Z Shop. —1D **45**
George Beard Rd. *SE8* —4B **108**
George Belt Ho. *E2* —2D **33**
George Ct. *WC2* —1A **72**
George Eliot Ho. *SW1* —4C **98**
George Elliston Ho. *SE1* —1D **127**
George Eyre Ho. *NW8* —1E **21**
George Gillett Ct. *EC1* —4C **28**
George Inn Yd. *SE1* —3D **75**
George Lindgren Ho. *SW6* —4C **114**
George Loveless Ho. *E2* —2C **30**
George Lowe Ct. *W2* —1F **37**
George Mathers Rd. *SE11* —3F **101**
George M. *NW1* —3C **24**
George Peabody Ct. *NW1* —1F **39**
George Row. *SE16* —5D **77**
George's Sq. *SW6* —2C **114**
George St. *E16* —4B **56**
George St. *W1* —3B **40**
George Tingle Ho. *SE1* —1C **104**
Georgette Pl. *SE10* —5C **132**
George Walter Ct. *SE16* —4C **106**
George Yd. *EC3* —4E **47**
George Yd. *W1* —5E **41**
Georgiana St. *NW1* —3B **10**
Georgian Ho. *E16* —2D **85**
Georgina Gdns. *E2* —2C **30**
Geraldine St. *SE11* —2F **101**
Gerald M. *SW1* —3E **97**
Gerald Rd. *SW1* —3E **97**
Gerards Clo. *SE16* —1B **128**
Gernon Rd. *E3* —1F **33**
Gerrard Ho. *SE14* —5C **128**
Gerrard Pl. *W1* —5E **43**
Gerrard Rd. *N1* —5F **13**
Gerrard St. *W1* —5D **43**
Gerridge Ct. *SE1* —1E **101**
(off Gerridge St.)
Gerridge St. *SE1* —1E **101**
Gertrude St. *SW10* —3C **116**
Gervase St. *SE15* —4A **128**
Gibbings Ho. *SE1* —5A **74**
Gibbon Ho. *NW8* —5E **21**
Gibbon's Rents. *SE1* —3F **75**
Gibbs Grn. *W14* —5B **92**
(in three parts)
Gibraltar Wlk. *E2* —3C **30**
Gibson Clo. *E1* —4C **32**
Gibson Rd. *SE11* —4C **100**
Gibson Sq. *N1* —3E **13**
Gibson St. *SE10* —1F **133**
Gielgud Theatre. —5D **43**
Giffen Sq. Mkt. *SE8* —4D **131**
Giffin St. *SE8* —4D **131**
Gifford Ho. *SE10* —1E **133**
Gifford Ho. *SW1* —1B **120**
Gifford St. *N1* —4A **12**
Gilbert Bri. *EC2* —2C **46**
(off Gilbert Ho.)
Gilbert Collection. —5B **44**
Gilbert Ho. *E2* —2D **33**
Gilbert Ho. *EC2* —2C **46**
Gilbert Ho. *SE8* —2E **131**

Gilbert Ho. *SW1* —1A **120**
Gilbert Ho. *SW8* —4F **121**
Gilbert Pl. *WC1* —2F **43**
Gilbert Rd. *SE11* —4E **101**
Gilbert Sheldon Ho. *W2* —1E **39**
Gilbertson Ho. *E14* —1E **109**
Gilbert St. *W1* —4E **41**
Gilbeys Yd. *NW1* —2E **9**
Gildea St. *W1* —2A **42**
Giles Ho. *SE16* —1D **105**
Gillam Ho. *SE16* —4B **106**
Gill Av. *E16* —4D **57**
Gillender St. *E14* —1B **54**
Gillfoot. *NW1* —1B **24**
Gillingham M. *SW1* —3B **98**
Gillingham Row. *SW1* —3B **98**
Gillingham St. *SW1* —4A **98**
Gillison Wlk. *SE16* —1E **105**
Gillman Ho. *E2* —5E **17**
Gill St. *E14* —4C **52**
Gilray Ho. *W2* —5D **39**
Gilston Rd. *SW10* —1C **116**
Giltspur St. *EC1* —3A **46**
Giralda Clo. *E16* —2D **59**
Giraud St. *E14* —3F **53**
Girdler's Rd. *W14* —3E **91**
Girling Ho. *N1* —4F **15**
Gironde Rd. *SW6* —5C **114**
Girton Vs. *W10* —3E **35**
Gisburn Ho. *SE15* —3E **127**
Gissing Wlk. *N1* —2E **13**
Gladstone Ct. *SW1* —4E **99**
Gladstone Ct. Bus. Cen. *SW8*
—5A **120**
Gladstone Ho. *E14* —5D **53**
Gladstone M. *NW6* —1B **4**
Gladstone St. *SE1* —2F **101**
Gladwin Ho. *NW1* —1C **24**
Gladys Rd. *NW6* —1E **5**
Glaisher St. *SE8* —2E **131**
Glamis Pl. *E1* —5C **50**
Glamis Rd. *E1* —1C **78**
Glangall Causeway. *E14* —1D **109**
Glasgow Ho. *W9* —1A **20**
Glasgow Ter. *SW1* —1B **120**
Glasshill St. *SE1* —4A **74**
Glasshouse Fields. *E1* —5D **51**
Glasshouse St. *W1* —1C **70**
Glasshouse Wlk. *SE1* —5A **100**
Glasshouse Yd. *EC1* —5B **28**
Glass St. *E2* —4A **32**
Glastonbury Ct. *SE14* —4C **128**
Glastonbury Ho. *SW1* —5F **97**
Glastonbury Pl. *E1* —4B **50**
Glaucus St. *E3* —1F **53**
Glazbury Rd. *W14* —4A **92**
Glebe Ho. *SE16* —2A **106**
Glebe Pl. *SW3* —2F **117**
Glebe Rd. *E8* —2B **16**
Gledhow Gdns. *SW5* —4B **94**
Gledstanes Rd. *W14* —1A **114**
Glenaffric Av. *E14* —4D **111**
Glenallan Ho. *W14* —4B **92**
Glencairne Clo. *E16* —1D **59**
Glencoe Mans. *SW9* —5D **123**
Glendower Pl. *SW7* —3D **95**
Gleneagles Clo. *SE16* —1F **127**
Glenfinlas Way. *SE5* —4A **124**
Glenforth St. *SE10* —4C **112**
Glengall Gro. *E14* —1A **110**
Glengall Pas. *NW6* —3D **5**
(in two parts)
Glengall Rd. *NW6* —3C **4**
Glengall Rd. *SE15* —2C **126**
Glengall Ter. *SE15* —2C **126**
Glengarnock Av. *E14* —4C **110**
Glen Ho. *E16* —4E **89**
Glenister Rd. *SE10* —5B **112**
Glenister St. *E16* —3E **89**
Glenkerry Ho. *E14* —3B **54**

Glenridding. *NW1* —1C **24**
Glenroy St. *W12* —3B **34**
Glenshaw Mans. *SW9* —5D **123**
Glen Ter. *E14* —4C **82**
Glenthorne M. *W6* —4A **90**
Glenthorne Rd. *W6* —3A **90**
Glentworth St. *NW1* —5C **22**
Glenville Gro. *SE8* —5C **130**
Glenworth Av. *E14* —4D **111**
Gliddon Rd. *W14* —4F **91**
Globe Pond Rd. *SE16* —3F **79**
Globe Rd. *E2 & E1* —1B **32**
(in two parts)
Globe Rope Wlk. *E14* —4A **110**
Globe St. *SE1* —1D **103**
Globe Ter. *E2* —2C **32**
**Globe Town. —2D 33**
Globe Wharf. *SE16* —1E **79**
Globe Yd. *W1* —4F **41**
Gloucester Arc. *SW7* —3B **94**
Gloucester Av. *NW1* —2D **9**
Gloucester Cir. *SE10* —4C **132**
Gloucester Ct. *EC3* —1A **76**
Gloucester Cres. *NW1* —3F **9**
Gloucester Gdns. *W2* —3B **38**
Gloucester Ga. *NW1* —5F **9**
(in two parts)
Gloucester Ga. M. *NW1* —5F **9**
*Gloucester Ho. E16 —2E 85*
*(off Gatcombe Rd.)*
Gloucester Ho. *NW6* —1E **19**
Gloucester Ho. *SE5* —4E **123**
Gloucester M. *W2* —4C **38**
Gloucester M. W. *W2* —4B **38**
Gloucester Pl. *NW1 & W1* —4B **22**
Gloucester Pl. M. *W1* —2C **40**
Gloucester Rd. *SW7* —1B **94**
Gloucester Sq. *E2* —4D **17**
Gloucester Sq. *W2* —4E **39**
Gloucester St. *SW1* —1B **120**
Gloucester Ter. *W2* —3A **38**
Gloucester Wlk. *W8* —4E **65**
Gloucester Way. *EC1* —3E **27**
Glover Ho. *NW6* —1C **6**
Glynde M. *SW3* —2A **96**
Glynde Reach. *WC1* —3A **26**
Glyn St. *SE11* —1B **122**
Goater's All. *SW6* —5C **114**
Godalming Rd. *E14* —2F **53**
Godfrey Ho. *EC1* —3D **29**
Godfrey St. *SW3* —5A **96**
Goding St. *SE11* —5A **100**
Godliman St. *EC4* —4B **46**
Godolphin Ho. *NW3* —1F **7**
Godolphin Rd. *W12* —3A **62**
(in two parts)
Godstone Ho. *SE1* —1E **103**
Godwin Clo. *N1* —5C **14**
Godwin Ct. *NW1* —5C **10**
Godwin Ho. *NW6* —5F **5**
(in three parts)
Golborne Gdns. *W10* —5B **18**
Golborne Ho. *W10* —5A **18**
Golborne M. *W10* —1A **36**
Golborne Rd. *W10* —1A **36**
Goldcrest Clo. *E16* —1D **59**
Golden Cross M. *W11* —3B **36**
Golden Hinde Educational Mus.
—2D **75**
Golden Hind Pl. *SE8* —4A **108**
Golden La. *EC1* —4B **28**
Golden La. Est. *EC1* —5B **28**
Golden Plover Clo. *E16* —3E **57**
Golden Sq. *W1* —5C **42**
Goldhawk Ind. Est. *W6* —1A **90**
Goldhawk M. *W12* —5A **62**
Goldhawk Rd. *W6 & W12* —1A **90**
Goldhurst Ter. *NW6* —2F **5**
Golding St. *E1* —4E **49**
Golding Ter. *E1* —3E **49**

Goldington Ct. *NW1* —4D **11**
Goldington Cres. *NW1* —5D **11**
Goldington St. *NW1* —5D **11**
Goldman Clo. *E2* —4D **31**
Goldney Rd. *W9* —5D **19**
Goldsboro' Rd. *SW8* —5E **121**
Goldsborough Ho. *E14* —1A **132**
Goldsmith Ct. *WC2* —3A **44**
Goldsmith Rd. *SE15* —5E **127**
Goldsmith's Pl. *NW6* —4F **5**
Goldsmith's Row. *E2* —1D **31**
Goldsmith's Sq. *E2* —5E **17**
Goldsmith St. *EC2* —3C **46**
Goldsworthy Gdns. *SE16* —4C **106**
Goldthorpe. *NW1* —1C **20**
Goldwing Clo. *E16* —4E **57**
Gomm Rd. *SE16* —2B **106**
Gonson St. *SE8* —3F **131**
Gooch Ho. *WC1* —1D **45**
Goodfaith Ho. *E14* —1A **82**
Goodge Pl. *W1* —2C **42**
Goodge St. *W1* —2C **42**
Goodhart Pl. *E14* —5A **52**
Goodhope Ho. *E14* —1A **82**
Goodman's Ct. *E1* —5B **48**
Goodman's Stile. *E1* —3D **49**
Goodmans Yd. *EC3* —5B **48**
Goodrich Ct. *W10* —4D **35**
Goodson St. *N1* —5D **13**
Goodspeed Ho. *E14* —1A **82**
Goods Way. *NW1* —5A **12**
Goodway Gdns. *E14* —3D **55**
Goodwill Ho. *E14* —1A **82**
Goodwin Clo. *SE16* —2C **104**
Goodwins Ct. *WC2* —5F **43**
Goodwood Ct. *W1* —1A **42**
Goodwood Ho. *SE14* —5F **129**
Goodwood Rd. *SE14* —3C **129**
Goodyear Pl. *SE5* —3C **124**
Goodyer Ho. *SW1* —5D **99**
Goose Sq. *E6* —4B **60**
Gophir La. *EC4* —5D **47**
Gopsall St. *N1* —4E **15**
Gordon Ct. *W12* —4B **34**
Gordon Ho. *E1* —5C **50**
Gordon Ho. *SE10* —4B **132**
Gordon Mans. *W14* —1D **91**
Gordon Mans. *WC1* —5D **25**
Gordon Pl. *W8* —4E **65**
Gordon Sq. *WC1* —4D **25**
Gordon St. *WC1* —4D **25**
Gorefield Ho. *NW6* —5E **5**
Gorefield Pl. *NW6* —5D **5**
Gore St. *SW7* —1C **94**
*Gorham Ho. SE16 —5E 79*
*(off Wolfe Cres.)*
Gorham Pl. *W11* —1F **63**
Goring St. *EC3* —3A **48**
Gorleston St. *W14* —3A **92**
(in two parts)
Gorse Clo. *E16* —4D **57**
Gorsefield Ho. *E14* —5D **53**
Gorsuch Pl. *E2* —2B **30**
Gorsuch St. *E2* —2B **30**
Gosfield St. *W1* —1B **42**
Goslett Yd. *WC2* —4E **43**
Gosling Ho. *E1* —5B **50**
Gosling Way. *SW9* —5E **123**
Gosport Way. *SE15* —4B **126**
Gosset St. *E2* —2C **30**
Gosterwood St. *SE8* —2A **130**
Goswell Pl. *EC1* —3A **28**
Goswell Rd. *EC1* —1F **27**
Gothic Ct. *SE5* —4B **124**
Gough Ho. *N1* —3A **14**
Gough Sq. *EC4* —3E **45**
Gough St. *WC1* —4C **26**
Gough Wlk. *E14* —4D **53**
Gouldman Ho. *E1* —5B **32**
Goulston St. *E1* —3B **48**

Govan St. *E2* —4E **17**
Gowan Ho. *E2* —3C **30**
Gower Ct. *WC1* —4D **25**
Gower Ho. *SE17* —5C **102**
Gower M. *WC1* —2E **43**
Gower M. Mans. *WC1* —1E **43**
Gower Pl. *WC1* —4C **24**
Gower St. *WC1* —4C **24**
Gower's Wlk. *E1* —3D **49**
Gracechurch St. *EC3* —5E **47**
Gracehill. *E1* —1C **50**
Grace Ho. *SE11* —2C **122**
Grace Jones Clo. *E8* —1D **17**
Graces All. *E1* —5D **49**
Graces M. *NW8* —1C **20**
Grafely Way. *SE15* —4B **126**
Grafton Ho. *SE8* —1B **130**
Grafton M. *N1* —5B **14**
Grafton M. *W1* —5B **24**
Grafton Pl. *NW1* —3E **25**
Grafton St. *W1* —1A **70**
Grafton Way. *W1 & WC1* —5B **24**
Graham Ct. *SE14* —2D **129**
Graham St. *N1* —1A **28**
Graham Ter. *SW1* —4D **97**
Grainger Ct. *SE5* —5B **124**
Grampians, The. *W12* —5D **63**
Granary Rd. *E1* —5F **31**
Granary St. *NW1* —4D **11**
Granby Pl. *SE1* —5D **73**
Granby St. *E2* —4C **30**
(in two parts)
Granby Ter. *NW1* —1B **24**
Grand Av. *EC1* —1A **46**
(in two parts)
Grand Junct. Wharf. *N1* —1B **28**
Grand Union Clo. *W9* —1C **36**
Grand Union Cres. *E8* —3E **17**
Grand Union Wlk. *NW1* —2A **10**
Grand Vitesse Ind. Cen. *SE1* —3A **74**
Grand Wlk. *E1* —4F **33**
Grange Ct. *WC2* —4C **44**
Grangefield. *NW1* —1E **11**
Grange Ho. *SE1* —2B **104**
Grange Pl. *NW6* —2D **5**
Grange Rd. *SE1* —2A **104**
Grange St. *N1* —4E **15**
Grange, The. *SE1* —1B **104**
Grange, The. *W14* —4B **92**
Grange Wlk. *SE1* —1A **104**
Grange Wlk. M. *SE1* —2A **104**
Grange Way. *NW6* —2D **5**
Grange Yd. *SE1* —2B **104**
Gransden Av. *E8* —2F **17**
Gransden Ho. *SE8* —5B **108**
Grantbridge St. *N1* —5A **14**
Grantham Ct. *SE16* —4D **79**
Grantham Ho. *SE15* —3E **127**
Grantham Pl. *W1* —3F **69**
Grantley Ho. *SE14* —2D **129**
Grantley St. *E1* —3D **33**
Grants Quay Wharf. *EC3* —1E **75**
Grant St. *N1* —5D **13**
Grantully Rd. *W9* —3F **19**
Granville Ct. *N1* —3E **15**
Granville St. *SE14* —4F **129**
Granville Ho. *E14* —4D **53**
Granville Mans. *W12* —4C **62**
Granville Pl. *SW6* —5F **115**
Granville Pl. *W1* —4D **41**
Granville Rd. *NW6* —1D **19**
(in two parts)
Granville Sq. *SE15* —4A **126**
Granville Sq. *WC1* —3C **26**
Granville St. *WC1* —3C **26**
Grape St. *WC2* —3F **43**
Graphite Sq. *SE11* —5B **100**
Grasmere. *NW1* —3A **24**
Grasmere Point. *SE15* —4B **128**
Gratton Rd. *W14* —2F **91**

Gravel La. *E1* —3B **48**
Gravely Ho. *SE8* —3F **107**
Gray Ho. *SE17* —5C **102**
Grayling Sq. *E2* —2E **31**
Gray's Inn. —1C **44**
Gray's Inn Bldgs. *EC1* —5D **27**
(off Rosebery Av.)
Gray's Inn Pl. *WC1* —2C **44**
Gray's Inn Rd. *WC1* —2A **26**
Gray's Inn Sq. *WC1* —1D **45**
Grayson Ho. *EC1* —3C **28**
Gray St. *SE1* —5E **73**
Gray's Yd. *W1* —3E **41**
Gt. Arthur Ho. *EC1* —5B **28**
Gt. Bell All. *EC2* —3D **47**
Gt. Castle St. *W1* —3A **42**
Gt. Central St. *NW1* —1B **40**
Gt. Chapel St. *W1* —3D **43**
Gt. Church La. *W6* —5D **91**
Gt. College St. *SW1* —1F **99**
Great Cft. *WC1* —3A **26**
Gt. Cross Av. *SE10* —5E **133**
(in three parts)
Gt. Cumberland M. *W1* —4B **40**
Gt. Cumberland Pl. *W1* —3B **40**
Gt. Dover St. *SE1* —5C **74**
Gt. Eastern Bldgs. *E1* —2E **49**
Gt. Eastern Enterprise Cen. *E14*
—5F **81**
Gt. Eastern St. *EC2* —3F **29**
Gt. Eastern Wlk. *EC2* —2A **48**
Gt. Eastern Wharf. *SW11* —4A **118**
Gt. George St. *SW1* —5E **71**
Gt. Guildford Bus. Sq. *SE1* —3B **74**
Gt. Guildford St. *SE1* —2B **74**
Gt. James St. *WC1* —1B **44**
Gt. Marlborough St. *W1* —4B **42**
Gt. Maze Pond. *SE1* —4E **75**
(in two parts)
Gt. Newport St. *WC2* —5E **43**
Gt. New St. *EC4* —3E **45**
Greatorex Ho. *E1* —1D **49**
Greatorex St. *E1* —1D **49**
Gt. Ormond St. *WC1* —1A **44**
Gt. Percy St. *WC1* —2C **26**
Gt. Peter St. *SW1* —2D **99**
Gt. Portland St. *W1* —5A **24**
Gt. Pulteney St. *W1* —5C **42**
Gt. Queen St. *WC2* —4A **44**
Gt. Russell St. *WC1* —3E **43**
Gt. St Helen's. *EC2* —3F **47**
Gt. St Thomas Apostle. *EC4* —5C **46**
Gt. Scotland Yd. *SW1* —3F **71**
Gt. Smith St. *SW1* —1E **99**
Gt. Suffolk St. *SE1* —3A **74**
Gt. Sutton St. *EC1* —5A **28**
Gt. Swan All. *EC2* —3D **47**
(in two parts)
Gt. Titchfield St. *W1* —5A **24**
Gt. Tower St. *EC3* —5F **47**
Gt. Trinity La. *EC4* —5C **46**
Great Turnstile. *WC1* —2C **44**
Gt. Western Rd. *W9 & W11* —5C **18**
Gt. West Rd. *W4 & W6* —5A **90**
Gt. Winchester St. *EC2* —3E **47**
Gt. Windmill St. *W1* —5D **43**
Great Yd. *SE1* —4A **76**
Greaves Cotts. *E14* —2A **52**
Greaves Tower. *SW10* —4A **116**
Grebe Ct. *E14* —5C **82**
Grebe Ct. *SE8* —2B **130**
Greek Ct. *W1* —4E **43**
Greek St. *W1* —4E **43**
Greenacre Sq. *SE16* —4E **79**
Grn. Arbour Ct. *EC4* —3F **45**
Greenaway Ho. *NW8* —3B **6**
Greenaway Ho. *WC1* —3D **27**
Green Bank. *E1* —3F **77**
Greenberry St. *NW8* —1F **21**
Greencoat Mans. *SW1* —2C **98**

Greencoat Pl. *SW1* —3C **98**
Greencoat Row. *SW1* —2C **98**
Greencourt Ho. *E1* —5D **33**
Greencroft Clo. *E6* —2F **59**
Greencroft Gdns. *NW6* —2F **5**
Grn. Dragon Ct. *SE1* —3D **75**
Grn. Dragon Yd. *E1* —2D **49**
Greene Ct. *SE14* —3D **129**
Greene Ho. *SE1* —2D **103**
Greenfell Mans. *SE8* —2F **131**
Greenfield Rd. *E1* —2E **49**
Greenham Clo. *SE1* —5D **73**
Greenheath Bus. Cen. *E2* —4A **32**
Greenhill's Rents. *EC1* —1F **45**
Grn. Hundred Rd. *SE15* —3E **127**
Greenland Ho. *E1* —5F **33**
Greenland M. *SE8* —1E **129**
Greenland Pl. *NW1* —3A **10**
Greenland Quay. *SE16* —3E **107**
Greenland Rd. *NW1* —3A **10**
Greenland St. *NW1* —3A **10**
Greenman St. *N1* —2B **14**
Green Pk. —3A **70**
Green's Ct. *W1* —5D **43**
Greenshields Ind. Est. *E16* —3F **85**
Green St. *W1* —5C **40**
Green Ter. *EC1* —3E **27**
Green Wlk. *SE1* —2F **103**
Greenwell St. *W1* —5A **24**
Greenwich. —3C **132**
Greenwich Bus. Pk. *SE10* —4A **132**
Greenwich Chu. St. *SE10* —2C **132**
Greenwich Commercial Cen. *SE10*
—5F **131**
Greenwich Ct. *E1* —3A **50**
Greenwich Cres. *E6* —2F **59**
Greenwich Gateway Vis. Cen.
—2C **132**
Greenwich High Rd. *SE10* —5F **131**
Greenwich Ind. Est. *SE7* —4F **113**
Greenwich Ind. Est. *SE10* —4A **132**
Greenwich Mkt. *SE10* —3C **132**
Greenwich Pk. —4F **133**
Greenwich Pk. St. *SE10* —1E **133**
Greenwich S. St. *SE10* —5B **132**
Greenwich Vw. Pl. *E14* —2F **109**
Greenwood Rd. *E8* —1E **17**
Green Yd. *WC1* —4C **26**
Green Yd., The. *EC3* —4F **47**
Greet Ho. *SE1* —5E **73**
Greet St. *SE1* —3E **73**
Gregory Pl. *W8* —4F **65**
Greig Ter. *SE17* —2A **124**
Grenada Ho. *E14* —5C **52**
Grenade St. *E14* —5C **52**
Grenadier St. *E16* —3D **89**
Grendon Ho. *N1* —1B **26**
Grendon St. *NW8* —4F **21**
Grenfell Ho. *SE5* —5B **135**
Grenfell Rd. *W11* —5E **35**
Grenfell Tower. *W11* —5E **35**
Grenfell Wlk. *W11* —5E **35**
Grenville Ho. *E3* —1F **33**
Grenville Ho. *SE8* —2D **131**
Grenville Ho. *SW1* —2D **121**
Grenville M. *SW7* —3B **94**
Grenville Pl. *SW7* —3A **94**
Grenville St. *WC1* —5A **26**
Gresham Rd. *E16* —4A **58**
Gresham St. *EC2* —3B **46**
Gresse St. *W1* —2D **43**
Gretton Ho. *E2* —2B **32**
Greville Hall. *NW6* —5A **6**
Greville M. *NW6* —4F **5**
Greville Pl. *NW6* —5A **6**
Greville Rd. *NW6* —5F **5**
Greville St. *EC1* —2D **45**
(in two parts)
Greycoat Gdns. *SW1* —2D **99**
Greycoat Pl. *SW1* —2D **99**

Greycoat St. *SW1* —2D **99**
Grey Eagle St. *E1* —1B **48**
Greyfriars Pas. *EC1* —3A **46**
Greyhound Ct. *WC2* —5C **44**
Greyhound Mans. *W6* —2A **114**
Greyhound Rd. *W6 & W14* —2A **114**
Grey Ho. *W12* —1A **62**
Greystoke Ho. *SE15* —3E **127**
Greystoke Pl. *EC4* —3D **45**
Griffin Ho. *E14* —4F **53**
Griffin Ho. *W6* —4E **91**
Grigg's Pl. *SE1* —2A **104**
Grimaldi Ho. *N1* —5B **12**
Grimsby Gro. *E16* —3F **89**
Grimsby St. *E2* —5C **30**
Grimsel Path. *SE5* —4A **124**
Grimthorpe Ho. *EC1* —4F **27**
Grindall Ho. *E1* —5A **32**
Grindal St. *SE1* —5D **73**
Grindley Ho. *E3* —1C **52**
Grinling Pl. *SE8* —3D **131**
Grinstead Rd. *SE8* —1F **129**
Grisedale. *NW1* —2B **24**
Grittleton Rd. *W9* —4D **19**
Grocer's Hall Ct. *EC2* —4D **47**
Grocer's Hall Gdns. *EC2* —4D **47**
Groome Ho. *SE11* —4C **100**
Groom Pl. *SW1* —1E **97**
Grosvenor Cotts. *SW1* —3D **97**
Grosvenor Ct. *SE5* —3C **124**
Grosvenor Ct. Mans. *W2* —4B **40**
Grosvenor Cres. *SW1* —5E **69**
Grosvenor Cres. M. *SW1* —5D **69**
Grosvenor Est. *SW1* —3E **99**
Grosvenor Gdns. *SW1* —1F **97**
Grosvenor Gdns. M. E. *SW1* —1A **98**
Grosvenor Gdns. M. N. *SW1* —2F **97**
Grosvenor Gdns. M. S. *SW1* —2A **98**
Grosvenor Ga. *W1* —1D **69**
Grosvenor Hill. *W1* —5F **41**
Grosvenor Hill Ct. *W1* —5F **41**
Grosvenor Pk. *SE5* —3B **124**
Grosvenor Pl. *SW1* —5E **69**
Grosvenor Rd. *SW1* —2F **119**
Grosvenor Sq. *W1* —5E **41**
Grosvenor St. *W1* —5F **41**
Grosvenor Ter. *SE5* —4A **124**
Grosvenor Wharf Rd. *E14* —4D **111**
Grotto Ct. *SE1* —4B **74**
Grotto Pas. *W1* —1E **41**
Grove Ct. *NW8* —2D **21**
Grove Ct. *SW10* —1C **116**
Grove Dwellings. *E1* —1B **50**
Grove End Gdns. *NW8* —1D **21**
Grove End Ho. *NW8* —3D **21**
Grove End Rd. *NW8* —1D **21**
Grove Gdns. *NW8* —3A **22**
Grove Hall Ct. *NW8* —2C **20**
Grove Ho. *SW3* —2A **118**
Groveland Ct. *EC4* —4C **46**
Grove Mans. *W6* —5B **62**
Grove M. *W6* —1B **90**
Grove Pas. *E2* —5F **17**
Grover Ho. *SE11* —1C **122**
Grove Rd. *E3* —1E **33**
Grove St. *SE8* —3B **108**
Grove Vs. *E14* —5A **54**
Grundy St. *E14* —4F **53**
Guard's Mus. —5C **70**
Guildford Ct. *SW8* —5A **122**
Guildford Rd. *E6* —4A **60**
Guildford Rd. *SW8* —5A **122**
Guildhall. —3C **46**
Guildhall Art Gallery. —3D **47**
Guildhall Bldgs. *EC2* —3D **47**
Guildhall Library. —3C **46**
Guildhall Offices. *EC2* —3C **46**
Guildhall School of Music & Drama.
—1C **46**
Guildhall Yd. *EC2* —3C **46**

Harford St. *E1* —5F **33**
Hargraves Ho. *W12* —5A **34**
Harkness Ho. *E1* —4E **49**
Harleyford Ct. *SE11* —2B **122**
Harleyford Rd. *SE11* —2B **122**
Harleyford St. *SE11* —3D **123**
Harley Gdns. *SW10* —1C **116**
Harley Ho. *NW1* —5E **23**
Harley Pl. *W1* —2F **41**
Harley Rd. *NW3* —2E **7**
Harley St. *W1* —5F **23**
Harlowe Clo. *E8* —3E **17**
Harlowe Ho. *E8* —3B **16**
Harlynwood. *SE5* —5B **124**
Harman Clo. *SE1* —1D **127**
Harmon Ho. *SE8* —4B **108**
Harmont Ho. *W1* —2F **41**
Harmood Gro. *NW1* —1F **9**
Harmood Ho. *NW1* —1F **9**
Harmood Pl. *NW1* —1F **9**
Harmood St. *NW1* —1F **9**
Harmsworth M. *SE1* —2F **101**
Harmsworth St. *SE17* —1F **123**
Harold Ct. *SE16* —4D **79**
Harold Est. *SE1* —2A **104**
Harold Ho. *E2* —1D **33**
Harold Laski Ho. *EC1* —3A **28**
Harold Maddison Ho. *SE17* —5A **102**
Harold Pl. *SE11* —1D **123**
Harold Wilson Ho. *SW6* —3C **114**
Harp All. *EC4* —3F **45**
Harper Rd. *E6* —4B **60**
Harper Rd. *SE1* —1B **102**
Harp La. *EC3* —1F **75**
Harpley Sq. *E1* —3D **33**
Harpur M. *WC1* —1B **44**
Harpur St. *WC1* —1B **44**
Harrier Way. *E6* —1B **60**
Harriet Clo. *E8* —3D **17**
Harriet Ho. *SW6* —5A **116**
Harriet St. *SW1* —5C **68**
Harriet Wlk. *SW1* —5C **68**
Harrington Ct. *W10* —2B **18**
Harrington Gdns. *SW7* —4A **94**
Harrington Ho. *NW1* —2B **24**
Harrington Rd. *SW7* —3D **95**
Harrington Sq. *NW1* —5B **10**
Harrington St. *NW1* —1B **24**
(in two parts)
Harriott Clo. *SE10* —4B **112**
Harriott Ho. *E1* —2C **50**
Harris Bldgs. *E1* —4E **49**
Harrison Ho. *SE17* —5D **103**
Harrisons Ct. *SE14* —2D **129**
Harrison St. *WC1* —3A **26**
Harris St. *SE5* —4E **125**
Harrold Ho. *NW3* —1C **6**
Harrold Ho. *NW6* —1C **6**
Harrowby St. *W2* —3A **40**
Harrow La. *E14* —1B **82**
Harrow Lodge. *NW8* —4D **21**
Harrow Pl. *E1* —3A **48**
Harrow Rd. *W2 & NW1* —2A **38**
(in two parts)
Harrow Rd. *W10 & W9* —4A **18**
Harrow Rd. Bri. *W2* —1C **38**
Harrow St. *NW1* —1A **40**
Harry Hinkins Ho. *SE17* —1C **124**
Harry Lambourn Ho. *SE15* —4A **128**
Hartington Ho. *SW1* —5E **99**
Hartington Rd. *E16* —4F **57**
Hartington Rd. *SW8* —5F **121**
Hartismere Rd. *SW6* —4C **114**
Hartland. *NW1* —4C **10**
Hartland Rd. *NW1* —1F **9**
Hartland Rd. *NW6* —5B **4**
Hartley Ho. *SE1* —3C **104**
Hartley St. *E2* —2C **32**
(in two parts)
Hartmann Rd. *E16* —2E **87**

Hartop Point. *SW6* —4A **114**
Hartshorn All. *EC3* —5A **48**
Hart's La. *SE14* —5F **129**
Hart St. *EC3* —5A **48**
Hartwell Ho. *SE7* —5F **113**
Harvard Ho. *SE17* —2F **123**
Harvey Ho. *E1* —5F **31**
Harvey Ho. *N1* —4E **15**
Harvey Ho. *SW1* —1E **121**
Harvey Lodge. *W9* —1E **37**
Harvey Point. *E16* —2E **57**
Harvey's Bldgs. *WC2* —1A **72**
Harvey St. *N1* —4E **15**
Harvington Wlk. *E8* —1E **17**
Harvist Rd. *NW6* —1A **18**
Harwood Ct. *N1* —4E **15**
Harwood M. *SW6* —5E **115**
Harwood Point. *SE16* —4B **80**
Harwood Rd. *SW6* —5E **115**
Hasker St. *SW3* —3A **96**
Haslam Clo. *N1* —1E **13**
Haslam St. *SE15* —5C **126**
Hassard St. *E2* —1C **30**
Hastings Clo. *SE15* —5D **127**
Hastings Ho. *W12* —5A **34**
Hastings Ho. *WC1* —3F **25**
Hastings St. *WC1* —3F **25**
Hat & Mitre Ct. *EC1* —5A **28**
Hatcham M. Bus. Cen. *SE14*
—5E **129**
Hatcham Pk. M. *SE14* —5E **129**
Hatcham Pk. Rd. *SE14* —5E **129**
Hatcham Rd. *SE15* —3B **128**
Hatcliffe Almshouses. *SE10* —1F **133**
Hatcliffe St. *SE10* —5B **112**
Hatfield Clo. *SE14* —5D **129**
Hatfield Ho. *EC1* —5B **28**
Hatfields. *SE1* —2E **73**
Hathaway Ho. *N1* —2F **29**
Hatherley Ct. *W2* —4F **37**
Hatherley Gro. *W2* —3F **37**
Hatherley St. *SW1* —4C **98**
Hatteraick St. *SE16* —4C **78**
Hatton Garden. *EC1* —1E **45**
Hatton Pl. *EC1* —1E **45**
Hatton Row. *NW8* —5E **21**
Hatton St. *NW8* —5E **21**
Hatton Wall. *EC1* —1E **45**
Haunch of Venison Yd. *W1* —4F **41**
Havannah St. *E14* —5E **81**
Havelock Clo. *W12* —5A **34**
Havelock St. *N1* —3A **12**
Havelock Ter. *SW8* —5A **120**
Haven M. *E3* —2B **52**
Havenpool. *NW8* —4A **6**
Haven St. *NW1* —2A **10**
Haverfield Rd. *E3* —2F **33**
Havering. *NW1* —1A **10**
Havering St. *E1* —4D **51**
Haverstock Hill. *NW3* —1D **9**
Haverstock Pl. *N1* —2A **28**
Haverstock St. *N1* —1A **28**
Havil St. *SE5* —5F **125**
Havisham Ho. *SE16* —5D **77**
Hawes St. *N1* —2A **14**
Hawgood St. *E3* —2E **53**
Hawke Ho. *E1* —3E **51**
Hawke Pl. *SE16* —4E **79**
Hawke Tower. *SE14* —3A **130**
Hawkins Ho. *SE8* —2D **131**
Hawkins Ho. *SW1* —2C **120**
Hawkshead. *NW1* —2B **24**
Hawks M. *SE10* —5C **132**
Hawksmoor Clo. *E6* —3F **59**
Hawksmoor Ho. *E14* —2F **51**
Hawksmoor M. *E1* —5F **49**
Hawksmoor Pl. *E2* —4D **31**
Hawkstone Rd. *SE16* —3C **106**
Hawkwell Wlk. *N1* —3C **14**
Hawley Cres. *NW1* —2A **10**

Hawley M. *NW1* —1F **9**
Hawley Rd. *NW1* —1F **9**
(in three parts)
Hawley St. *NW1* —2F **9**
Hawthorne Ho. *SW1* —1C **120**
Hawthorn Wlk. *W10* —4A **18**
Hawtrey Rd. *NW3* —2F **7**
Hay Currie St. *E14* —3A **54**
Hayday Rd. *E16* —1D **57**
(in two parts)
Hayden's Pl. *W11* —3B **36**
Haydon St. *EC3* —5B **48**
Haydon Wlk. *E1* —5C **48**
Hayes Ct. *SE5* —5B **124**
Hayes Pl. *NW1* —5A **22**
Hayfield Pas. *E1* —5C **32**
Hayfield Yd. *E1* —5C **32**
Hay Hill. *W1* —1A **70**
Hayles Bldgs. *SE11* —3A **102**
Hayles St. *SE11* —3F **101**
Haymans Point. *SE11* —5B **100**
Hayman St. *N1* —2A **14**
Haymarket. *SW1* —1D **71**
Haymarket Arc. *SW1* —1D **71**
*Haymarket Theatre Royal.* —2E **71**
Haymerle Ho. *SE15* —3D **127**
Haymerle Rd. *SE15* —3D **127**
Hayne Ho. *W11* —2F **63**
Hayne St. *EC1* —1A **46**
Hay's Galleria. *SE1* —2F **75**
Hays La. *SE1* —3F **75**
Hay's M. *W1* —1F **69**
Hay St. *E2* —4E **17**
*Hayward Gallery.* —3C **72**
Hayward's Pl. *EC1* —5F **27**
Hazelmere Rd. *NW6* —3C **4**
Hazel Way. *SE1* —3B **104**
Hazelwood Ho. *SE8* —4F **107**
Hazelwood Cres. *W10* —3A **18**
Hazelwood Tower. *W10* —5A **18**
Hazlitt M. *W14* —2F **91**
Hazlitt Rd. *W14* —2F **91**
Headbourne Ho. *SE1* —1E **103**
Headfort Pl. *SW1* —5E **69**
Headlam St. *E1* —5A **32**
Head's M. *W11* —4D **37**
Head St. *E1* —3D **51**
(in two parts)
Healey Ho. *SW9* —5E **123**
Hearn's Bldgs. *SE17* —4E **103**
Hearnshaw Ho. *E14* —2F **51**
Hearn St. *EC2* —5A **30**
*Heathcock Ct. WC2* —1A **72**
(off Exchange Ct.)
Heathcote St. *WC1* —4B **26**
Heather Clo. *E6* —4E **61**
Heather Ho. *E14* —3C **54**
Heather Wlk. *W10* —4A **18**
Heathfield Clo. *E16* —1D **59**
Heathfield St. *W11* —1F **63**
Heathpool Ct. *E1* —5F **31**
Hebden Ct. *E2* —4B **16**
Heber Mans. *W14* —2A **114**
Hebron Rd. *W6* —2A **90**
Heckfield Pl. *SW6* —5D **115**
Heckford Ho. *E14* —4F **53**
Heckford St. *E1* —5E **51**
Hector Ct. *SW9* —5D **123**
Hector Ho. *E2* —1F **31**
Heddon St. *W1* —5B **42**
(in two parts)
Hedgegate Ct. *W11* —3C **36**
(in two parts)
Hedger St. *SE11* —3F **101**
Hedingham Clo. *N1* —2B **14**
Hedley Ho. *E14* —1C **110**
Hedsor Ho. *E2* —4B **30**
Hega Ho. *E14* —2B **54**
Heiron St. *SE17* —3A **124**
Heldar Ct. *SE1* —5E **75**

Helena Sq. *SE16* —1F **79**
Helen Gladstone Ho. *SE1* —4F **73**
Helen Ho. *E2* —1F **31**
Helen Mackay Ho. *E14* —3D **55**
Helen Peele Cotts. *SE16* —1B **106**
Helen's Pl. *E2* —2B **32**
Helen Taylor Ho. *SE16* —2D **105**
Hellings St. *E1* —3E **77**
Helmet Row. *EC1* —3C **28**
(in two parts)
Helmsdale Ho. *NW6* —1F **19**
Helmsley Pl. *E8* —2F **17**
Helmsley St. *E8* —2F **17**
Helsby Ct. *NW8* —4D **21**
Helsinki Sq. *SE16* —1A **108**
Helston. *NW1* —5C **10**
Helston Ho. *SE11* —5E **101**
Hemans St. *SW8* —5E **121**
Hemans St. Est. *SW8* —5E **121**
Hemingford Rd. *N1* —4C **12**
Hemlington Ho. *E14* —2F **51**
Hemming St. *E1* —5E **31**
Hemp Wlk. *SE17* —3E **103**
Hemstal Rd. *NW6* —1D **5**
Hemsworth Ct. *N1* —5F **15**
Hemsworth St. *N1* —5F **15**
Hemus Pl. *SW3* —1A **118**
Henderson Ct. *SE14* —2D **129**
Henderson Dri. *NW8* —4D **21**
Hendre Rd. *SE1* —4A **104**
Heneage La. *EC3* —4A **48**
Heneage Pl. *EC3* —4A **48**
Heneage St. *E1* —1C **48**
Henley Clo. *SE16* —4B **78**
Henley Dri. *SE1* —3C **104**
Henley Ho. *E2* —4C **30**
Henley Prior. *N1* —1B **26**
Henley Rd. *E16* —4C **88**
Henniker M. *SW3* —2D **117**
Henrietta Clo. *SE8* —2E **131**
Henrietta Ho. *W6* —5B **90**
Henrietta M. *WC1* —4A **26**
Henrietta Pl. *W1* —4F **41**
Henrietta St. *WC2* —5A **44**
Henriques St. *E1* —3E **49**
Henry Addlington Clo. *E6* —2F **61**
Henry Dickens Ct. *W11* —1E **63**
Henry Ho. *SE1* —3E **73**
Henry Ho. *SW8* —4A **122**
*Henry Purcell Ho. E16 —2A 86*
*(off Evelyn Rd.)*
Henry Wise Ho. *SW1* —4C **98**
Henshaw St. *SE17* —3D **103**
Henslow Ho. *SE15* —4D **127**
Henstridge Pl. *NW8* —5F **7**
Henty Clo. *SW11* —5A **118**
Hepworth Ct. *N1* —3F **13**
Hera Ct. *E14* —3D **109**
Herald's Pl. *SE11* —3F **101**
Herald St. *E2* —4A **32**
Herbal Hill. *EC1* —5E **27**
Herbal Hill Gdns. *EC1* —5E **27**
Herbal Pl. *EC1* —5E **27**
Herbert Cres. *SW1* —1C **96**
Herbert Ho. *E1* —3B **48**
Herbert Morrison Ho. *SW6* —3B **114**
Herbrand Est. *WC1* —4F **25**
Herbrand St. *WC1* —4F **25**
Hercules Rd. *SE1* —2C **100**
Hercules Tower. *SE14* —3A **130**
Hercules Wharf. *E14* —5A **56**
Hereford Bldgs. *SW3* —2E **117**
Hereford Ho. *NW6* —1D **19**
Hereford Ho. *SW3* —1A **96**
Hereford Ho. *SW10* —4A **116**
Hereford M. *W2* —4E **37**
Hereford Pl. *SE14* —4B **130**
Hereford Retreat. *SE15* —4D **127**
Hereford Rd. *W2* —3E **37**
Hereford Sq. *SW7* —4C **94**

Hereford St. *E2* —4D **31**
Heritage Ct. *SE8* —1E **129**
**Her Majesty's Theatre. —2D 71**
Hermes Clo. *W9* —5D **19**
Hermes Ct. *SW9* —5D **123**
Hermes St. *N1* —1D **27**
Hermitage Ct. *E1* —3E **77**
**Hermitage Rooms. —5C 44**
Hermitage St. *W2* —2D **39**
Hermitage Wall. *E1* —3E **77**
Hermitage Waterside. *E1* —2D **77**
Hermit Pl. *NW6* —4F **5**
Hermit Rd. *E16* —1B **56**
Hermit St. *EC1* —2F **27**
Heron Ct. *E14* —1D **110**
Heron Ho. *NW8* —1F **21**
Heron Ho. *SW11* —5A **118**
Heron Pl. *SE16* —2A **80**
Heron Pl. *W1* —3E **41**
Heron Quay. *E14* —3D **81**
Herrick Ho. *SE5* —5D **125**
Herrick St. *SW1* —4E **99**
Herries St. *W10* —1A **18**
Hertford Pl. *W1* —5B **24**
Hertford Rd. *N1* —1A **16**
(in two parts)
Hertford St. *W1* —3F **69**
Hertsmere Ho. *E14* —1D **81**
Hertsmere Rd. *E14* —2D **81**
Hesketh Pl. *W11* —1F **63**
Hesper M. *SW5* —5F **93**
Hesperus Clo. *E14* —4F **109**
Hesperus Cres. *E14* —4F **109**
Hessel St. *E1* —4F **49**
Hester Rd. *SW11* —5F **117**
Hethpool Ho. *W2* —5D **21**
Hetley Rd. *W12* —3A **62**
Hevelius Clo. *SE10* —5B **112**
Hever Ho. *SE15* —3B **128**
Heversham Ho. *SE15* —3B **128**
Hewer St. *W10* —1E **35**
Hewett St. *EC2* —5A **30**
Hewlett Ho. *SW8* —5A **120**
Hewlett Rd. *E3* —1F **33**
Heybridge. *NW1* —1F **9**
Heyford Av. *SW8* —4A **122**
Heyford Ter. *SW8* —4A **122**
Heygate St. *SE17* —4B **102**
Heywood Ho. *SE14* —2D **129**
Hibbert Ho. *E14* —1E **109**
Hickes Ho. *NW6* —1D **7**
Hickin St. *E14* —1B **110**
Hickleton. *NW1* —4B **10**
Hickling Ho. *SE16* —2A **106**
Hickman Clo. *E16* —2D **59**
Hicks St. *SE8* —5F **107**
Hide. *E6* —3E **61**
Hide Pl. *SW1* —4D **99**
Hide Tower. *SW1* —4D **99**
Higgins Ho. *N1* —4F **15**
Higginson Ho. *NW3* —1B **8**
High Bri. *SE10* —1E **133**
Highbridge Ct. *SE14* —4C **128**
High Bri. Wharf. *SE10* —1E **133**
High Holborn. *WC1* —3F **43**
Highlever Rd. *W10* —1B **34**
High Meads Rd. *E16* —3D **59**
Highstone Mans. *NW1* —2B **10**
High Timber St. *EC4* —5B **46**
Highway Bus. Pk., The. *E1* —5E **51**
Highway, The. *E1 & E14* —1E **77**
Highway Trad. Cen., The. *E1* —5D **51**
Highworth St. *NW1* —1A **40**
Hilary Clo. *SW6* —4F **115**
Hilborough Ct. *E8* —2C **16**
Hildyard Rd. *SW6* —2E **115**
Hilgrove Rd. *NW6* —2C **6**
Hillary Ct. *W12* —5B **62**
Hillbeck Clo. *SE15* —4B **128**
Hillbeck Ho. *SE15* —3B **128**

Hillcroft Rd. *E6* —1F **61**
Hiller Ho. *NW1* —1D **11**
Hillersden Ho. *SW1* —5F **97**
Hillery Clo. *SE17* —4E **103**
Hill Farm Rd. *W10* —1C **34**
Hillgate Pl. *W8* —2D **65**
Hillgate St. *W8* —2D **65**
Hilliard Ho. *E1* —2A **78**
Hilliards Ct. *E1* —2A **78**
Hillingdon St. *SE5 & SE17* —3F **123**
(in two parts)
Hillman Dri. *W10* —1C **34**
Hill Rd. *NW8* —2C **20**
Hillsborough Ct. *NW6* —4F **5**
Hillside. *SE10* —5D **133**
Hillside Clo. *NW8* —5A **6**
Hillsleigh Rd. *W8* —2C **64**
Hills Pl. *W1* —4B **42**
Hill St. *W1* —2E **69**
Hilltop Ct. *NW8* —2C **6**
Hilltop Rd. *NW6* —1E **5**
Hillwood Ho. *NW1* —1C **24**
Hilton's Wharf. *SE10* —3A **132**
Hinchinbrook Ho. *NW6* —4F **5**
Hind Ct. *EC4* —4E **45**
Hinde Ho. *W1* —3E **41**
Hinde M. *W1* —3E **41**
Hinde St. *W1* —3E **41**
Hind Gro. *E14* —4D **53**
Hind Ho. *SE14* —3D **129**
Hindmarsh Clo. *E1* —5E **49**
Hinstock. *NW6* —3F **5**
Hippodrome M. *W11* —1F **63**
Hippodrome Pl. *W11* —1F **63**
**HMS Belfast. —2A 76**
Hobart Pl. *SW1* —1F **97**
Hobbs Ct. *SE1* —4C **76**
Hobbs Pl. *N1* —4F **15**
Hobbs Pl. Est. *N1* —5F **15**
Hobday St. *E14* —3F **53**
Hobson's Pl. *E1* —1D **49**
Hobury St. *SW10* —3C **116**
Hocker St. *E2* —3B **30**
Hockett Clo. *SE8* —3A **108**
Hockliffe Ho. *W10* —1B **34**
Hockney Ct. *SE16* —5A **106**
Hodister Clo. *SE5* —5B **124**
Hodnet Gro. *SE16* —3C **106**
Hofland Rd. *W14* —1E **91**
Hogan M. *W2* —1D **39**
Hogarth Clo. *E16* —1D **59**
Hogarth Ct. *E1* —3E **49**
Hogarth Ct. *EC3* —5A **48**
Hogarth Ct. *NW1* —1C **10**
Hogarth Ho. *SW1* —4E **99**
Hogarth Pl. *SW5* —4F **93**
Hogarth Rd. *SW5* —4F **93**
Hogshead Pas. *E1* —1A **78**
Holbeck Row. *SE15* —5E **127**
Holbein Ho. *SW1* —5D **97**
Holbein M. *SW1* —5D **97**
Holbein Pl. *SW1* —4D **97**
**Holborn. —2B 44**
Holborn. *WC1* —2D **45**
Holborn Cir. *EC1* —2E **45**
Holborn Pl. *WC2* —2B **44**
Holborn Rd. *E13* —1F **57**
Holborn Viaduct. *EC4* —2E **45**
Holcombe St. *W6* —5A **90**
Holcroft Ct. *W1* —1B **42**
Holden Ho. *N1* —4B **14**
Holden Ho. *SE8* —4E **131**
Holford Ho. *SE16* —1F **105**
Holford M. *WC1* —2D **27**
Holford Pl. *WC1* —2C **26**
Holford St. *WC1* —2D **27**
Holford Yd. *WC1* —1D **27**
Holland Gdns. *W14* —1A **92**
Holland Gro. *SW9* —5E **123**
**Holland Pk. —5C 64**

# Holland Park—Hyde Pk. Gdns. M.

Holland Park. —3B **64**
Holland Park. (Junct.) —4E **63**
Holland Pk. *W11* —3A **64**
Holland Pk. Av. *W11* —4E **63**
Holland Pk. Gdns. *W14* —3F **63**
Holland Pk. M. *W11* —3A **64**
Holland Pk. Rd. *W14* —2B **92**
Holland Pas. *N1* —3B **14**
Holland Pl. *W8* —4F **65**
Holland Pl. Chambers. *W8* —4F **65**
Holland Ri. Ho. *SW9* —5C **122**
Holland Rd. *W14* —4E **63**
Holland St. *SE1* —2A **74**
Holland St. *W8* —5E **65**
Holland Vs. Rd. *W14* —1F **63**
Holland Wlk. *W8* —3C **64**
Hollen St. *W1* —3D **43**
Holles St. *W1* —3A **42**
Hollisfield. *WC1* —3A **26**
Hollybush Gdns. *E2* —2A **32**
Hollybush Ho. *E2* —2A **32**
Hollybush Pl. *E2* —2A **32**
Holly Ho. *W10* —4A **18**
Holly M. *SW10* —1C **116**
Holly St. *E8* —1C **16**
Hollywood M. *SW10* —2B **116**
Hollywood Rd. *SW10* —2B **116**
Holman Ho. *E2* —2D **33**
Holman Hunt Ho. *W6* —1A **114**
Holmbrook. *NW1* —1C **24**
Holmead Rd. *SW6* —5A **116**
Holmesdale Ho. *NW6* —3E **5**
Holmes Pl. *SW10* —2C **116**
Holmes Ter. *SE1* —4D **73**
Holmsdale Ho. *E14* —1A **82**
Holmwood Vs. *SE7* —5E **113**
Holst Ct. *SE1* —1D **101**
Holsworthy Sq. *WC1* —5C **26**
Holton St. *E1* —4D **33**
Holyhead Clo. *E6* —1B **60**
Holyoake Ct. *SE16* —4A **80**
Holyoak Rd. *SE11* —4F **101**
Holyrood M. *E16* —2E **85**
Holyrood St. *SE1* —3F **75**
Holywell Clo. *SE16* —5A **106**
Holywell La. *EC2* —4A **30**
Holywell Row. *EC2* —5F **29**
Homefield St. *N1* —1F **29**
Homer Dri. *E14* —3D **109**
Homer Row. *W1* —2A **40**
Homer St. *NW1* —2A **40**
Homestead Rd. *SW6* —5B **114**
Honduras St. *EC1* —4B **28**
Honey La. *EC2* —4C **46**
Honiton Rd. *NW6* —5B **4**
Hood Ct. *EC4* —4E **45**
Hood Ho. *SE5* —5D **125**
Hood Ho. *SW1* —1D **121**
Hooke Ho. *E3* —1F **33**
Hooper Rd. *E16* —4E **57**
Hooper's Ct. *SW3* —5B **68**
Hooper Sq. *E1* —4D **49**
Hooper St. *E1* —4D **49**
Hopefield Av. *NW6* —5A **4**
Hopetown St. *E1* —2C **48**
Hopewell St. *SE5* —5E **125**
Hopewell Yd. *SE5* —5E **125**
Hope Wharf. *SE16* —4B **78**
Hop Gdns. *WC2* —1F **71**
Hopgood St. *W12* —3C **62**
Hopkins Ho. *E14* —4D **53**
Hopkinsons Pl. *NW1* —3D **9**
Hopkins St. *W1* —4C **42**
Hopton's Gdns. *SE1* —2A **74**
Hopton St. *SE1* —1F **73**
Hopwood Rd. *SE17* —2E **125**
Hopwood Wlk. *E8* —1E **17**
Horatio Ct. *SE16* —3C **78**
Horatio Ho. *E2* —1C **30**

Horatio Ho. *W6* —5D **91**
Horatio Pl. *E14* —4C **82**
Horatio St. *E2* —1C **30**
(in two parts)
Horbury Cres. *W11* —1D **65**
Horbury M. *W11* —1C **64**
Hordle Promenade E. *SE15* —4C **126**
Hordle Promenade N. *SE15* —4A **126**
Hordle Promenade S. *SE15* —4B **126**
Hordle Promenade W. *SE15* —4A **126**
Horizon Way. *SE7* —4F **113**
Hormead Rd. *W9* —5B **18**
Hornbeam Clo. *SE11* —3D **101**
Hornblower Clo. *SE16* —3F **107**
Hornby Clo. *NW3* —1F **7**
Hornby Ho. *SE11* —2D **123**
Horner Ho. *N1* —4A **16**
Horn La. *SE10* —5D **113**
(in two parts)
Horn Link Way. *SE10* —3E **113**
Hornshay St. *SE15* —3C **128**
Hornton Ct. *W8* —5E **65**
Hornton Pl. *W8* —5E **65**
Hornton St. *W8* —4E **65**
Horse & Dolphin Yd. *W1* —5E **43**
Horseferry Pl. *SE10* —3B **132**
Horseferry Rd. *E14* —5F **51**
Horseferry Rd. *SW1* —2D **99**
Horseferry Rd. Est. *SW1* —2D **99**
Horseguards Av. *SW1* —3F **71**
Horse Guards Rd. *SW1* —3E **71**
Horse Leaze. *E6* —3E **61**
Horselydown La. *SE1* —4B **76**
Horselydown Mans. *SE1* —4B **76**
Horsemongers M. *SE1* —5C **74**
Horse Ride. *SW1* —4C **70**
Horseshoe Clo. *E14* —5B **110**
Horseshoe Wharf. *SE1* —2D **75**
Horse Yd. *N1* —3A **14**
Horsfield Ho. *N1* —2B **14**
Horsley St. *SE17* —2D **125**
Horsman Ho. *SE5* —3B **124**
Horsman St. *SE5* —3C **124**
Hortensia Ho. *SW10* —4B **116**
Hortensia Rd. *SW10* —3B **116**
Horton Ho. *SE15* —3C **128**
Horton Ho. *SW8* —4B **122**
Horwood Ho. *E2* —3A **32**
Horwood Ho. *NW8* —4A **22**
Hosier La. *EC1* —2F **45**
Hoskins Clo. *E16* —3C **58**
Hoskins St. *SE10* —1E **133**
Hothfield Pl. *SE16* —2C **106**
Hotspur St. *SE11* —5D **101**
Houghton St. *WC2* —4C **44**
(in two parts)
Houndsditch. *EC3* —3A **48**
Houseman Way. *SE5* —5E **125**
Houses of Parliament. —1A **100**
Hove St. *SE15* —5B **128**
Howard Ho. *E16* —2F **85**
Howard Ho. *SE8* —2C **130**
Howard Ho. *SW1* —1C **120**
Howard Ho. *W1* —5A **24**
Howell Wlk. *SE17* —4A **102**
Howick Pl. *SW1* —2C **98**
Howie St. *SW11* —5F **117**
Howland Est. *SE16* —1B **106**
Howland M. E. *W1* —1C **42**
Howland St. *W1* —1B **42**
Howland Way. *SE16* —5A **80**
Howley Pl. *W2* —1C **38**
How's St. *E2* —5B **16**
**Hoxton. —1F 29**
Hoxton Hall Theatre. —1A **30**
Hoxton Mkt. *N1* —3F **29**
Hoxton Sq. *N1* —3F **29**
Hoxton St. *N1* —4F **15**
Hoyland Clo. *SE15* —4F **127**
Hoy St. *E16* —4C **56**

Huberd Ho. *SE1* —1E **103**
Hubert Ho. *NW8* —5F **21**
Hucknall Ct. *NW8* —4D **21**
Huddart St. *E3* —1C **52**
(in two parts)
Huddleston Clo. *E2* —1A **32**
Hudson Clo. *W12* —5A **34**
Hudson Ct. *E14* —5E **109**
Hudson's Pl. *SW1* —3B **98**
Huggin Ct. *EC4* —5C **46**
Huggin Hill. *EC4* —5C **46**
Hugh Astor Ct. *SE1* —1A **102**
Hugh Dalton Av. *SW6* —3B **114**
Hughenden Ho. *NW8* —4F **21**
Hughes Ho. *E2* —3B **32**
Hughes Ho. *SE8* —2E **131**
Hughes Ho. *SE17* —4A **102**
Hughes Mans. *E1* —5E **31**
Hughes Ter. *E16* —2B **56**
Hugh Gaitskell Clo. *SW6* —3B **114**
Hugh M. *SW1* —4A **98**
Hugh Platt Ho. *E2* —1A **32**
Hugh St. *SW1* —4A **98**
Huguenot Pl. *E1* —1C **48**
Hullbridge M. *N1* —3D **15**
Hull Clo. *SE16* —3E **79**
Hull St. *EC1* —3B **28**
Hulme Pl. *SE1* —5C **74**
Humber Dri. *W10* —1D **35**
Humbolt Rd. *W6* —3A **114**
Hume Ct. *N1* —2A **14**
Hume Ho. *W11* —3E **63**
Hume Ter. *E16* —3A **58**
Humphrey St. *SE1* —5B **104**
Hungerford Ho. *SW1* —2C **120**
Hungerford La. *WC2* —2F **71**
(in two parts)
Hungerford St. *E1* —3A **50**
Hunsdon Rd. *SE14* —3D **129**
Hunslett St. *E2* —1C **32**
Hunstanton Ho. *NW1* —1A **40**
Hunter Clo. *SE1* —2E **103**
Hunter Ho. *SE1* —5A **74**
Hunter Ho. *SW5* —1E **115**
Hunter Ho. *SW8* —5E **121**
Hunter Ho. *WC1* —4F **25**
**Hunterian Mus., The. —4C 44**
Hunter Lodge. *W9* —1E **37**
Hunter St. *WC1* —4A **26**
Huntingdon St. *E16* —4C **56**
Huntingdon St. *N1* —2B **12**
Huntley St. *WC1* —5C **24**
Hunton St. *E1* —5D **31**
Hunt's Ct. *WC2* —1E **71**
Huntsman St. *SE17* —4E **103**
Hunt St. *W11* —2E **63**
Huntsworth M. *NW1* —4B **22**
Hurdwick Pl. *NW1* —5B **10**
Hurleston Ho. *SE8* —1B **130**
Hurley Cres. *SE16* —4E **79**
Hurley Ho. *SE11* —4F **101**
Hurst Ct. *E6* —1E **59**
Hurst Ho. *WC1* —1C **26**
Hurstway Rd. *W11* —5E **35**
Hurstway Wlk. *W11* —5E **35**
Husborne Ho. *SE8* —3F **107**
Huson Clo. *NW3* —1F **7**
Hutchings St. *E14* —5D **81**
Hutchings Wharf. *E14* —5D **81**
Hutchinson Ho. *NW3* —1B **8**
Hutchinson Ho. *SE14* —5C **128**
Hutton St. *EC4* —4F **45**
Huxley Ho. *NW8* —5E **21**
Hyde Pk. —1A **68**
Hyde Park Corner. (Junct.) —4E **69**
Hyde Pk. Corner. *W1* —4E **69**
Hyde Pk. Cres. *W2* —4F **39**
Hyde Pk. Gdns. *W2* —5E **39**
Hyde Pk. Gdns. M. *W2* —5E **39**
(in two parts)

Hyde Pk. Ga. *SW7* —5B **66**
(in two parts)
Hyde Pk. Ga. M. *SW7* —5C **66**
Hyde Pk. Mans. *NW1* —2F **39**
Hyde Pk. Pl. *W2* —5A **40**
Hyde Pk. Sq. *W2* —4F **39**
Hyde Pk. Sq. M. *W2* —4F **39**
Hyde Pk. St. *W2* —4F **39**
Hyde Pk. Towers. *W2* —1B **66**
Hyde Rd. *N1* —4F **15**
Hydes Pl. *N1* —1F **13**
Hyde St. *SE8* —3D **131**
Hyde Va. *SE10* —5C **132**
Hydra Building, The. *EC1* —3E **27**
Hyndman St. *SE15* —3F **127**
Hyperion Ho. *E3* —1F **33**
Hyson Rd. *SE16* —5A **106**
Hythe Ho. *SE16* —4C **78**
Hythe Ho. *W6* —3C **90**

**I**an Bowater Ct. *N1* —2E **29**
Ibberton Ho. *SW8* —4B **122**
Ibberton Ho. *W14* —2A **92**
Ibbotson Av. *E16* —3C **56**
Ibbott St. *E1* —4C **32**
Ibis Ct. *SE8* —3C **130**
Ice Wharf Marina. *N1* —5A **12**
Icknield Ho. *SW3* —5A **96**
Ida St. *E14* —3B **54**
(in three parts)
Idol La. *EC3* —1F **75**
Idonia St. *SE8* —4D **131**
Iffley Rd. *W6* —1A **90**
Ifield Rd. *SW10* —2A **116**
Ifor Evans Pl. *E1* —5E **33**
Ightham Ho. *SE17* —4F **103**
Ilbert St. *W10* —3A **18**
Ilchester Gdns. *W2* —5F **37**
Ilchester Pl. *W14* —1B **92**
Ilderton Rd. *SE16 & SE15* —5A **106**
Ilderton Wharf. *SE15* —2C **128**
*Ilfracombe Flats. SE1* —4C **74**
(off Marshalsea Rd.)
Iliffe St. *SE17* —5A **102**
Iliffe Yd. *SE17* —5A **102**
Ilkley Rd. *E16* —2B **58**
IMAX Cinema. —3D **73**
Imber St. *N1* —4D **15**
Imperial College Rd. *SW7* —2C **94**
Imperial Ct. *NW8* —5A **8**
Imperial Ct. *SE11* —1D **123**
Imperial Ho. *E3* —2F **33**
Imperial Ho. *E14* —5B **52**
Imperial Pde. *EC4* —4F **45**
Imperial War Mus. —2E **101**
Imre Clo. *W12* —2A **62**
Indescon Ct. *E14* —5E **81**
India Pl. *WC2* —5B **44**
India St. *EC3* —4B **48**
India Way. *W12* —5A **34**
Indigo M. *E14* —4C **54**
Infirmary Ct. *SW3* —2C **118**
Ingal Rd. *E13* —1E **57**
Ingelow Ho. *W8* —4F **65**
Ingersoll Rd. *W12* —3A **62**
Ingestre Pl. *W1* —4C **42**
Inglebert St. *EC1* —2D **27**
Inglefield Sq. *E1* —2A **78**
Inglewood Clo. *E14* —3E **109**
Ingoldisthorpe Gro. *SE15* —2C **126**
Ingram Clo. *SE11* —3C **100**
Ingrebourne Ho. *NW8* —1E **39**
Inigo Pl. *WC2* —5F **43**
Inkerman Ter. *W8* —2E **93**
Inner Circ. *NW1* —3D **23**
Inner Temple Hall. —5E **45**
Inner Temple La. *EC4* —4D **45**
Innis Ho. *SE17* —5F **103**
Innovation Cen., The. *E14* —4B **82**

International Ho. *E1* —1C **76**
Inver Ct. *W2* —4A **38**
Invergarry Ho. *W9* —1F **19**
Inverine Rd. *SE7* —5F **113**
Inverness Gdns. *W8* —3F **65**
Inverness M. *W2* —5A **38**
Inverness Pl. *W2* —5A **38**
Inverness St. *NW1* —3F **9**
Inverness Ter. *W2* —4A **38**
Invicta Plaza. *SE1* —2F **73**
Inville Rd. *SE17* —1E **125**
Inville Wlk. *SE17* —1E **125**
Inwen Ct. *SE8* —1A **130**
(in three parts)
Inwood Ct. *NW1* —1C **10**
Inworth Wlk. *N1* —3B **14**
Ion Ct. *E2* —1D **31**
Ionian Building. *E14* —5F **51**
Ion Sq. *E2* —1D **31**
Ipsden Bldgs. *SE1* —4E **73**
Ireland Clo. *E6* —2B **60**
Ireland Yd. *EC4* —4A **46**
Iris Clo. *E6* —1A **60**
Iris Ct. *SE14* —5C **128**
Iron Bri. Ho. *NW3* —1C **9**
Ironmonger La. *EC2* —4C **46**
Ironmonger Pas. *EC1* —3C **28**
Ironmonger Row. *EC1* —3C **28**
Ironmongers Pl. *E14* —4E **109**
Ironside Clo. *SE16* —4D **79**
Irvine Ho. *E14* —1A **54**
Irving Ho. *SE17* —1F **123**
Irving Mans. *W14* —2A **114**
Irving Rd. *W14* —1E **91**
Irving St. *WC2* —1E **71**
Irwell Est. *SE16* —5B **78**
Isabella Ho. *SE11* —5F **101**
Isabella Ho. *W6* —5B **90**
Isabella St. *SE1* —3F **73**
Isambard M. *E14* —2C **110**
Isambard Pl. *SE16* —3C **78**
Isis Ho. *NW8* —5E **21**
Island Row. *E14* —4B **52**
Isleden Ho. *N1* —3B **14**
**Islington. —4F 13**
Islington Grn. *N1* —4F **13**
Islington High St. *N1* —1E **27**
(in two parts)
Islington Pk. M. *N1* —1F **13**
Islington Pk. St. *N1* —1E **13**
Ivanhoe Ho. *E3* —1F **33**
Ivatt Pl. *W14* —1C **114**
Iveagh Ct. *EC3* —4B **48**
Iveagh Ho. *SW10* —4C **116**
Iverna Ct. *W8* —1E **93**
Iverna Gdns. *W8* —1E **93**
Iverson Rd. *NW6* —1C **4**
Ives Rd. *E16* —2F **55**
Ives St. *SW3* —3A **98**
Ivimey St. *E2* —2E **31**
Ivor Ct. *NW1* —4B **22**
Ivories, The. *N1* —1B **14**
Ivor Pl. *NW1* —5B **22**
Ivor St. *NW1* —2B **10**
Ivory Ho. *E1* —2C **76**
Ivybridge Ct. *NW1* —1A **10**
Ivybridge La. *WC2* —1F **43**
Ivychurch La. *SE17* —5B **104**
Ivy Cotts. *E14* —5A **54**
Ivy Ct. *SE16* —1E **127**
Ivy Rd. *E16* —3D **57**
Ivy St. *N1* —5F **15**
Ixworth Pl. *SW3* —5F **95**

**J**acaranda Gro. *E8* —2C **16**
Jack Dash Ho. *E14* —4B **82**
Jackman Ho. *E1* —3A **78**
Jackman St. *E8* —4F **17**
Jacob St. *SE1* —4C **76**

Jacob's Well M. *W1* —3E **41**
Jade Clo. *E16* —4E **59**
Jade Ter. *NW6* —1C **6**
Jagger Ho. *SW11* —5B **118**
Jago Wlk. *SE5* —5D **125**
Jamaica Rd. *SE1 & SE16* —5C **76**
Jamaica St. *E1* —3C **50**
James Anderson Ct. *N1* —5A **16**
James Brine Ho. *E2* —2C **30**
James Campbell Ho. *E2* —1B **32**
James Collins Clo. *W9* —5B **18**
James Ct. *N1* —3C **14**
James Docherty Ho. *E2* —1A **32**
James Hammett Ho. *E2* —2C **30**
James Ho. *E1* —5F **33**
*James Ho. SE16* —5E **79**
(off Wolfe Cres.)
James Lind Ho. *SE8* —4B **108**
James Middleton Ho. *E2* —2A **32**
Jameson Ct. *E2* —1B **32**
Jameson Ho. *SE11* —5B **100**
Jameson St. *W8* —2E **65**
James Stewart Ho. *NW6* —1C **4**
James St. *W1* —3E **41**
James St. *WC2* —4A **44**
James Stroud Ho. *SE17* —1C **124**
Jamestown Rd. *NW1* —3F **9**
Jamestown Way. *E14* —1E **83**
Jamilah Ho. *E16* —1F **89**
Jamuna Clo. *E14* —2A **52**
Jane Austen Hall. *E16* —2A **86**
(in two parts)
Jane Austen Ho. *SW1* —1B **120**
Jane St. *E1* —3F **49**
Janet St. *E14* —1D **109**
Janeway Pl. *SE16* —5F **77**
Janeway St. *SE16* —5E **77**
Jardine Rd. *E1* —5E **51**
Jarman Ho. *E1* —2B **50**
Jarman Ho. *SE16* —3D **107**
Jarrow Rd. *SE16* —4B **106**
Jasmin Lodge. *SE16* —1F **127**
Jason Ct. *SW9* —5D **123**
Jason Ct. *W1* —3E **41**
Jasper Rd. *E16* —4E **59**
Jasper Wlk. *N1* —2D **29**
Java Wharf. *SE1* —4C **76**
Jay M. *SW7* —5C **66**
Jean Darling Ho. *SW10* —3D **117**
Jean Pardies Ho. *E1* —2B **50**
Jefferson Building. *E14* —4D **81**
Jeffrey's Pl. *NW1* —1B **10**
Jeffrey's St. *NW1* —1A **10**
Jeger Av. *E2* —4B **16**
Jellicoe Ho. *E2* —1D **31**
Jellicoe Ho. *NW1* —5A **24**
Jemotts Ct. *SE14* —2D **129**
Jenkinson Ho. *E2* —2D **33**
Jenner Ho. *SE3* —2F **133**
Jenner Ho. *WC1* —4A **26**
Jennifer Ho. *SE11* —4E **101**
Jenningsbury Ho. *SW3* —5A **96**
Jennings Ho. *SE10* —1E **133**
Jephson Ho. *SE17* —2F **123**
Jerdan Pl. *SW6* —4D **115**
Jeremiah St. *E14* —4F **53**
Jeremy Bentham Ho. *E2* —2E **31**
Jermyn St. *SW1* —2B **70**
(in two parts)
Jermyn Street Theatre. —1C **70**
Jerome Cres. *NW8* —4F **21**
Jerome Ho. *NW1* —1A **40**
Jerome Ho. *SW7* —3D **95**
Jerome St. *E1* —1B **48**
Jerrold St. *N1* —1A **30**
Jersey Rd. *E16* —3B **58**
Jersey St. *E2* —3F **31**
Jerusalem Pas. *EC1* —5F **27**
Jervis Bay Ho. *E14* —4D **55**
Jervis Ct. *SE10* —5B **132**

Jervis Ct. *W1* —4A **42**
Jerwood Space Art Gallery.
　　　　　　　—4B **74**
Jesse Ho. *SW1* —3E **99**
Jessel Ho. *WC1* —3F **25**
Jessel Mans. *W14* —2A **114**
Jessie Wood Ct. *SW9* —5D **123**
Jesson Ho. *SE17* —4D **103**
Jessop Ct. *N1* —1A **28**
Jessop Sq. *E14* —3E **81**
Jewel Tower. —1F **99**
Jewish Mus. —4A **10**
Jewry St. *EC3* —4B **48**
Jim Griffiths Ho. *SW6* —3B **114**
Joanna Ho. *W6* —5B **90**
Joan St. *SE1* —3F **73**
Jocelin Ho. *N1* —4C **12**
Jocelyn St. *SE15* —5D **127**
Jockey's Fields. *WC1* —1C **44**
Jodane St. *SE8* —4B **108**
Johanna St. *SE1* —5D **73**
John Adam St. *WC2* —1A **72**
John Aird Ct. *W2* —1C **38**
　(in two parts)
John Brent Ho. *SE8* —4E **107**
John Carpenter St. *EC4* —5F **45**
John Cartwright Ho. *E2* —2F **31**
John Felton Rd. *SE16* —5D **77**
John Fielden Ho. *E2* —2F **31**
John Fisher St. *E1* —5D **49**
John Harrison Way. *SE10* —2B **112**
John Islip St. *SW1* —5E **99**
John Kennedy Ho. *E6* —3D **107**
John Kirk Ho. *E6* —3D **61**
John Knight Lodge. *SW6* —4E **115**
John Maurice Clo. *SE17* —3D **103**
John McDonald Ho. *E14* —1B **110**
John McKenna Wlk. *SE16* —1E **105**
John Parry Ct. *N1* —5A **16**
John Prince's St. *W1* —3A **42**
John Pritchard Ho. *E1* —5E **31**
John Ratcliffe Ho. *NW6* —3D **19**
John Rennie Wlk. *E1* —2A **78**
John Roll Way. *SE16* —1E **105**
John Ruskin St. *SE5* —4F **123**
John Scurr Ho. *E14* —4F **51**
John Silkin La. *SE8* —4E **107**
John's M. *WC1* —5C **26**
John Smith Av. *SW6* —4B **114**
Johnson Clo. *E8* —3D **17**
Johnson Ho. *E2* —3E **31**
Johnson Ho. *NW1* —1C **24**
Johnson Ho. *NW3* —1B **8**
Johnson Ho. *SW1* —4E **97**
Johnson Ho. *SW8* —5E **121**
Johnson Lodge. *W2* —1E **37**
Johnson Mans. *W14* —2A **114**
Johnson's Ct. *EC4* —4E **45**
Johnson's Pl. *SW1* —1B **120**
Johnson St. *E1* —4C **50**
John's Pl. *E1* —3A **50**
John Strachey Ho. *SW6* —3C **114**
John St. *WC1* —5C **26**
John Trundle Ct. *EC2* —1B **46**
John Trundle Highwalk. *EC2*
　　　　　　　—1B **46**
John Tucker Ho. *E14* —1E **109**
John Wesley Highwalk. *EC1*
　　　　　　　—2B **46**
John Wheatley Ho. *SW6* —3C **114**
John Williams Clo. *SE14* —3D **129**
Jonathan St. *SE11* —5B **100**
Jones Ho. *E14* —4D **55**
Jones Rd. *E13* —1A **58**
Jones St. *W1* —1F **69**
Jonson Ho. *SE1* —2E **103**
Jordan Ho. *N1* —3E **18**
Jordans Ho. *NW8* —4E **21**
Joscoyne Ho. *E1* —3A **50**
Joseph Conrad Ho. *SW1* —4C **98**

Joseph Irwin Ho. *E14* —5C **52**
Joseph Priestley Ho. *E2* —2F **31**
　(off Canrobert St.)
Joseph St. *E3* —1C **52**
　(in two parts)
Joseph Trotter Clo. *EC1* —3E **27**
Joshua St. *E14* —2B **54**
Jowett St. *SE15* —5C **126**
Jowitt Ho. *E2* —2D **33**
Jubilee Bldgs. *NW8* —4D **7**
Jubilee Cres. *E14* —2C **110**
Jubilee Ho. *SE11* —4E **101**
Jubilee Ho. *WC1* —4B **26**
Jubilee Mans. *E1* —3B **50**
Jubilee Pl. *SW3* —5A **96**
Jubilee St. *E1* —3B **50**
Jubilee, The. *SE10* —5A **132**
Jubilee Walkway. *SE1* —1A **74**
Jubilee Yd. *SE1* —4B **76**
Judd St. *WC1* —2F **25**
Jude St. *E16* —4B **56**
Juer St. *SW11* —5A **118**
Julia Garfield M. *E16* —2F **85**
Julian Pl. *E14* —5A **110**
Juliet Ho. *N1* —1F **29**
Julius Nyerere Clo. *N1* —4B **12**
Junction M. *W2* —3F **39**
Junction Pl. *W2* —3F **39**
Juniper Ct. *W8* —2F **93**
Juniper Cres. *NW1* —2E **9**
Juniper Ho. *SE15* —5C **128**
Juniper Ho. *W10* —4A **18**
Juniper La. *E6* —2A **60**
Juniper St. *E1* —5B **50**
Juno Ct. *SW9* —5D **123**
Juno Way. *SE14* —2E **129**
Juno Way Ind. Est. *SE14* —2E **129**
Jupiter Ct. *SW9* —5D **123**
Jupiter Ho. *E14* —5A **110**
Jura Ho. *SE16* —3E **107**
Jurston Ct. *SE1* —5E **73**
Justice Wlk. *SW3* —3F **117**
Juxon St. *SE11* —3C **100**

**K**atherine Clo. *SE16* —3D **79**
Katherine Sq. *W11* —2F **63**
Kay St. *E2* —5E **17**
Kay Way. *SE10* —4B **132**
Kean Ho. *SE17* —2F **123**
Kean St. *WC2* —4B **44**
Keats Av. *E16* —2F **85**
Keats Clo. *SE1* —4B **104**
Keats Ho. *E2* —2B **32**
Keats Ho. *SE5* —5C **124**
Keats Ho. *SW1* —2C **120**
Keats Pl. *EC2* —2D **47**
Kedge Ho. *E14* —1E **109**
Kedleston Wlk. *E2* —2A **32**
Keel Clo. *SE16* —3E **79**
Keeley St. *WC2* —4B **44**
Keeling Ho. *E2* —1F **31**
Keepier Wharf. *E14* —5E **51**
Keeton's Rd. *SE16* —1F **105**
　(in two parts)
Keith Ho. *W9* —2F **19**
Kelby Ho. *N7* —1B **12**
Kelfield Ct. *W10* —3E **35**
Kelfield Gdns. *W10* —3C **34**
Kelfield M. *W10* —3D **35**
Kellet Houses. *WC1* —3A **26**
Kellett Ho. *N1* —4F **15**
Kellow Ho. *SE1* —4D **75**
Kell St. *SE1* —1A **102**
Kelly Av. *SE15* —5B **126**
Kelly Ct. *E14* —1D **81**
Kelly M. *W9* —5C **18**
Kelsey St. *E2* —4F **31**
Kelson Ho. *E14* —1C **110**
Kelso Pl. *W8* —1A **94**

Kelvedon Ho. *SW8* —5A **122**
Kelvedon Rd. *SW6* —5C **114**
Kelvin Ct. *W11* —1D **65**
Kember St. *N1* —2B **12**
Kemble Ct. *SE15* —4A **126**
Kemble St. *WC2* —4B **44**
Kemp Ct. *SW8* —5F **121**
Kempe Ho. *SE1* —2E **103**
Kemp Ho. *W1* —5D **43**
Kemps Ct. *W1* —4D **43**
Kemp's Dri. *E14* —5E **53**
Kempsford Gdns. *SW5* —1E **115**
Kempsford Rd. *SE11* —4E **101**
　(in two parts)
Kempson Rd. *SW6* —5E **115**
Kempthorne Rd. *SE8* —3A **108**
Kempton Ct. *E1* —1F **49**
Kemsing Ho. *SE1* —5E **75**
Kemsing Rd. *SE10* —5D **113**
Kenbrook Ho. *W14* —1C **92**
Kenchester Clo. *SW8* —5A **122**
Kendal. *NW1* —2A **24**
Kendal Clo. *SW9* —4F **123**
Kendal Ho. *N1* —1C **26**
Kendall Pl. *W1* —2D **41**
Kendal Steps. *W2* —4A **40**
Kendal St. *W2* —4A **40**
Kender St. *SE14* —5C **128**
Kendrick M. *SW7* —3D **95**
Kendrick Pl. *SW7* —4D **95**
Kenilworth Rd. *E3* —1F **33**
Kenilworth Rd. *NW6* —3C **4**
Kenley Wlk. *W11* —2F **63**
Kennacraig Clo. *E16* —3E **85**
Kennard St. *E16* —3B **88**
Kennedy Cox Ho. *E16* —2B **56**
Kennedy Ho. *SE11* —5B **100**
Kennedy Wlk. *SE17* —4E **103**
Kenneth Campbell Ho. *NW8* —4E **21**
Kenneth Ct. *SE11* —3E **101**
Kennet Ho. *NW8* —5E **21**
Kenneth Younger Ho. *SW6* —3C **114**
Kennet Rd. *W9* —4C **18**
Kennet St. *E1* —2E **77**
Kennett Wharf La. *EC4* —1C **74**
Kenning Ho. *N1* —3F **15**
Kenning St. *SE16* —4C **78**
Kennings Way. *SE11* —5E **101**
**Kennington.** —3D **123**
Kennington Grn. *SE11* —1D **123**
Kennington Gro. *SE11* —2C **122**
Kennington La. *SE11* —1B **122**
Kennington Oval. (Junct.) —3D **123**
Kennington Oval. *SE11* —2C **122**
Kennington Pal. Ct. *SE11* —5D **101**
Kennington Pk. Gdns. *SE11* —2F **123**
Kennington Pk. Ho. *SE11* —1E **123**
Kennington Pk. Pl. *SE11* —2E **123**
Kennington Pk. Rd. *SE11* —3D **123**
Kennington Rd. *SE1 & SE11* —1D **101**
Kenrick Pl. *W1* —1D **41**
Kensal Rd. *W10* —4A **18**
**Kensington.** —1F **93**
Kensington Arc. *W8* —5F **65**
Kensington Cen. *W14* —3F **91**
　(in two parts)
Kensington Chu. Ct. *W8* —5F **65**
Kensington Chu. St. *W8* —2E **65**
Kensington Chu. Wlk. *W8* —4F **65**
　(in two parts)
Kensington Ct. *SE16* —2E **79**
Kensington Ct. *W8* —5A **66**
Kensington Ct. Gdns. *W8* —1A **94**
Kensington Ct. M. *W8* —1A **94**
Kensington Ct. Pl. *W8* —1A **94**
Kensington Gardens. —2B **66**
Kensington Gdns. Sq. *W2* —4F **37**
Kensington Ga. *W8* —1B **94**
Kensington Gore. *SW7* —5C **66**
Kensington Hall Gdns. *W14* —5B **92**

Limehouse Causeway. *E14* —5C **52**
Limehouse Ct. *E14* —3C **52**
Limehouse Cut. *E14* —1A **54**
Limehouse Fields Est. *E1* —2A **52**
Limehouse Link. *E14* —4A **52**
Limerston St. *SW10* —2C **116**
Limes, The. *W2* —1E **65**
Lime St. *EC3* —5F **47**
Lime St. Pas. *EC3* —5F **47**
Linacre Ct. *W6* —5E **91**
Linale Ho. *N1* —1D **29**
Linberry Wlk. *SE8* —4B **108**
Lincoln Ho. *SW3* —5B **68**
Lincoln Ho. *SW9 & SE5* —4E **123**
Lincoln M. *NW6* —3B **4**
Lincoln's Inn. —3C **44**
Lincolns Inn Fields. *WC2* —3B **44**
Lincoln St. *SW3* —4B **96**
Linden Ct. *W12* —3B **62**
Linden Gdns. *W2* —1E **65**
Linden Ho. *SE8* —2C **130**
Linden M. *W2* —1E **65**
Lindfield St. *E14* —3D **53**
Lindley Est. *SE15* —4E **127**
Lindley Ho. *E1* —1B **50**
Lindley Ho. *SE15* —4D **127**
Lindley St. *E1* —1B **50**
Lindop Ho. *E1* —4F **33**
Lindsay Sq. *SW1* —5E **99**
Lindsay M. *N1* —1C **14**
Lindsey St. *EC1* —1A **46**
Lindwood Clo. *E6* —2A **60**
Linfield. *WC1* —3B **26**
Lingard Ho. *E14* —1B **110**
Lingfield Ho. *SE1* —5A **74**
Ling Rd. *E16* —1D **57**
Linhope St. *NW1* —4B **22**
Link Ho. *W10* —4E **35**
Link Rd. *E1* —5D **49**
Links Yd. *E1* —1C **48**
Linkwood Wlk. *NW1* —1E **11**
Linley Sambourne House. —1D **93**
Linnell Ho. *E1* —1B **48**
Linsey St. *SE16* —3D **105**
(in two parts)
Linslade Ho. *E2* —4E **17**
Linslade Ho. *NW8* —4A **22**
Linstead St. *NW6* —1D **5**
Lintaine Clo. *SW6* —3A **111**
Linton Gdns. *E6* —3F **59**
Linton Ho. *E14* —2D **53**
Linton St. *N1* —4C **14**
(in two parts)
Lion Ct. *E1* —5D **51**
Lion Ct. *N1* —4B **12**
Lion Ct. *SE1* —3F **75**
Lionel Mans. *W14* —2D **93**
Lionel M. *W10* —1F **35**
Lion Mills. *E2* —1E **31**
Lion Rd. *E6* —2C **60**
Lipton Rd. *E1* —4D **51**
Lisford St. *SE15* —5C **126**
Lisgar Ter. *W14* —3B **92**
Liskeard Ho. *SE11* —5E **101**
Lisle St. *WC2* —5E **43**
Lisson Grn. Est. *NW8* —4F **21**
Lisson Grove. —4E **21**
Lisson Gro. *NW8 & NW1* —3E **21**
Lisson Ho. *NW1* —1F **39**
Lisson St. *NW1* —1F **39**
Lister Ho. *E1* —1E **49**
Lister Ho. *SE3* —2F **133**
Lister Lodge. *W2* —1E **37**
Listowel Clo. *SW9* —4E **123**
Litcham Ho. *E1* —3E **33**
Litchfield St. *WC2* —5E **43**
Lit. Albany St. *NW1* —3A **24**
(in two parts)
Little Angel Theatre. —3A **14**
Lit. Argyll St. *W1* —4B **42**

Lit. Boltons, The. *SW5 & SW10*
—5A **94**
Little Britain. *EC1* —2A **46**
Lit. Chester St. *SW1* —1F **97**
Little Cloisters. *SW1* —1F **99**
Lit. College La. *EC4* —5D **47**
Lit. College St. *SW1* —1F **99**
Lit. Dean's Yd. *SW1* —1F **99**
Lit. Dorrit St. *SE1* —4C **74**
Lit. Edward St. *NW1* —2A **24**
Lit. Essex St. *WC2* —5D **45**
Lit. George St. *SW1* —5F **71**
Lit. London Ct. *SE1* —5C **76**
Lit. Marlborough St. *W1* —4B **42**
Lit. Newport St. *WC2* —5E **43**
Lit. New St. *EC4* —3E **45**
Lit. Portland St. *W1* —3A **42**
Lit. Russell St. *WC1* —3C **43**
Lit St James's St. *SW1* —3B **70**
Little Sanctuary. *SW1* —5F **71**
Lit. Smith St. *SW1* —1E **99**
Lit. Somerset St. *E1* —4B **48**
Lit. Titchfield St. *W1* —3F **42**
Littleton Ho. *SW1* —1B **120**
Lit. Trinity La. *EC4* —5C **46**
Little Turnstile. *WC1* —2B **44**
Livermere Ct. *E8* —3C **16**
Livermere Rd. *E8* —3B **16**
Liverpool Gro. *SE17* —1C **124**
Liverpool Rd. *E16* —1A **56**
Liverpool Rd. *N7 & N1* —1E **13**
Liverpool St. *EC2* —2F **47**
Livesey Mus. —3F **127**
Livesey Pl. *SE15* —2E **127**
Livingstone Ho. *SE5* —4C **124**
Livingstone Lodge. *W2* —1E **37**
Livingstone Mans. *W14* —2A **114**
Livingstone Pl. *E14* —5B **110**
Livonia St. *W1* —4C **42**
Lizard St. *EC1* —3C **28**
Llandovery Ho. *E14* —5B **82**
Llewellyn St. *SE16* —5E **77**
Lloyd Baker St. *WC1* —3C **26**
(in two parts)
Lloyd's Av. *EC3* —4A **48**
Lloyds Building. —4F **47**
Lloyd Sq. *WC1* —2D **27**
Lloyd's Row. *EC1* —3E **27**
Lloyd St. *WC1* —2D **27**
Lloyds Wharf. *SE1* —4C **76**
Loanda Clo. *E8* —3B **16**
Lobelia Clo. *E6* —1F **59**
Lochmore Ho. *SW1* —4E **97**
Lochnagar St. *E14* —2B **54**
Lockbridge Ct. *W9* —1D **37**
Locke Ho. *SW8* —5B **120**
Lockhart Ho. *SE10* —4A **132**
Lockington Rd. *SW8* —5A **120**
Lock Keepers Quay. *SE16* —2E **107**
Locksfield Pl. *E14* —5A **110**
Locksfields. *SE17* —4E **103**
Lockside. *E14* —5A **52**
Locksley Est. *E14* —3B **52**
Locksley St. *E14* —2B **52**
Lock Vw. Ct. *E14* —5A **52**
Lockwood Ho. *SE11* —3D **123**
Lockwood Sq. *SE16* —1F **105**
Lockyer Est. *SE1* —4E **75**
(in two parts)
Lockyer Ho. *SE10* —5B **112**
Lockyer Ho. *SW8* —4E **121**
Lockyer St. *SE1* —5E **75**
Loder St. *SE15* —5B **128**
Lodge Rd. *NW8* —4E **21**
Lodore St. *E14* —5B **54**
Loftie St. *SE16* —5E **77**
Lofting Rd. *N1* —2C **12**
Loftus Rd. *W12* —3A **62**
Logan M. *W8* —3D **93**
Logan Pl. *SW5* —3D **93**

Lohmann Ho. *SE11* —2D **123**
Lolesworth Clo. *E1* —2C **48**
Lollard St. *SE11* —3C **100**
(in two parts)
Loman St. *SE1* —4A **74**
Lomas St. *E1* —1E **49**
Lombard Ct. *EC3* —5E **47**
Lombard La. *EC4* —4E **45**
Lombard St. *EC3* —4D **47**
Lombard Wall. *SE7* —2F **113**
(in two parts)
Lombardy Pl. *W2* —1F **65**
Lomond Gro. *SE5* —4D **125**
Lomond Ho. *SE5* —5D **125**
Loncroft Rd. *SE5* —2A **126**
Londinium Tower. *E1* —5C **48**
London Aquarium. —4B **72**
London Arena. —1A **110**
London Bri. *SE1 & EC4* —2E **75**
London Bri. St. *SE1* —3E **75**
London Bri. Wlk. *SE1* —2E **75**
London Canal Mus. —5A **12**
London City Airport. —2A **88**
London City Airport. *E16* —1A **88**
London Coliseum. —1F **71**
London Commonwealth Institute.
—1C **92**
London Dungeon. —3E **75**
London Eye. —4B **72**
London Fields E. Side. *E8* —2F **17**
(in two parts)
London Fields W. Side. *E8* —1E **17**
London Ho. *NW8* —5A **8**
London Ho. *WC1* —4B **26**
London Ind. Pk., The. *E6* —1F **61**
London Knights Ice Hockey. —1A **110**
(London Arena)
London La. *E8* —1F **17**
London Leopards Basketball. —1A **110**
(London Arena)
London M. *W2* —4E **39**
London Palladium. —4B **42**
London Planetarium. —5D **23**
London Rd. *SE1* —1F **101**
London St. *EC3* —5A **48**
London St. *W2* —3D **39**
London Ter. *E2* —1D **31**
London Transport Mus. —5A **44**
London Underwriting Cen. *EC3* —5A **48**
London Wall. *EC2* —2C **46**
London Wall Bldgs. *EC2* —2E **47**
London Wharf. *E2* —4F **17**
London Zoo. —5D **9**
Long Acre. *WC2* —5F **43**
Longfellow Way. *SE1* —4C **104**
Longfield Est. *SE1* —3C **104**
Longford Ho. *E1* —3B **50**
Longford St. *NW1* —4A **24**
Longhope Clo. *SE15* —3A **126**
Longland Ct. *SE1* —5D **105**
Longlands Ct. *W11* —5C **36**
Long La. *EC1* —2A **46**
Long La. *SE1* —5D **75**
Longleat Ho. *SW1* —5D **99**
Longley St. *SE1* —4D **105**
Longman Ho. *E2* —1D **33**
Longman Ho. *E8* —4C **16**
Long Mark Rd. *E16* —2D **59**
Longmoore St. *SW1* —4B **98**
Longnor Est. *E1* —3E **33**
Longnor Rd. *E1* —3E **33**
Longridge Ho. *SE1* —2C **102**
Longridge Rd. *SW5* —4D **93**
Long's Ct. *WC2* —1E **71**
Longshore. *SE8* —4B **108**
Longshott Ct. *SW5* —4D **93**
Long St. *E2* —2B **30**
Longville Rd. *SE11* —3F **101**
Long Wlk. *SE1* —1A **104**
Long Yd. *WC1* —5B **26**

Lonsdale Ho. *W11* —4C **36**
Lonsdale M. *W11* —4C **36**
Lonsdale Pl. *N1* —2E **13**
Lonsdale Rd. *NW6* —5B **4**
Lonsdale Rd. *W11* —4B **36**
Lonsdale Sq. *N1* —2E **13**
Lonsdale Yd. *W11* —1D **65**
Lord Amory Way. *E14* —4B **82**
Lorden Wlk. *E2* —3D **31**
Lord Hills Bri. *W2* —2A **38**
Lord Hills Rd. *W2* —1A **38**
Lord N. St. *SW1* —2F **99**
Lord Roberts M. *SW6* —5F **115**
Lord's Cricket Ground. —3E **21**
Lordship Pl. *SW3* —3F **117**
Lord St. *E16* —3A **88**
Lords Vw. *NW8* —3E **21**
Lorenzo St. *WC1* —2B **26**
Loris Rd. *W6* —2C **90**
Lorne Clo. *NW8* —3A **22**
Lorne Gdns. *W11* —4E **63**
Lorne Ho. *E1* —2F **51**
Lorraine Ct. *NW1* —1A **10**
Lorrimore Rd. *SE17* —3A **124**
Lorrimore Sq. *SE17* —2A **124**
Lorton Ho. *NW6* —4E **5**
Lothbury. *EC2* —3D **47**
Lothian Rd. *SW9* —5A **124**
Lothrop St. *W10* —2A **18**
Lots Rd. *SW10* —5B **116**
Loudoun Rd. *NW8* —2C **6**
Loughborough St. *SE11* —5C **100**
Louisa Gdns. *E1* —5D **33**
Louisa St. *E1* —5D **33**
Louise De Marillac Ho. *E1* —2B **50**
Lovage App. *E6* —2A **60**
Lovat La. *EC3* —5F **47**
(in two parts)
Lovegrove St. *SE1* —1E **127**
Lovegrove Wlk. *E14* —3B **82**
Lovelace Ho. *E8* —3C **16**
Love La. *EC2* —3C **46**
Lovelinch Clo. *SE15* —3C **128**
Lovell Ho. *E8* —3D **17**
Lovell Pl. *SE16* —1A **108**
Lovers Wlk. *SE10* —3E **133**
Lovers' Wlk. *W1* —2D **69**
Lowder Ho. *E1* —2A **78**
Lowe Av. *E16* —2E **57**
Lowell Ho. *SE5* —4C **124**
Lowell St. *E14* —3A **52**
Lwr. Addison Gdns. *W14* —5F **63**
Lwr. Belgrave St. *SW1* —2F **97**
Lwr. Clarendon Wlk. *W11* —4F **35**
Lwr. Grosvenor Pl. *SW1* —1A **98**
Lwr. James St. *W1* —5C **42**
Lwr. John St. *W1* —5C **42**
Lwr. Lea Crossing. *E14* —5F **55**
Lower Mall. *W6* —5A **90**
Lower Marsh. *SE1* —5D **73**
Lwr. Merton Ri. *NW3* —1F **7**
Lower Rd. *SE1* —4D **73**
Lower Rd. *SE16 & SE8* —5B **78**
(in two parts)
Lwr. Sloane St. *SW1* —4D **97**
Lwr. Thames St. *EC3* —1E **75**
Lowerwood Ct. *W11* —4A **36**
Lowestoft M. *E16* —4F **89**
Lowfield Rd. *NW6* —1D **5**
Lowndes Clo. *SW1* —2E **97**
Lowndes Ct. *SW1* —1C **96**
Lowndes Ct. *W1* —4B **42**
Lowndes Pl. *SW1* —2D **97**
Lowndes Sq. *SW1* —5C **68**
Lowndes St. *SW1* —1C **96**
Lowood Ho. *E1* —5B **50**
Lowood St. *E1* —5A **50**
Lowry Ct. *SE16* —5A **106**
Lowther Gdns. *SW7* —1E **95**
Lowther Ho. *E8* —3B **16**

Lowther Ho. *SW1* —1C **120**
Loxham St. *WC1* —3A **26**
Lubbock Ho. *E14* —1A **82**
Lubbock St. *SE14* —5C **128**
Lucan Ho. *N1* —4E **15**
Lucan Pl. *SW3* —4F **95**
Lucerne M. *W8* —2E **65**
Lucey Rd. *SE16* —2D **105**
Lucey Way. *SE16* —2D **105**
(in two parts)
Lucy Brown Ho. *SE1* —3C **74**
Ludgate B'way. *EC4* —4F **45**
Ludgate Cir. *EC4* —4F **45**
Ludgate Hill. *EC4* —4F **45**
Ludgate Sq. *EC4* —4A **46**
Ludlow St. *EC1* —4B **28**
Ludwick M. *SE14* —4F **129**
Lugard Ho. *W12* —2A **62**
Luke Ho. *E1* —4F **49**
Luke St. *EC2* —4F **29**
Lukin St. *E1* —4C **50**
Lullingstone Ho. *SE15* —3C **128**
Lulworth. *NW1* —2D **11**
Lulworth. *SE17* —5D **103**
Lulworth Ct. *N1* —2A **16**
Lulworth Ho. *SW8* —5B **122**
Lumley Ct. *WC2* —1A **72**
Lumley Flats. *SW1* —5D **97**
Lumley St. *W1* —4E **41**
Lumsdon. *NW8* —4A **6**
Luntley Pl. *E1* —2D **49**
Lupin Point. *SE1* —5C **76**
Lupus St. *SW1* —2A **120**
Luralda Gdns. *E14* —5C **110**
Lurline Gdns. *SW11* —5F **119**
Luscombe Way. *SW8* —4F **121**
Luton Pl. *SE10* —5C **132**
Luton St. *NW8* —5E **21**
Lutyens Ho. *SW1* —1B **120**
Luxborough Ho. *W1* —1D **41**
Luxborough St. *W1* —5D **23**
Luxborough Tower. *W1* —1D **41**
Luxemburg Gdns. *W6* —3D **91**
Luxford St. *SE16* —4D **107**
Lyall M. *SW1* —2D **97**
Lyall M. W. *SW1* —2D **97**
Lyall St. *SW1* —2D **97**
Lyal Rd. *E3* —1F **33**
Lyceum Theatre. —5B **44**
Lydford. *NW1* —4C **10**
Lydford Rd. *W9* —4C **18**
Lydney Clo. *SE15* —4A **126**
Lygon Ho. *E2* —2C **30**
Lygon Pl. *SW1* —2F **97**
Lyly Ho. *SE1* —2E **103**
Lyme St. *NW1* —2B **10**
Lyme Ter. *NW1* —2B **10**
Lymington Clo. *E6* —1B **60**
Lymington Lodge. *E14* —2D **111**
Lympstone Gdns. *SE15* —4E **127**
Lynbrook Clo. *SE15* —4A **126**
Lynch Wlk. *SE8* —2C **130**
Lyndhurst Ct. *NW8* —4D **7**
Lyndhurst Lodge. *E14* —3D **111**
Lynn Ho. *SE15* —3F **127**
Lynton Est. *SE1* —4D **105**
Lynton Ho. *W2* —4B **38**
Lynton Mans. *SE1* —1D **101**
Lynton Rd. *NW6* —4C **4**
Lynton Rd. *SE1* —4C **104**
Lyon Ho. *NW8* —5F **21**
Lyons Pl. *NW8* —5D **21**
Lyon St. *N1* —2B **12**
Lyons Wlk. *W14* —3F **91**
Lyric Theatre. —4B **90**
(Hammersmith)
Lyric Theatre. —5D **43**
(Westminster)
Lysander Ho. *E2* —1F **31**
Lytham St. *SE17* —1D **125**

Lyttelton Clo. *NW3* —2F **7**
Lyttelton Theatre. —2D **73**
(off Royal National Theatre)

# Mableton Ct.

**M**ableton Ct. *WC1* —3E **25**
Mabledon Pl. *NW1* —3E **25**
Mablethorpe Rd. *SW6* —5A **114**
Macartney Ho. *SE10* —5E **133**
Macartney Ho. *SW9* —5D **123**
McAuley Clo. *SE1* —1D **101**
Macbeth Ho. *N1* —5F **15**
Macbeth St. *W6* —5A **90**
Macclesfield Ho. *EC1* —3B **28**
Macclesfield Rd. *EC1* —2B **28**
Macclesfield St. *W1* —5E **43**
McCoid Way. *SE1* —5B **74**
McDowall Clo. *E16* —2C **56**
Mace Clo. *E1* —2F **77**
Mace Gateway. *E16* —1E **85**
Mace St. *E2* —1D **33**
Macey St. *SE10* —2B **132**
Macfarlane Rd. *W12* —3B **62**
Macfarren Pl. *NW1* —5E **23**
McGlashon Ho. *E1* —5D **31**
McGregor Ct. *N1* —2A **30**
MacGregor Rd. *E16* —1C **58**
McGregor Rd. *W11* —2B **36**
McIndoe Ct. *N1* —3D **15**
McIntosh Ho. *SE16* —4C **106**
Macintosh Ho. *W1* —1E **41**
Mackay Ho. *W12* —1A **62**
McKay Trad. Est. *W10* —4A **18**
Mackennal St. *NW8* —1A **22**
Mackenzie Clo. *W12* —5A **34**
Mackenzie Wlk. *E14* —2D **81**
Macklin St. *WC2* —3A **44**
Mackonochie Ho. *EC1* —1D **45**
Mackrow Wlk. *E14* —5C **54**
Mack's Rd. *SE16* —3E **105**
Mackworth Ho. *NW1* —2B **24**
Mackworth St. *NW1* —2B **24**
McLeod's M. *SW7* —2A **94**
Macleod St. *SE17* —1C **124**
Maclise Ho. *SW1* —4F **99**
Maclise Rd. *W14* —2F **91**
McMillan St. *SE8* —3E **131**
Macnamara Ho. *SW10* —4D **117**
Maconochies Rd. *E14* —5F **109**
Macquarie Way. *E14* —4A **110**
Macready Ho. *W1* —2A **40**
Macroom Rd. *W9* —2C **18**
Mac's Pl. *EC4* —3E **45**
Madame Tussaud's. —5D **23**
Maddams St. *E3* —1F **53**
Maddocks Ho. *E1* —5A **50**
Maddock Way. *SE17* —3A **124**
Maddox St. *W1* —5A **42**
Madison Ho. *E14* —5B **52**
Madrigal La. *SE5* —5A **124**
Madron St. *SE17* —5A **104**
Magdalen Ho. *E16* —2F **85**
Magdalen Pas. *E1* —5C **48**
Magdalen St. *SE1* —3F **75**
Magee St. *SE11* —2D **123**
Magellan Ho. *E1* —5E **33**
Magellan Pl. *E14* —5E **109**
Magnin Clo. *E8* —3E **17**
Magnolia Ho. *SE8* —2C **130**
Magnolia Lodge. *W8* —2F **93**
Magpie All. *EC4* —4E **45**
Magpie Pl. *SE14* —3A **130**
Magri Wlk. *E1* —2B **50**
Maguire St. *SE1* —4C **76**
Mahogany Clo. *SE16* —3A **80**
Maida Av. *W2* —1C **38**
**Maida Hill. —5C 18**
**Maida Vale. —2A 20**
Maida Va. *W9* —5F **5**
Maiden La. *NW1* —1E **11**

Maiden La. *SE1* —3C **74**
Maiden La. *WC2* —1A **72**
Maidstone Bldgs. *SE1* —3C **74**
Maidstone Ho. *E14* —3F **53**
Mail Coach Yd. *E2* —2A **30**
Maismore St. *SE15* —3E **127**
Maitland Clo. *SE10* —5A **132**
Maitland Ct. *W2* —5D **39**
Maitland Ho. *SW1* —2B **120**
Maize Row. *E14* —5B **52**
Major Rd. *SE16* —1E **105**
Makins St. *SW3* —4A **96**
Malabar Ct. *W12* —1A **62**
Malabar St. *E14* —5E **81**
Malam Ct. *SE11* —4D **101**
Malam Gdns. *E14* —5F **53**
Malcolm Ho. *N1* —1F **29**
Malcolm Pl. *E2* —4B **32**
Malcolm Rd. *E1* —4B **32**
*Malcolm Sargent Ho. E16 —2A 86*
*(off Evelyn Rd.)*
Malcolmson Ho. *SW1* —1D **121**
Malden Cres. *NW1* —1E **9**
Maldon Clo. *N1* —3B **14**
Malet Pl. *WC1* —5D **25**
Malet St. *WC1* —5D **25**
Mallard Clo. *NW6* —4E **5**
Mallard Ho. *NW8* —1F **21**
Mall Chambers. *W8* —2E **65**
Mall Galleries. —2E **71**
Mall Gallery. *WC2* —4F **43**
Mallon Gdns. *E1* —3C **48**
Mallord St. *SW3* —2E **117**
Mallory Ho. *E14* —1A **54**
Mallory St. *NW8* —4A **22**
Mallow St. *EC1* —4D **29**
Mall Rd. *W6* —5A **90**
Mall, The. *SW1* —4C **70**
Malmesbury. *E2* —1B **32**
Malmesbury Rd. *E16* —2A **56**
Malmesbury Ter. *E16* —1B **56**
Malmsey Ho. *SE11* —5C **100**
Malta St. *EC1* —4A **28**
Maltby St. *SE1* —5B **76**
Malting Ho. *E14* —5B **52**
Maltings Pl. *SE1* —5A **76**
Malton M. *W10* —3F **35**
Malton Rd. *W10* —3F **35**
Maltravers St. *WC2* —5C **44**
Malt St. *SE1* —2D **127**
Malvern Clo. *W10* —2B **36**
Malvern Ct. *SW7* —3E **95**
Malvern M. *NW6* —2D **19**
Malvern Pl. *NW6* —2C **18**
Malvern Rd. *E8* —2D **17**
Malvern Rd. *NW6* —1C **18**
(in two parts)
Malvern Ter. *N1* —3D **13**
Managers St. *E14* —3C **82**
Manchester Dri. *W10* —5A **18**
Manchester Gro. *E14* —5B **110**
Manchester Ho. *SE17* —5C **102**
Manchester M. *W1* —2D **41**
Manchester Rd. *E14* —5C **82**
Manchester Sq. *W1* —3E **41**
Manchester St. *W1* —2D **41**
Manciple St. *SE1* —5D **75**
Mandarin Ct. *SE8* —3D **131**
Mandarin St. *E14* —5D **53**
Mandela Clo. *W12* —1A **62**
Mandela Ho. *E2* —3B **30**
Mandela Rd. *E16* —4E **57**
Mandela St. *NW1* —3C **10**
Mandela St. *SW9* —5D **123**
(in two parts)
Mandela Way. *SE1* —3F **103**
Mandeville Ho. *SE1* —5C **104**
Mandeville Pl. *W1* —3E **41**
Manette St. *W1* —4E **43**
Manilla St. *E14* —4D **81**

Man in the Moon Theatre. —3D **117**
Manitoba Ct. *SE16* —5C **78**
Manley Ho. *SE11* —5D **101**
Manley St. *NW1* —3D **9**
Manneby Prior. *N1* —1C **26**
Manningford Clo. *EC1* —2F **27**
Manningtree St. *E1* —3D **49**
Manny Shinwell Ho. *SW6* —3C **114**
Manor Est. *SE16* —4F **105**
Manor Gro. *SE15* —3B **128**
Manor Ho. *NW1* —1A **40**
Manor Ho. Ct. *W9* —5B **20**
Manor M. *NW6* —5E **5**
(in two parts)
Manor Pl. *SE17* —1A **124**
Manor Rd. *E15 & E16* —1F **55**
Manresa Rd. *SW3* —1F **117**
Mansell St. *E1* —4C **48**
Mansfield Ct. *E2* —4C **16**
Mansfield M. *W1* —2F **41**
Mansfield St. *W1* —2F **41**
Mansford St. *E2* —1E **31**
Mansion House. —4D **47**
Mansion Ho. Pl. *EC4* —4D **47**
Mansion Ho. St. *EC2* —4D **47**
Mansions, The. *SW5* —5F **93**
Manson M. *SW7* —4C **94**
Manson Pl. *SW7* —4D **95**
Manston. *NW1* —2C **10**
Manston Ho. *W14* —2A **92**
Mantus Clo. *E1* —4C **32**
Mantus Rd. *E1* —4B **32**
Manwood St. *E16* —3C **88**
Mapesbury Rd. *NW2* —1A **4**
Mapes Ho. *NW6* —2A **4**
Mape St. *E2* —4F **31**
(in two parts)
Maple Ct. *E6* —2E **61**
Maplecroft Clo. *E6* —3F **59**
Mapledene Est. *E8* —1D **17**
Mapledene Rd. *E8* —1C **16**
Maple Ho. *SE8* —4C **130**
Maple Leaf Sq. *SE16* —4E **79**
Maple Lodge. *W8* —2F **93**
Maple M. *NW6* —5F **5**
Maple Pl. *W1* —5C **24**
Maples Pl. *E1* —1A **50**
Maple St. *W1* —1B **42**
Maplin Rd. *E16* —3E **57**
Marathon Ho. *NW1* —1B **40**
Marban Rd. *W9* —2B **18**
Marble Arch. (Junct.) —5B **40**
Marble Arch. —5C **40**
Marble Arch. *W1* —5B **40**
Marble Ho. *W9* —5C **18**
Marble Quay. *E1* —2D **77**
Marchant Ct. *SE1* —5C **104**
Marchant St. *SE14* —3F **129**
Marchbank Rd. *W14* —2C **114**
Marchmont St. *WC1* —4F **25**
Marchwood Clo. *SE5* —5A **126**
Marcia Rd. *SE1* —4A **104**
Marco Polo Ho. *SW8* —4F **119**
Marco Rd. *W6* —2A **90**
Marden Sq. *SE16* —4E **105**
Mardyke Ho. *SE17* —3E **103**
Mare St. *E8 & E2* —4F **17**
Margaret Ct. *W1* —3B **42**
Margaret Herbison Ho. *SW6* —3C **114**
Margaret Ho. *W6* —5B **90**
Margaret Ingram Clo. *SW6* —3B **114**
Margaret St. *W1* —3A **42**
Margaretta Ter. *SW3* —2F **117**
Margaret White Ho. *NW1* —2D **25**
Margery St. *WC1* —3D **27**
Margravine Gdns. *W6* —5E **91**
Maria Clo. *SE1* —3E **105**
Marian Pl. *E2* —5F **17**
Marian Sq. *E2* —5E **17**
Marian St. *E2* —5F **17**

Maria Ter. *E1* —1D **51**
Maribor. *SE10* —4C **132**
Marie Lloyd Ho. *N1* —1D **29**
Marie Lloyd Wlk. *E8* —1D **17**
Marigold All. *SE1* —1F **73**
Marigold St. *SE16* —5F **77**
Marinel Ho. *SE5* —5C **124**
Mariners M. *E14* —3D **111**
Marine St. *SE16* —1D **105**
Marine Tower. *SE8* —2B **130**
Maritime Ind. Est. *SE7* —4F **113**
Maritime Quay. *E14* —5E **109**
Marjorie M. *E1* —4D **51**
Market Ct. *W1* —3B **42**
Market Entrance. *SW8* —4C **120**
Market M. *W1* —3F **69**
Market Pl. *SE16* —3E **105**
(in two parts)
Market Pl. *W1* —3B **42**
Market Sq. *E14* —4A **54**
Market Way. *E14* —4A **54**
Market Yd. M. *SE1* —1A **104**
Markham Pl. *SW3* —5B **96**
Markham Sq. *SW3* —5B **96**
Markham St. *SW3* —5A **96**
Mark Ho. *E2* —1D **33**
Markland Ho. *W10* —5D **35**
Mark La. *EC3* —5A **48**
Mark Sq. *EC2* —4F **29**
Markstone Ho. *SE1* —5F **73**
Mark St. *EC2* —4F **29**
Marlborough Av. *E8* —4D **17**
(in three parts)
Marlborough Clo. *SE17* —4A **102**
Marlborough Ct. *W1* —4B **42**
Marlborough Ct. *W8* —3D **93**
Marlborough Flats. *SW3* —3A **96**
Marlborough Gro. *SE1* —1D **127**
Marlborough Hill. *NW8* —3D **7**
Marlborough House. —3C **70**
Marlborough Ho. *E16* —2E **85**
Marlborough Ho. *NW1* —4A **24**
Marlborough Pl. *NW8* —1B **20**
Marlborough Rd. *SW1* —3C **70**
Marlborough St. *SW3* —4F **95**
Marlbury. *NW8* —4A **6**
Marley Ho. *W11* —1E **63**
Marloes Rd. *W8* —2F **93**
Marlow Ct. *W2* —4A **38**
Marlowe Bus. Cen. *SE14* —5A **130**
Marlowe Ct. *SW3* —4A **96**
Marlowe Ho. *SE8* —5B **108**
Marlowes, The. *NW8* —4D **7**
Marlow Ho. *E2* —3B **30**
Marlow Ho. *SE1* —1B **104**
Marlow Way. *SE16* —4D **79**
Marlton St. *SE10* —5C **132**
Marmont Rd. *SE15* —5E **127**
Marmora Ho. *E1* —1F **51**
Marne St. *W10* —2A **18**
Marnock Ho. *SE17* —5D **103**
Maroon Ho. *E14* —2A **52**
Maroon St. *E14* —2F **51**
Marquess Rd. S. *N1* —1C **14**
Marquis Rd. *NW1* —1E **11**
Marrick Ho. *NW6* —4A **6**
Marryat Ho. *SW1* —1B **120**
Marryat Sq. *SW6* —5A **114**
Marshall Ho. *N1* —5E **15**
Marshall Ho. *NW6* —1C **18**
Marshall Ho. *SE1* —2A **104**
Marshall Ho. *SE17* —5D **103**
Marshall's Pl. *SE16* —2C **104**
Marshall St. *W1* —4C **42**
Marshalsea Rd. *SE1* —4C **74**
Marsham Ct. *SW1* —3E **99**
Marsham St. *SW1* —2E **99**
Marsh Cen., The. *E1* —3C **48**
Marsh Ct. *E8* —1D **17**
Marshfield St. *E14* —1B **110**

Nairn St. *E14* —2C **54**
Naish Ct. *N1* —3A **12**
(in three parts)
Nankin St. *E14* —4E **53**
Nantes Pas. *E1* —1B **48**
Nant St. *E2* —2A **32**
Naoroji St. *WC1* —3D **27**
Napier Av. *E14* —5E **109**
Napier Clo. *SE8* —4C **130**
Napier Clo. *W14* —1B **92**
Napier Ct. *N1* —5D **15**
Napier Gro. *N1* —5C **14**
Napier Pl. *W14* —2B **92**
Napier Rd. *W14* —2A **92**
Napier St. *SE8* —4C **130**
Napier Ter. *N1* —2F **13**
Narrow St. *E14* —5E **51**
Nascot St. *W12* —3B **34**
Naseby Clo. *NW6* —1C **6**
Nash Ct. *E14* —3F **81**
Nashe Ho. *SE1* —2D **103**
Nash Ho. *SW1* —1A **120**
Nash Pl. *E14* —3F **81**
Nash St. *NW1* —2A **24**
Nasmyth St. *W6* —2A **90**
Nassau St. *W1* —2B **42**
Nathan Ho. *SE11* —4E **101**
Nathaniel Clo. *E1* —2C **48**
National Army Mus. —2C **118**
National Film Theatre. —2C **72**
National Gallery. —1E **71**
National Maritime Mus. —3D **133**
National Portrait Gallery. —1F **71**
Natural History Mus. —2D **95**
Nautilus Building, The. *EC1* —2E **27**
Naval Ho. *E14* —5D **55**
Naval Row. *E14* —5C **54**
Navarino Rd. *E8* —1F **17**
Navarre St. *E2* —4B **30**
Naylor Rd. *SE15* —4F **127**
Nazrul St. *E2* —2A **30**
Neal St. *WC2* —4F **43**
Neal's Yd. *WC2* —4F **43**
Neate St. *SE5* —3F **125**
(in two parts)
Neathouse Pl. *SW1* —3B **98**
Neatscourt Rd. *E6* —2E **59**
Nebraska St. *SE1* —5D **75**
Neckinger. *SE1* —1C **104**
Neckinger Est. *SE16* —1C **104**
Neckinger St. *SE1* —5C **76**
Needham Ho. *SE11* —4D **101**
Needham Rd. *W11* —4D **37**
Needleman St. *SE16* —5D **79**
Nelldale Rd. *SE16* —3A **106**
Nelson Clo. *NW6* —2D **19**
Nelson Ct. *SE1* —4A **74**
Nelson Ct. *SE16* —3C **78**
Nelson Gdns. *E2* —2E **31**
Nelson Ho. *SW1* —2C **120**
Nelson Pas. *EC1* —2C **28**
Nelson Pl. *N1* —1A **28**
Nelson Rd. *SE10* —3C **132**
Nelson's Column. —2F **71**
Nelson Sq. *SE1* —4F **73**
Nelson St. *E1* —3F **49**
Nelson St. *E16* —5B **56**
(in two parts)
Nelsons Yd. *NW1* —5B **10**
Nelson Ter. *EC1* —1A **28**
Nelson Wlk. *SE16* —3F **79**
Neptune Ct. *E14* —3D **109**
Neptune Ho. *SE16* —1B **106**
Neptune St. *SE16* —1B **106**
Nesham St. *E1* —2D **77**
Ness St. *SE16* —1D **105**
Nestor Ho. *E2* —1F **31**
Netherton Gro. *SW10* —3C **116**
Netherwood Pl. *W14* —1D **91**
Netherwood Rd. *W6* —1D **91**

Netherwood St. *NW6* —1C **4**
Netley. *SE5* —5A **126**
Netley St. *NW1* —3B **24**
Nettlecombe. *NW1* —1D **11**
Nettleden Ho. *SW3* —4A **96**
Nettleton Ct. *EC2* —2B **46**
Nettleton Rd. *SE14* —5E **129**
Nevada St. *SE10* —3C **132**
Nevern Mans. *SW5* —5D **93**
Nevern Pl. *SW5* —4E **93**
Nevern Rd. *SW5* —4D **93**
Nevern Sq. *SW5* —5D **93**
Nevill Ct. *EC4* —3E **45**
Neville Clo. *NW1* —1E **25**
Neville Clo. *NW6* —1C **18**
Neville Clo. *SE15* —5D **127**
Neville Ct. *NW8* —1D **21**
Neville Rd. *NW6* —1C **18**
Neville St. *SW7* —5D **95**
Neville Ter. *SW7* —5D **95**
Nevitt Ho. *N1* —1E **29**
Newall Ho. *SE1* —1C **102**
Newark Knok. *E6* —3D **61**
Newark St. *E1* —2F **49**
(in two parts)
New Atlas Wharf. *E14* —1D **109**
New Baltic Wharf. *SE8* —5A **108**
New Barn St. *E13* —1E **57**
New Bentham Ct. *N1* —2C **14**
Newbery Ho. *N1* —2B **14**
Newbold Cotts. *E1* —3B **50**
Newbolt Ho. *SE17* —5D **103**
New Bond St. *W1* —4F **41**
New Bri. St. *EC4* —4F **45**
New Broad St. *EC2* —2E **47**
Newburgh St. *W1* —4B **42**
New Burlington M. *W1* —5B **42**
New Burlington Pl. *W1* —5B **42**
New Burlington St. *W1* —5B **42**
Newburn Ho. *SE11* —5C **100**
Newburn St. *SE11* —1C **122**
Newbury Ho. *W2* —4A **38**
Newbury St. *EC1* —1B **46**
New Butt La. *SE8* —5D **131**
(in two parts)
Newby. *NW1* —3B **24**
Newby Ho. *E14* —5B **54**
Newby Pl. *E14* —5B **54**
New Caledonian Wharf. *SE16*
—1B **108**
Newcastle Clo. *EC4* —3F **45**
Newcastle Ct. *EC4* —5C **46**
Newcastle Ho. *W1* —1D **41**
Newcastle Pl. *W2* —1E **39**
Newcastle Row. *EC1* —5E **27**
New Cavendish St. *W1* —2E **41**
New Change. *EC4* —4B **46**
New Charles St. *EC1* —2A **28**
New Chu. Rd. *SE5* —4C **124**
(in two parts)
New College M. *N1* —1E **13**
New College Pde. *NW3* —1C **6**
Newcombe St. *W8* —2E **65**
Newcomen St. *SE1* —4D **75**
New Compton St. *WC2* —4E **43**
New Concordia Wharf. *SE1* —4C **76**
New Ct. *EC4* —5D **45**
Newcourt Ho. *E2* —3A **32**
Newcourt St. *NW8* —1F **21**
New Covent Garden Market.
—5D **121**
New Coventry St. *W1* —1E **71**
New Crane Pl. *E1* —2B **78**
New Crane Wharf. *E1* —2B **78**
New Cross. (Junct.) —5B **130**
New Cross Rd. *SE15* & *SE14*
—4B **128** & 5A **130**
Newdigate Ho. *E14* —3B **52**
Newell St. *E14* —4B **52**
Newent Clo. *SE15* —4F **125**

New Era Est. *N1* —4F **15**
New Fetter La. *EC4* —3E **45**
Newgate St. *EC1* —3A **46**
New Globe Wlk. *SE1* —2B **74**
New Goulston St. *E1* —3B **48**
Newham's Row. *SE1* —5A **76**
Newham Way. *E16 & E6* —3F **55**
Newhaven La. *E16* —1C **56**
**Newington. —1B 102**
Newington Butts. *SE11* & *SE1*
—4A **102**
Newington Causeway. *SE1* —2A **102**
Newington Ct. Bus. Cen. *SE1*
—1B **102**
Newington Ind. Est. *SE17* —4B **102**
New Inn B'way. *EC2* —4A **30**
New Inn Pas. *WC2* —4C **44**
New Inn Sq. *EC2* —4A **30**
New Inn St. *EC2* —4A **30**
New Inn Yd. *EC2* —4A **30**
New Jubilee Wharf. *E1* —2B **78**
New Kent Rd. *SE1* —2B **102**
New King St. *SE8* —2D **131**
Newland Ct. *EC1* —4D **29**
Newland Ho. *SE14* —3D **129**
Newlands. *NW1* —2B **24**
Newlands Quay. *E1* —1B **78**
Newland St. *E16* —3A **88**
Newling Clo. *E6* —3C **60**
New London Ct. *EC3* —5A **48**
New London Theatre. —3A **44**
Newlyn. *NW1* —4C **10**
Newman Pas. *W1* —2C **42**
Newman's Ct. *EC3* —4E **47**
Newman's Row. *WC2* —2C **44**
Newman St. *W1* —2C **42**
Newman Yd. *W1* —3D **43**
Newnham Ter. *SE1* —1D **101**
New N. Pl. *EC2* —2F **29**
New N. Rd. *N1* —2B **14**
New N. St. *WC1* —1B **44**
New Oxford St. *WC1* —3E **43**
New Pl. Sq. *SE16* —1F **105**
Newport Av. *E14* —5D **55**
Newport Ct. *WC2* —5E **43**
Newport Ho. *E3* —2F **33**
Newport Pl. *WC2* —5E **43**
Newport St. *SE11* —4B **100**
New Priory Ct. *NW6* —2E **5**
Newquay Ho. *SE11* —5D **101**
New Quebec St. *W1* —4C **40**
New Ride. *SW7* & *SW1* —5E **67**
New River Head. *EC1* —2E **27**
New River Wlk. *N1* —1B **14**
New Rd. *E1* —2F **49**
New Row. *WC2* —5F **43**
New Spring Gdns. Wlk. *SE1* —1A **122**
New Sq. *WC2* —3D **45**
New Sq. Pas. *WC2* —3D **45**
New St. *EC2* —2A **48**
New St. Sq. *EC4* —3E **45**
Newton Ho. *E1* —5F **49**
Newton Ho. *NW8* —3A **6**
Newton Mans. *W14* —2A **114**
Newton Point. *E16* —3B **56**
Newton Rd. *W2* —4E **37**
Newton St. *WC1* —3A **44**
New Tower Bldgs. *E1* —3A **78**
New Turnstile. *WC1* —2B **44**
New Union Clo. *E14* —1C **110**
New Union St. *EC2* —2D **47**
New Wharf Rd. *N1* —5A **12**
New Zealand Way. *W12* —1A **62**
Niagra Clo. *N1* —5C **14**
Niagra Ct. *SE16* —1C **106**
Nicholas La. *EC4* —5E **47**
(in two parts)
Nicholas Pas. *EC4* —5E **47**
Nicholas Rd. *E1* —4C **32**
Nicholl St. *E2* —4D **17**

Payne St. *SE8* —3C **130**
Peabody Av. *SW1* —5F **97**
Peabody Bldgs. *E1* —5D **49**
Peabody Bldgs. *EC1* —5C **28**
Peabody Bldgs. *SW3* —3F **117**
Peabody Clo. *SE10* —5A **132**
Peabody Clo. *SW1* —2A **120**
Peabody Ct. *EC1* —5C **28**
Peabody Est. *E1* —5C **50**
Peabody Est. *E2* —1F **31**
Peabody Est. *EC1* —5E **27**
  (Farringdon La.)
Peabody Est. *EC1* —5C **28**
  (Whitecross St., in two parts)
Peabody Est. *N1* —3B **14**
Peabody Est. *SE1* —3E **73**
  (Hatfields)
Peabody Est. *SE1* —4C **74**
  (Mint St.)
Peabody Est. *SE1* —3B **74**
  (Southwark St.)
Peabody Est. *SW1* —3C **98**
Peabody Est. *SW3* —2A **118**
Peabody Est. *SW6* —2C **114**
Peabody Est. *W6* —5C **90**
Peabody Est. *W10* —1C **34**
Peabody Sq. *SE1* —5F **73**
  (in two parts)
Peabody Tower. *EC1* —5C **28**
Peabody Trust. *SE17* —4D **103**
Peabody Yd. *N1* —3B **14**
Peachey Edwards Ho. *E2* —2F **31**
Peacock St. *SE17* —4A **102**
Peacock Theatre. —4B **44**
Peacock Wlk. *E16* —3F **57**
Peacock Yd. *SE17* —4A **102**
Pear Clo. *SE14* —5A **130**
Pear Ct. *SE15* —4B **126**
Pearl Clo. *E6* —3D **61**
Pearl St. *E1* —2A **78**
Pearman St. *SE1* —1E **101**
Pear Pl. *SE1* —4D **73**
Pearse St. *SE15* —3A **126**
Pearson St. *E2* —5B **16**
Pear Tree Clo. *E2* —4B **16**
Pear Tree Ct. *EC1* —5E **27**
Peartree La. *E1* —1C **78**
Pear Tree St. *EC1* —4A **28**
Pear Tree Way. *SE10* —5D **113**
Peary Pl. *E2* —2C **32**
Peckham Gro. *SE15* —4A **126**
Peckham Hill St. *SE15* —4D **127**
Peckham Pk. Rd. *SE15* —4D **127**
Pecks Yd. *E1* —1B **48**
Pedley St. *E1* —5C **30**
Pedworth Gdns. *SE16* —4B **106**
Peel Gro. *E2* —1B **32**
  (in two parts)
Peel Pas. *W8* —3D **65**
Peel Precinct. *NW6* —1D **19**
Peel St. *W8* —3D **65**
Peerless St. *EC1* —3D **29**
Pegasus Ho. *E1* —5D **33**
Pegasus Pl. *SE11* —2D **123**
Pekin Clo. *E14* —4E **53**
Pekin St. *E14* —4E **53**
Peldon Wlk. *N1* —3A **14**
Pelham Ct. *SW3* —4F **95**
Pelham Cres. *SW7* —4F **95**
Pelham Ho. *W14* —4B **92**
Pelham Pl. *SW7* —3F **95**
Pelham St. *SW7* —3E **95**
Pelican Ho. *SE8* —4B **108**
Pelican Pas. *E1* —4B **32**
Pelican Wharf. *E1* —2C **78**
Pelier St. *SE17* —2C **124**
Pella Ho. *SE11* —5C **100**
Pellant Rd. *SW6* —3A **114**
Pellew Ho. *E1* —5A **32**
Pelling St. *E14* —3D **53**

Pelter St. *E2* —2B **30**
  (in two parts)
Pelton Rd. *SE10* —5F **111**
Pemberton Ct. *E1* —3D **33**
Pemberton Row. *EC4* —3E **45**
Pembridge Cres. *W11* —5D **37**
Pembridge Gdns. *W2* —1D **65**
Pembridge M. *W11* —5D **37**
Pembridge Pl. *W2* —5E **37**
Pembridge Rd. *W11* —1D **65**
Pembridge Sq. *W2* —1E **65**
Pembridge Vs. *W11 & W2* —5D **37**
Pembroke Clo. *SW1* —5E **69**
Pembroke Cotts. *W8* —2D **93**
Pembroke Gdns. *W14* —3C **92**
Pembroke Gdns. Clo. *W8* —2C **92**
Pembroke Ho. *W2* —4A **38**
Pembroke M. *W8* —2D **93**
Pembroke Pl. *W8* —2D **93**
Pembroke Rd. *E6* —1B **60**
Pembroke Rd. *W8* —3C **92**
Pembroke Sq. *W8* —2D **93**
Pembroke St. *N1* —2A **12**
  (in two parts)
Pembroke Vs. *W8* —3D **93**
Pembroke Wlk. *W8* —3D **93**
Pemell Clo. *E1* —4C **32**
Pemell Ho. *E1* —4C **32**
Penally Pl. *N1* —3E **15**
Penang Ho. *E1* —2A **78**
Penang St. *E1* —2A **78**
Penarth Cen. *SE15* —2B **128**
Penarth St. *SE15* —2B **128**
Pencombe M. *W11* —5C **36**
Pencraig Way. *SE15* —3F **127**
Pendennis Ho. *SE8* —4A **108**
Pendrell Ho. *WC2* —4E **43**
Penfield Lodge. *W9* —1E **37**
Penfold Pl. *NW1* —1F **39**
Penfold St. *NW8 & NW1* —5E **21**
Penhurst Pl. *SE1* —2C **100**
Peninsula Ct. *E14* —1A **110**
Peninsula Heights. *SE1* —5A **100**
Peninsula Pk. *SE7* —4E **113**
  (in two parts)
Peninsular Pk. Rd. *SE7* —4E **113**
Penley Ct. *WC2* —5C **44**
Penmayne Ho. *SE11* —5E **101**
Pennack Rd. *SE15* —3C **126**
Penn Almshouses. *SE10* —5B **132**
Pennant M. *W8* —3F **93**
Pennard Mans. *W12* —5B **62**
Pennard Rd. *W12* —4B **62**
Pennethorne Rd. *SE15* —5F **127**
Penn Ho. *NW8* —5F **21**
Pennington Ct. *SE16* —2A **80**
Pennington St. *E1* —1E **77**
Penn St. *N1* —4E **15**
Pennyfields. *E14* —5D **53**
  (in two parts)
Pennyford Ct. *NW8* —4D **21**
Pennymoor Wlk. *W9* —4C **18**
Pennyroyal Av. *E6* —4D **61**
Penrose Gro. *SE17* —1B **124**
Penrose Ho. *SE17* —1B **124**
  (in two parts)
Penrose St. *SE17* —1B **124**
Penryn Ho. *SE11* —5F **101**
Penryn St. *NW1* —5D **11**
Penry St. *SE1* —4A **104**
Penshurst Ho. *SE15* —2C **128**
Penton Gro. *N1* —1D **27**
Penton Ho. *N1* —1D **27**
Penton Pl. *SE17* —4A **102**
Penton Ri. *WC1* —2C **26**
Penton St. *N1* —5D **13**
**Pentonville. —1C 26**
Pentonville Rd. *N1* —2A **26**
Pentridge St. *SE15* —5B **126**
Penywern Rd. *SW5* —5E **93**

Penzance Ho. *SE11* —5E **101**
Penzance Pl. *W11* —2F **63**
Penzance St. *W11* —2F **63**
Peperfield. *WC1* —3B **26**
Pepler Ho. *W10* —5A **18** & 1F **35**
Pepler M. *SE5* —1B **126**
Pepper Clo. *E6* —1C **60**
Pepper St. *E14* —1F **109**
Pepper St. *SE1* —4B **74**
Pepys Cres. *E16* —2E **85**
Pepys Ho. *E2* —2C **32**
Pepys St. *EC3* —5A **48**
Percival David Foundation of Chinese
  Art. —5E **25**
Percival St. *EC1* —4F **27**
Percy Cir. *WC1* —2C **26**
Percy M. *W1* —2D **43**
Percy Pas. *W1* —2D **43**
Percy Rd. *E16* —1A **56**
Percy St. *W1* —2D **43**
Percy Yd. *WC1* —2C **26**
Peregrine Ct. *SE8* —3D **131**
Peregrine Ho. *EC1* —2A **28**
Perham Rd. *W14* —1A **114**
Peridot St. *E6* —1A **60**
Perkins Ho. *E14* —2C **52**
Perkin's Rents. *SW1* —2D **99**
Perkins Sq. *SE1* —2C **74**
Perley Ho. *E3* —1C **52**
Perrers Rd. *W6* —3A **90**
Perring Est. *E3* —1E **53**
Perrin Ho. *NW6* —2D **19**
Perronet Ho. *SE1* —2A **102**
Perry Ct. *E14* —5E **109**
Perryn Rd. *SE16* —1F **105**
Perry's Pl. *W1* —3D **43**
Perseverance Pl. *SW9* —5E **123**
Perseverance Works. *E2* —2A **30**
Perth Ho. *N1* —2B **12**
Peter Best Ho. *E1* —3F **49**
Peterboat Clo. *SE10* —3A **112**
Peterborough Ct. *EC4* —4E **45**
Peter Butler Ho. *SE1* —4D **77**
Peterchurch Ho. *SE15* —3F **127**
Peter Ho. *SW8* —4F **121**
Peterley Bus. Cen. *E2* —5F **17**
Peters Ct. *W2* —3A **38**
Petersham Ho. *SW7* —3D **95**
Petersham La. *SW7* —1B **94**
Petersham M. *SW7* —2B **94**
Petersham Pl. *SW7* —2B **94**
Peter's Hill. *EC4* —5B **46**
Peter Shore Ct. *E1* —1D **51**
Peter's La. *EC1* —1A **46**
Peter St. *W1* —5D **43**
Peto Pl. *NW1* —4A **24**
Peto St. N. *E16* —4B **56**
Peto St. S. *E16* —1C **84**
Petrie Mus. of Egyptian Archaeology.
  —5D **25**
Petticoat La. *E1* —2A **48**
*Petticoat Lane Market. —3B 48*
  *(off Middlesex St.)*
Petticoat Sq. *E1* —3B **48**
Petticoat Tower. *E1* —3B **48**
Petty France. *SW1* —1C **98**
Petyt Pl. *SW3* —3F **117**
Petyward. *SW3* —4A **96**
Pevensey Ho. *E1* —2E **51**
Peverel. *E6* —3D **61**
Peveril Ho. *SE1* —2E **103**
Peyton Pl. *SE10* —4B **132**
Pheasant Clo. *E16* —3F **57**
Phelp St. *SE17* —2D **125**
Phene St. *SW3* —2A **118**
Philadelphia Ct. *SW10* —5C **116**
Philbeach Gdns. *SW5* —5D **93**
Philchurch Pl. *E1* —4E **49**
Philip Ct. *W2* —1D **39**
Philip Ho. *NW6* —4F **5**

Phillimore Gdns. *W8* —5D **65**
Phillimore Gdns. Clo. *W8* —1D **93**
Phillimore Pl. *W8* —5D **65**
Phillimore Ter. *W8* —1E **93**
Phillimore Wlk. *W8* —1D **93**
Phillipp St. *N1* —4F **15**
(in two parts)
Philpot La. *EC3* —5F **47**
Philpot St. *E1* —2F **49**
Phipps Ho. *SE7* —5F **113**
Phipps Ho. *W12* —5A **34**
Phipp St. *EC2* —4F **29**
Phoenix Bus. Cen. *E3* —2E **53**
Phoenix Clo. *E8* —3B **16**
Phoenix Ct. *E14* —4E **109**
Phoenix Ct. *NW1* —1E **25**
Phoenix Ct. *SE14* —3F **129**
Phoenix Lodge Mans. *W6* —3C **90**
Phoenix Pl. *WC1* —4C **26**
Phoenix Rd. *NW1* —2D **25**
Phoenix St. *WC2* —4E **43**
Phoenix Theatre. —4E **43**
Phoenix Wharf. *E1* —3A **78**
Phoenix Wharf Rd. *SE1* —5C **76**
Phoenix Yd. *WC1* —3C **26**
Photographers' Gallery. —5F **43**
Physic Pl. *SW3* —2B **118**
Piazza, The. *WC2* —5A **44**
Piccadilly. *W1* —4F **69**
Piccadilly Arc. *SW1* —2C **70**
Piccadilly Circus. —1D **71**
Piccadilly Cir. *W1* —1D **71**
Piccadilly Pl. *W1* —1C **70**
Piccadilly Theatre. —5C **42**
Pickard St. *EC1* —2A **28**
Pickering Ho. *W2* —4B **38**
Pickering M. *W2* —3A **38**
Pickering Pl. *SW1* —3C **70**
Pickering St. *N1* —3A **14**
Pickfords Wharf. *N1* —1B **28**
Pickfords Wharf. *SE1* —2D **75**
Pickwick Ho. *SE16* —5D **77**
Pickwick Ho. *W11* —2E **63**
Pickwick St. *SE1* —5B **74**
Pickworth Clo. *SW8* —5A **122**
Picton Pl. *W1* —4E **41**
Picton St. *SE5* —5D **125**
Pied Bull Yd. *WC1* —2F **43**
Pier Head. *E1* —3F **77**
(in two parts)
Pierhead Wharf. *E1* —3F **77**
Pier Ho. *SW3* —3A **118**
Pier Pde. *E16* —3E **89**
Pierpoint Building. *E14* —4C **80**
Pierrepont Arc. *N1* —5F **13**
Pierrepont Row. *N1* —5F **13**
Pier Rd. *E16* —5C **88**
Pier St. *E14* —3C **110**
(in two parts)
Pigott St. *E14* —4D **53**
Pikemans Ct. *SW5* —4D **93**
Pilgrimage St. *SE1* —5D **75**
Pilgrim Ho. *SE1* —2E **103**
Pilgrims Cloisters. *SE5* —5F **125**
Pilgrims M. *E14* —5E **55**
Pilgrim St. *EC4* —4F **45**
Pilot Clo. *SE8* —2B **130**
Pilton Pl. *SE17* —5C **102**
Pilton Pl. Est. *SE17* —5C **102**
Pimlico. —1B **120**
Pimlico Ho. *SW1* —5F **97**
Pimlico Rd. *SW1* —5D **97**
Pimlico Wlk. *N1* —2F **29**
Pinchin St. *E1* —5E **49**
Pincombe Ho. *SE17* —5D **103**
Pindar St. *EC2* —1F **47**
Pindock M. *W9* —5A **20**
Pineapple Ct. *SW1* —1B **98**
Pinefield Clo. *E14* —5D **53**
Pine Ho. *SE16* —4C **78**

Pinehurst Ct. *W11* —4C **36**
Pine St. *EC1* —4D **27**
Pine Tree Ho. *SE14* —5D **129**
Pinnace Ho. *E14* —1C **110**
Pinner Ct. *NW8* —4D **21**
Pintail Clo. *E6* —2F **59**
Pintail Ct. *SE8* —2B **130**
Pioneer St. *SE15* —5D **127**
Pioneer Way. *W12* —4A **34**
Pirie St. *E16* —3A **86**
Pitfield Est. *N1* —2F **29**
Pitfield St. *N1* —4F **15**
Pitman St. *SE5* —4B **124**
(in two parts)
Pitsea Pl. *E1* —4E **51**
Pitsea St. *E1* —4E **51**
Pitt's Head M. *W1* —3E **69**
Pitt St. *W8* —4E **65**
Pixley St. *E14* —3C **52**
Place, The. —3E **25**
Plaisterers Highwalk. *EC2* —2B **46**
Plaistow Wharf. *E16* —3D **85**
Planetree Ct. *W6* —3E **91**
Plane Tree Ho. *SE8* —2A **130**
Plantain Pl. *SE1* —4D **75**
Plate Ho. *E14* —5F **109**
Platina St. *EC2* —4E **29**
Platt St. *NW1* —5D **11**
Players Theatre. —2A **72**
Playfair Ho. *E14* —4E **53**
Playfair Mans. *W14* —3A **114**
Playhouse Theatre. —2A **72**
Playhouse Yd. *EC4* —4F **45**
Plaza Pde. *NW6* —5F **5**
Plaza Shop. Cen., The. *W1* —3C **42**
Pleasant Pl. *N1* —2A **14**
Pleasant Row. *NW1* —4A **10**
Plender Pl. *NW1* —4C **10**
Plender St. *NW1* —4A **10**
Plevna St. *E14* —1B **110**
Pleydell Ct. *EC4* —4E **45**
Pleydell Est. *EC1* —3C **28**
Pleydell St. *EC4* —4E **45**
Plimsoll Clo. *E14* —5F **53**
Plough Ct. *EC3* —5E **47**
Ploughmans Clo. *NW1* —3D **11**
Plough Pl. *EC4* —3E **45**
Plough St. *E1* —3C **48**
Plough Way. *SE16* —3E **107**
Plough Yd. *EC2* —5A **30**
Plover Ho. *SW9* —5D **123**
Plover Way. *SE16* —1F **107**
Plowden Bldgs. *EC4* —5D **45**
(off Middle Temple La.)
Plumber's Row. *E1* —2D **49**
Plume Ho. *SE10* —3A **132**
Plumtree Ct. *EC4* —3F **45**
Plymouth Ho. *SE10* —5A **132**
Plymouth Rd. *E16* —2D **57**
Plymouth Wharf. *E14* —3D **111**
Plympton Av. *NW6* —2B **4**
Plympton Pl. *NW8* —5F **21**
Plympton Rd. *NW6* —2B **4**
Plympton St. *NW8* —5F **21**
Pocock St. *SE1* —4F **73**
Pointers Clo. *E14* —5F **109**
Point Hill. *SE10* —5C **132**
Point West. *W8* —3A **94**
Poland St. *W1* —3C **42**
Polesworth Ho. *W2* —1E **37**
Pollard Clo. *E16* —5D **57**
Pollard Ho. *N1* —1B **26**
Pollard Row. *E2* —2E **31**
Pollard St. *E2* —2E **31**
Pollen St. *W1* —4E **43**
Pollitt Dri. *NW8* —4E **21**
Pollock's Toy Mus. —1C **42**
Polygon Rd. *NW1* —1D **25**
Polygon, The. *NW8* —3E **7**
Pomell Way. *E1* —3C **48**

Pomeroy Ho. *E2* —1D **33**
Pomeroy Ho. *W11* —4F **35**
Pomeroy St. *SE14* —5C **128**
Ponder St. *N7* —1B **12**
(in two parts)
Pond Ho. *SW3* —4F **95**
Pond Pl. *SW3* —4F **95**
Ponler St. *E1* —4F **49**
Ponsonby Pl. *SW1* —5E **99**
Ponsonby Ter. *SW1* —5E **99**
Ponton Rd. *SW8* —3E **121**
Pont St. *SW1* —2B **96**
Pont St. M. *SW1* —2B **96**
Pontypool Pl. *SE1* —4F **73**
Poole Ct. *N1* —2A **16**
Poole Ho. *SE11* —3C **100**
Pooles Bldgs. *WC1* —5D **27**
Pooles La. *SW10* —5B **116**
Poole St. *N1* —4D **15**
Pool Ho. *NW8* —1E **39**
Poolmans St. *SE16* —4D **79**
Poonah St. *E1* —4C **50**
Pope Ho. *SE5* —5D **125**
Pope Ho. *SE16* —4F **105**
Pope's Head All. *EC3* —4E **47**
Pope St. *SE1* —5A **76**
Popham Rd. *N1* —3B **14**
Popham St. *N1* —3A **14**
(in two parts)
Poplar. —5E **53**
Poplar Bath St. *E14* —5A **54**
Poplar Bus. Pk. *E14* —1B **82**
Poplar Gro. *W6* —5C **62**
Poplar High St. *E14* —5E **53**
Poplar Ho. *SE16* —5D **79**
Poplar M. *W12* —3B **62**
Poplar Pl. *W2* —5F **37**
Poppins Ct. *EC4* —4F **45**
Porchester Ct. *W2* —5A **38**
Porchester Gdns. *W2* —5A **38**
Porchester Gdns. M. *W2* —4A **38**
Porchester Ga. *W2* —1A **66**
(in two parts)
Porchester Ho. *E1* —3F **49**
Porchester M. *W2* —3A **38**
Porchester Pl. *W2* —4A **40**
Porchester Rd. *W2* —3A **38**
Porchester Sq. *W2* —3A **38**
Porchester Ter. *W2* —4B **38**
Porchester Ter. N. *W2* —3A **38**
Porlock Rd. *W10* —1E **35**
Porlock St. *SE1* —4E **75**
Portcullis Ho. *SW1* —5F **71**
Portelet Ct. *N1* —3F **15**
Portelet Rd. *E1* —3D **33**
Porten Houses. *W14* —2F **91**
Porten Rd. *W14* —2F **91**
Porter Rd. *E6* —3C **60**
Porter St. *SE1* —2C **74**
Porter St. *W1* —1C **40**
Porters Wlk. *E1* —1A **78**
Porteus Rd. *W2* —1C **38**
Portgate Clo. *W9* —4C **18**
Port Ho. *E14* —5F **109**
Portia Ct. *SE11* —5F **101**
Portia Way. *E3* —1B **52**
Porticos, The. *SW3* —3D **117**
Portland Ct. *N1* —2A **16**
Portland Ct. *SE1* —1D **103**
Portland Ct. *SE14* —3F **129**
Portland Ho. *SW1* —2B **98**
Portland M. *W1* —4C **42**
Portland Pl. *W1* —5F **23**
Portland Rd. *W11* —5F **35**
Portland Sq. *E1* —2F **77**
Portland St. *SE17* —5D **103**
Portland Wlk. *SE17* —2E **125**
Portman Clo. *W1* —3C **40**
Portman Ga. *NW1* —5A **22**
Portman Mans. *W1* —1C **40**

Portman M. S. *W1* —4D **41**
Portman Pl. *E2* —3C **32**
Portman Sq. *W1* —3D **41**
Portman St. *W1* —4D **41**
Portman Towers. *W1* —3C **40**
Portnall Rd. *W9* —1B **18**
Portobello Ct. Est. *W11* —4C **36**
Portobello M. *W11* —1D **65**
Portobello Rd. *W10* —1F **35**
Portobello Rd. *W11* —3B **36**
*Portobello Road Market. —4B 36*
*(off Portobello Rd.)*
Portpool La. *WC1* —1D **45**
Portree St. *E14* —3E **55**
Portsea Hall. *W2* —4B **40**
Portsea M. *W2* —4A **40**
Portsea Pl. *W2* —4A **40**
Portsmouth M. *E16* —2A **86**
Portsmouth St. *WC2* —4B **44**
Portsoken St. *EC3* —5B **48**
Portugal St. *WC2* —4B **44**
Pory Ho. *SE11* —4C **100**
Poseidon Ct. *E14* —3D **109**
Postern, The. *EC2* —2C **46**
Post Office Ct. *EC4* —4E **47**
Post Office Way. *SW8* —4D **121**
Potier St. *SE1* —2E **103**
Potters Fields. *SE1* —3A **76**
Potters Lodge. *E14* —5B **110**
Pottery La. *W11* —2A **64**
Pottery St. *SE16* —5F **77**
Pott St. *E2* —3A **32**
Poultry. *EC2* —4D **47**
Povey Ho. *SE17* —4F **103**
Powis Ct. *W11* —3C **36**
Powis Gdns. *W11* —3C **36**
Powis M. *W11* —3C **36**
Powis Pl. *WC1* —5A **26**
Powis Sq. *W11* —3C **36**
(in two parts)
Powis Ter. *W11* —3C **36**
Powlett Ho. *NW1* —1F **9**
Powlett Pl. *NW1* —1F **9**
Pownall Rd. *E8* —4D **17**
Poynter Ho. *NW8* —4D **21**
Poynter Ho. *W11* —2E **63**
Poyser St. *E2* —1A **32**
Praed M. *W2* —3E **39**
Praed St. *W2* —4D **39**
Pratt M. *NW1* —4B **10**
Pratt St. *NW1* —4B **10**
Pratt Wlk. *SE11* —3C **100**
Preachers Ct. *EC1* —5A **28**
Prebend St. *N1* —4B **14**
Precinct, The. *N1* —4B **14**
(in two parts)
Premier Corner. *W9* —1B **18**
Premiere Pl. *E14* —1D **81**
Premier Ho. *N1* —2F **13**
Prescot St. *E1* —5C **48**
Prescott Ho. *SE5* —3A **124**
President Dri. *E1* —2F **77**
President Ho. *EC1* —3A **28**
President Quay. *E1* —2C **76**
President St. *EC1* —2B **28**
Prestage Way. *E14* —5C **54**
Preston Clo. *SE1* —3F **103**
Preston Ho. *SE1* —1B **104**
Preston Ho. *SE17* —3F **103**
Preston's Rd. *E14* —1C **82**
Preston St. *E2* —1E **33**
Prestwood Ho. *SE16* —1F **105**
Prestwood St. *N1* —1C **28**
Priam Ho. *E2* —1A **32**
Price Ho. *N1* —4B **14**
Price's St. *SE1* —3A **74**
Price's Yd. *N1* —4C **12**
Prideaux Pl. *WC1* —2C **26**
Priestley Ho. *EC1* —4B **28**
Priest's Ct. *EC2* —3B **46**

Prima Rd. *SW9* —4D **123**
*Prime Meridian Line, The. —4E 133*
*(off Royal Observatory Greenwich)*
**Primrose Hill. —3A 8**
Primrose Hill. *EC4* —4E **45**
Primrose Hill Ct. *NW3* —2B **8**
Primrose Hill Rd. *NW3* —1A **8**
Primrose Hill Studios. *NW1* —3D **9**
Primrose M. *NW1* —2C **8**
Primrose St. *EC2* —1F **47**
Primrose Wlk. *SE14* —4A **130**
Prince Albert Ct. *NW8* —4B **8**
Prince Albert Rd. *NW1 & NW8* —2F **21**
*Prince Charles Cinema. —5E 43*
Prince Consort Rd. *SW7* —1C **94**
Princedale Rd. *W11* —2F **63**
Prince Edward Mans. *W2* —5E **37**
*Prince Edward Theatre. —4E 43*
Princelet St. *E1* —1C **48**
Prince of Wales Dri. *SW11 & SW8*
—5E **119**
Prince of Wales Mans. *SW11* —5E **119**
Prince of Wales Pas. *NW1* —3B **24**
Prince of Wales Rd. *E16* —4C **58**
Prince of Wales Ter. *W8* —5A **66**
*Prince of Wales Theatre. —1D 71*
Prince Regent Ct. *NW8* —5A **8**
Prince Regent Ct. *SE16* —1A **80**
Prince Regent La. *E13 & E16* —1B **58**
Prince Regent M. *NW1* —3B **24**
*Prince Regent's Ga. NW8 —4A 22*
*(off Paveley St.)*
Princes Arc. *W1* —2C **70**
Princes Cir. *WC2* —3F **43**
Prince's Ct. *SE16* —2B **108**
Prince's Ct. *SW3* —1B **96**
Princes Ct. Bus. Cen. *E1* —1A **78**
Prince's Gdns. *SW7* —1E **95**
Prince's Ga. *SW7* —5E **67**
(in six parts)
Prince's Ga. Ct. *SW7* —5E **67**
Prince's Ga. M. *SW7* —1E **95**
Prince's M. *W2* —5E **37**
Princes M. *W6* —5A **90**
Princes Pl. *SW1* —2C **70**
Princes Pl. *W11* —2F **63**
Princes Riverside Rd. *SE16* —2D **79**
Princess Ct. *W1* —2B **40**
Princess Ct. *W2* —5A **38**
Princess Louise Clo. *W2* —1E **39**
Princess Mary Ho. *SW1* —4E **99**
Prince's Sq. *W2* —5E **37**
Princess Rd. *NW1* —3D **9**
Princess Rd. *NW6* —1D **19**
Princess St. *SE1* —2A **102**
Prince's St. *EC2* —4D **47**
Princes St. *W1* —4A **42**
Prince's Tower. *SE16* —4B **78**
Prince St. *SE8* —2C **130**
Prince's Yd. *W11* —3A **64**
Princethorpe Ho. *W2* —1F **37**
Princeton St. *WC1* —2B **44**
Pring St. *W10* —5D **35**
Printers Inn Ct. *EC4* —3D **45**
Printer St. *EC4* —3E **45**
Printing Ho. Yd. *E2* —3A **30**
Printon Ho. *E14* —2C **52**
Prioress St. *SE1* —2E **103**
Prior St. *SE10* —5B **132**
Priory Ct. *EC4* —4A **46**
Priory Grn. Est. *N1* —5C **12**
Priory Ho. *E1* —1B **48**
Priory Ho. *EC1* —4F **27**
Priory Ho. *SW1* —5D **99**
Priory Pk. Rd. *NW6* —3C **4**
(in two parts)
Priory Rd. *NW6* —3F **5**
Priory Ter. *NW6* —3F **5**
Priory Wlk. *SW10* —1C **116**
Pritchard Ho. *E2* —5F **17**

Pritchard's Rd. *E2* —4E **17**
Priter Rd. *SE16* —2E **105**
Priter Way. *SE16* —2E **105**
Probyn Ho. *SW1* —3E **99**
Procter Ho. *SE1* —5D **105**
Procter Ho. *SE5* —5E **125**
Procter St. *WC1* —2B **44**
Prospect Ho. *N1* —1D **27**
Prospect Ho. *SE1* —2F **101**
Prospect Ho. *W10* —4E **35**
Prospect Pl. *E1* —2B **78**
Prospect Pl. *SE8* —2B **130**
Prospect St. *SE16* —1A **106**
Prospect Wharf. *E1* —1C **78**
Prothero Rd. *SW6* —4A **114**
Provence St. *N1* —5B **14**
Providence Ct. *W1* —5E **41**
Providence Pl. *N1* —4F **13**
Providence Row. *N1* —1B **26**
Providence Row Clo. *E2* —3A **32**
Providence Sq. *SE1* —4D **77**
Providence Tower. *SE16* —4D **77**
Providence Yd. *E2* —2D **31**
Provost Ct. *NW3* —1B **8**
Provost Est. *N1* —2D **29**
Provost Rd. *NW3* —1C **8**
Provost St. *N1* —1D **29**
Prowse Pl. *NW1* —1B **10**
Prudent Pas. *EC2* —4C **46**
Prusom's Island. *E1* —2B **78**
Prusom St. *E1* —2A **78**
Pudding La. *EC3* —1E **75**
Puddle Dock. *EC4* —5A **46**
(in two parts)
Pugin Ct. *N1* —2E **13**
Pulham Ho. *SW8* —5B **122**
Pullen's Bldgs. *SE17* —5A **102**
Pulteney Ter. *N1* —4C **12**
(in two parts)
Pulton Pl. *SW6* —5D **115**
Puma Ct. *E1* —1B **48**
Pump Ct. *EC4* —4D **45**
Pump La. *SE14* —4C **128**
Punderson's Gdns. *E2* —2A **32**
Purbeck Ho. *SW8* —5B **122**
Purbrook Est. *SE1* —5A **76**
Purbrook St. *SE1* —1A **104**
Purcell Ho. *SW10* —3D **117**
Purcell Mans. *W14* —3A **114**
*Purcell Room. —2C 72*
Purcell St. *N1* —5F **15**
Purchese St. *NW1* —5D **11**
Purley Pl. *N1* —1F **13**
Pusey Ho. *E14* —4E **53**
Puteaux Ho. *E2* —1D **33**
Pylon Trad. Est. *E16* —1F **55**
Pynfolds. *SE16* —5A **78**

**Q**uadrangle Clo. *SE1* —3F **103**
Quadrangle, The. *W2* —3F **39**
Quadrangle, The. *W12* —4A **34**
Quadrant Arc. *W1* —1C **70**
Quadrant Ho. *SE1* —3F **73**
Quain Mans. *W14* —3A **114**
Quaker Ct. *E1* —5B **30**
Quaker Ct. *EC1* —4C **28**
Quaker St. *E1* —5B **30**
Quality Ct. *WC2* —3D **45**
Quarley Way. *SE15* —4B **126**
Quarterdeck, The. *E14* —5D **81**
Quay Ho. *E14* —4E **81**
Quayside Cotts. *E1* —2D **77**
Quayside Ct. *SE16* —2D **79**
Quayside Ho. *E14* —3D **81**
Quay Vw. Apartments. *E14* —2E **109**
Quebec M. *W1* —4C **40**
Quebec Way. *SE16* —5E **79**
Quebec Way Ind. Est. *SE16* —1F **107**
Quedgeley Ct. *SE15* —3B **126**

Rayleigh Rd. *E16* —2A **86**
Raymede Towers. *W10* —1F **35**
Raymond Bldgs. *WC1* —1C **44**
Raymond Revuebar. —5D **43**
Raymouth Rd. *SE16* —3A **106**
Rayne Ho. *W9* —4F **19**
Rayner Ct. *W12* —5C **62**
Raynham. *W2* —3F **39**
Raynham Rd. *W6* —3A **90**
Raynor Pl. *N1* —3C **14**
Ray St. *EC1* —5E **27**
Ray St. Bri. *EC1* —5E **27**
Reachview Clo. *NW1* —2C **10**
Reade Ho. *SE10* —2E **133**
Read Ho. *SE11* —2D **123**
Reading Ho. *SE15* —3E **127**
Reading Ho. *W2* —4B **38**
Reapers Clo. *NW1* —3D **11**
Reardon Ho. *E1* —2A **78**
Reardon Path. *E1* —3A **78**
(in two parts)
Reardon St. *E1* —2F **77**
Reaston St. *SE14* —4C **128**
Record St. *SE15* —2B **128**
Rector St. *N1* —4B **14**
Rectory Sq. *E1* —1E **53**
Reculver Ho. *SE15* —2C **128**
Reculver Rd. *SE16* —5D **107**
Red Anchor Clo. *SW3* —3E **117**
Redan Pl. *W2* —4F **37**
Redan St. *W14* —1E **91**
Redbourne Ho. *E14* —3B **52**
Redbourn Ho. *W10* —1B **34**
Redbridge Gdns. *SE5* —5A **126**
Redburn St. *SW3* —2B **118**
Redcar St. *SE5* —5B **124**
Redcastle Clo. *E1* —5B **50**
Redchurch St. *E1* —4B **30**
Redcliffe Clo. *SW5* —1F **115**
Redcliffe Gdns. *SW5 & SW10*
—1A **116**
Redcliffe M. *SW10* —1A **116**
Redcliffe Pl. *SW10* —3B **116**
Redcliffe Rd. *SW10* —1B **116**
Redcliffe Sq. *SW10* —1A **116**
Redcliffe St. *SW10* —2A **116**
Redclyf Ho. *E1* —4C **32**
Redcross Way. *SE1* —4C **74**
Reddins Rd. *SE15* —3D **127**
Rede Pl. *W2* —4E **37**
Redesdale St. *SW3* —2A **118**
Redfield La. *SW5* —3E **93**
Redfield M. *SW5* —3E **93**
Redford Wlk. *N1* —3A **14**
Redgrave Ter. *E2* —3E **31**
Redhill St. *NW1* —1A **24**
Red Ho. Sq. *N1* —1C **14**
Redington Ho. *N1* —5C **12**
Red Lion Clo. *SE17* —2D **125**
Red Lion Ct. *EC4* —4E **45**
Red Lion Ct. *SE1* —2C **74**
Red Lion Row. *SE17* —2C **124**
Red Lion Sq. *WC1* —2B **44**
Red Lion St. *WC1* —1B **44**
Red Lion Yd. *W1* —2F **69**
Redman Ho. *EC1* —1D **45**
Redman Ho. *SE1* —5C **74**
Redman's Rd. *E1* —1B **50**
Redmead La. *E1* —3D **77**
Redmill Ho. *E1* —5A **32**
Redmond Ho. *N1* —4C **12**
Redmore Rd. *W6* —3A **90**
Red Pl. *W1* —5D **41**
Redriff Est. *SE16* —1A **108**
Redriff Rd. *SE16* —3D **107**
Redrup Ho. *SE14* —3D **129**
Redstart Clo. *E6* —1F **59**
Redstart Clo. *SE14* —4F **129**
Redvers St. *N1* —2A **30**
Redwood Clo. *SE16* —3A **80**

Redwood Ct. *NW6* —2A **4**
Redwood Mans. *W8* —2F **93**
Reece M. *SW7* —3D **95**
Reed Clo. *E16* —2D **57**
Reed's Pl. *NW1* —1B **10**
Reedworth St. *SE11* —4E **101**
Reef Ho. *E14* —1C **110**
Rees St. *N1* —4C **14**
Reeves Ho. *SE1* —5D **73**
Reeves M. *W1* —1D **69**
Regal Clo. *E1* —1E **49**
Regal La. *NW1* —4E **9**
Regal Pl. *SW6* —5A **116**
Regan Way. *N1* —5F **15**
Regency Ho. *E16* —2E **85**
Regency Ho. *NW1* —4A **24**
Regency Lodge. *NW3* —2D **7**
Regency M. *SW9* —5A **124**
Regency Pl. *SW1* —3E **99**
Regency St. *SW1* —3E **99**
Regency Ter. *SW7* —5D **95**
Regent Ct. *NW8* —3F **21**
Regent Ho. *W14* —3F **91**
Regent Pl. *W1* —5C **42**
Regent's Bri. Gdns. *SW8* —4A **122**
Regents Canal Ho. *E14* —4A **52**
Regents Ct. *E8* —4C **16**
Regents Ga. Ho. *E14* —5F **51**
Regents M. *NW8* —5C **6**
**Regent's Park.** —2A **24**
Regent's Pk. —2D **23**
Regents Pk. Est. *NW1* —2B **24**
Regent's Pk. Gdns. M. *NW1* —3C **8**
Regent's Pk. Ho. *NW1* —2B **24**
Regent's Pk. Open Air Theatre.
—3D **23**
Regent's Pk. Rd. *NW1* —2C **8**
(in two parts)
Regent's Pk. Ter. *NW1* —3F **9**
Regents Plaza. *NW6* —5F **5**
Regent Sq. *WC1* —3A **26**
Regent's Row. *E8* —4D **17**
Regent St. *SW1* —1D **71**
Regent St. *W1* —3A **42**
Regents Wharf. *E8* —4F **17**
Regents Wharf. *N1* —5B **12**
Reginald Pl. *SE8* —5D **131**
Reginald Rd. *SE8* —5D **131**
Reginald Sq. *SE8* —5D **131**
Regina Point. *SE16* —1C **106**
Regis Ct. *NW1* —1B **40**
Regis Ho. *W1* —1E **41**
Regnart Bldgs. *NW1* —4C **24**
Relay Rd. *W12* —1C **62**
Reliance Sq. *EC2* —4A **30**
Relton M. *SW7* —1A **96**
Rembold Ho. *SE10* —5B **132**
Rembrandt Clo. *E14* —2D **111**
Rembrandt Clo. *SW1* —5D **97**
Rembrandt Ct. *SE16* —5A **106**
Remington Rd. *E6* —3F **59**
Remington St. *EC1* —1A **28**
Remnant St. *WC2* —3B **44**
Remsted Ho. *NW6* —4F **5**
Remus Building, The. *EC1* —3E **27**
Renforth St. *SE16* —5C **78**
Renfrew Clo. *E6* —5D **61**
Renfrew Rd. *SE11* —3F **101**
Rennie Cotts. *E1* —4C **32**
Rennie Ct. *SE1* —2F **73**
Rennie Est. *SE16* —4A **106**
Rennie Ho. *SE1* —2B **102**
Rennie St. *SE1* —2F **73**
(in two parts)
Renoir Ct. *SE16* —5A **106**
Rephidim St. *SE1* —2E **103**
Reporton Rd. *SW6* —5A **114**
Repton Ho. *E14* —3F **51**
Repton Ho. *SW1* —4C **98**
Repton St. *E14* —3A **52**

Reservoir Studios. *E1* —4E **51**
Restell Clo. *SE3* —2F **133**
Reston Pl. *SW7* —5B **66**
Restormel Ho. *SE11* —4E **101**
Retford St. *N1* —1A **30**
Reunion Row. *E1* —1A **78**
Reveley Sq. *SE16* —5A **80**
Reverdy Rd. *SE1* —4D **105**
Rewell St. *SW6* —5B **116**
Rex Pl. *W1* —1E **69**
Reynard Pl. *SE14* —3A **130**
Reynolds Ho. *NW8* —1E **21**
Reynolds Ho. *SW1* —4E **99**
Rheidol M. *N1* —5B **14**
Rheidol Ter. *N1* —5A **14**
Rhoda St. *E2* —4D **30**
Rhodes Ho. *N1* —2D **29**
Rhodes Ho. *W12* —2A **62**
Rhodeswell Rd. *E14* —1A **52**
Ribblesdale Ho. *NW6* —3E **5**
Ricardo St. *E14* —4F **53**
Riceyman Ho. *WC1* —3D **27**
Richard Anderson Ct. *SE14* —4D **129**
Richard Ho. *SE16* —4C **106**
Richard Ho. Dri. *E16* —4E **59**
Richard Neale Ho. *E1* —5A **50**
Richardson Clo. *E8* —3B **16**
Richardson's M. *W1* —5B **24**
Richard's Pl. *SW3* —3A **96**
Richard St. *E1* —3F **49**
Richbell Pl. *WC1* —1B **44**
Richborne Ter. *SW8* —4B **122**
Richborough Ho. *SE15* —3C **128**
Richford Ga. *W6* —1B **90**
Richford St. *W6* —5B **62**
Rich Ind. Est. *SE15* —3A **128**
Rich La. *SW5* —1F **115**
Richman Ho. *SE8* —1B **130**
Richmond Av. *N1* —3C **12**
Richmond Bldgs. *W1* —4D **43**
Richmond Cotts. *W14* —3A **92**
Richmond Ct. *SW1* —5C **68**
Richmond Cres. *N1* —3C **12**
Richmond Gro. *N1* —2F **13**
(in two parts)
Richmond Ho. *NW1* —1A **24**
Richmond Ho. *SE17* —5D **103**
Richmond M. *W1* —4D **43**
Richmond Rd. *E8* —1B **16**
Richmond Ter. *SW1* —4F **71**
Richmond Way. *W12 & W14* —4E **63**
Rich St. *E14* —5C **52**
Rickett St. *SW6* —2E **115**
Rickman Ho. *E1* —3C **32**
Rickman St. *E1* —3C **32**
Riddell Ct. *SE5* —5B **104**
Ridgewell Clo. *N1* —3C **14**
Ridgmount Gdns. *WC1* —5D **25**
Ridgmount Pl. *WC1* —1D **43**
Ridgmount St. *WC1* —1D **43**
Ridgwell Rd. *E16* —1C **58**
Riding Ho. St. *W1* —2A **42**
Rifle Ct. *SE11* —2E **123**
Rifle Pl. *W11* —2E **63**
Rifle St. *E14* —2A **54**
Riga Ho. *E1* —1E **51**
Rigden St. *E14* —4F **53**
Riley Ho. *SW10* —4D **117**
Riley Rd. *SE1* —1A **104**
Riley St. *SW10* —3D **117**
Rill Ho. *SE5* —5E **125**
Ring Ho. *E1* —5B **50**
Ringlet Clo. *E16* —2F **57**
Ring Rd. *W12* —1B **62**
Ringsfield Ho. *SE17* —1C **124**
Ring, The. *W2* —1E **67**
Ringwood Gdns. *E14* —3E **109**
Ripley Ho. *SW1* —2B **120**
Ripley Rd. *E16* —3B **58**
Ripplevale Gro. *N1* —2C **12**

Risborough. *SE17* —3B **102**
Risborough Ho. *NW1* —4A **22**
Risborough St. *SE1* —4A **74**
Risdon Ho. *SE16* —5C **78**
Risdon St. *SE16* —5B **78**
Risinghill St. *N1* —5D **13**
Rising Sun Ct. *EC1* —2A **46**
Rita Rd. *SW8* —3A **122**
Ritchie Ho. *E14* —4D **55**
Ritchie Ho. *SE16* —1B **106**
Ritchie St. *N1* —5E **13**
Ritson Ho. *N1* —4B **12**
Riven Ct. *W2* —4A **38**
River Barge Clo. *E14* —5C **82**
River Ct. *SE1* —1F **73**
Riverfleet. *WC1* —2A **26**
River Pl. *N1* —2B **14**
Riverside. *SE7* —2B **113**
Riverside. *WC1* —2A **26**
Riverside Ct. *SE16* —2E **79**
Riverside Ct. *SW8* —1E **121**
Riverside Gdns. *W6* —5A **90**
Riverside Ho. *N1* —1B **14**
Riverside Mans. *E1* —2B **78**
Riverside Wlk. *SE10* —2F **111**
(Morden Wharf Rd.)
Riverside Wlk. *SE10* —5E **83**
(Tunnel Av.)
Riverside Workshops. *SE1* —2C **74**
River St. *EC1* —2D **27**
River Ter. *WC2* —1B **72**
Riverton Clo. *W9* —3C **18**
Riverview Heights. *SE16* —4D **77**
River Way. *SE10* —1B **112**
Rivet Ho. *SE1* —5C **104**
Rivington Bldgs. *EC2* —3F **29**
Rivington Pl. *EC2* —3A **30**
Rivington St. *EC2* —3F **29**
Rivington Wlk. *E8* —5E **17**
Roan St. *SE10* —3B **132**
Robert Adam St. *W1* —3D **41**
Roberta St. *E2* —2D **31**
Robert Bell Ho. *SE16* —3D **105**
Robert Clo. *W9* —5C **20**
Robert Dashwood Way. *SE17*
—4B **102**
Robert Gentry Ho. *W14* —1A **114**
Robert Jones Ho. *SE16* —3D **105**
Robert Lowe Clo. *SE14* —4E **129**
Roberts Clo. *SE16* —5E **79**
Roberts Ct. *N1* —4A **14**
Roberts M. *SW1* —2D **97**
Roberts Pl. *EC1* —4E **27**
Robert St. *E16* —3F **89**
Robert St. *NW1* —3A **24**
Robert St. *WC2* —1A **72**
Robert Sutton Ho. *E1* —5B **50**
Robeson St. *E3* —1C **52**
Robin Ct. *E14* —1C **110**
Robin Ct. *SE16* —3D **105**
Robin Cres. *E6* —1E **59**
Robin Hood Gdns. *E14* —5B **54**
(in two parts)
Robin Hood La. *E14* —5C **54**
Robin Ho. *NW8* —1F **21**
Robinson Ct. *N1* —3A **14**
Robinson Ho. *E14* —2D **53**
Robinson Ho. *W10* —4D **35**
Robinson Rd. *E2* —1B **32**
Robinson St. *SW3* —2B **118**
Robson Clo. *E6* —3F **59**
Roby Ho. *EC1* —4B **28**
Rochdale Way. *SE8* —4D **131**
Roche Ho. *E14* —5C **52**
Rochelle St. *E2* —3B **30**
(in two parts)
Rochemont Wlk. *E8* —4D **17**
Rochester Ct. *E2* —3F **31**
Rochester Ct. *NW1* —1C **10**
Rochester Ho. *SE1* —5D **75**

Rochester Ho. *SE15* —3C **128**
Rochester M. *NW1* —1C **10**
Rochester Pl. *NW1* —1B **10**
Rochester Rd. *NW1* —1B **10**
Rochester Row. *SW1* —3C **98**
Rochester Sq. *NW1* —1C **10**
Rochester St. *SW1* —2D **99**
Rochester Ter. *NW1* —1B **10**
Rochester Wlk. *SE1* —3D **75**
Rochford Wlk. *E8* —1E **17**
Rochfort Ho. *SE8* —1B **130**
*Rock Circus. —1D 71*
*(off Piccadilly Circus)*
Rockfield Ho. *SE10* —2B **132**
Rock Gro. Way. *SE16* —3E **105**
(in two parts)
Rockingham St. *SE1* —2B **102**
Rockley Ct. *W14* —5D **63**
Rockley Rd. *W14* —4D **63**
Rockwood Pl. *W12* —4C **62**
Rocliffe St. *N1* —1A **28**
Rocque Ho. *SW6* —4B **114**
Rodborough Ct. *W9* —5D **19**
Roderick Ho. *SE16* —3B **106**
Rodin Ct. *N1* —4F **13**
Roding Ho. *N1* —4D **13**
Roding M. *E1* —2E **77**
Roding Rd. *E6* —1F **61**
Rodmarton St. *W1* —2C **40**
Rodmell. *WC1* —3A **26**
Rodmere St. *SE10* —5A **112**
Rodney Ct. *NW8* —4C **20**
Rodney Ho. *E14* —4F **109**
Rodney Ho. *N1* —1C **26**
Rodney Ho. *SW1* —1C **120**
Rodney Ho. *W11* —5D **37**
Rodney Pl. *SE17* —3C **102**
Rodney Rd. *SE17* —3C **102**
Rodney St. *N1* —1C **26**
Roebourne Way. *E16* —3D **89**
Roebuck Ho. *SW1* —1B **98**
Roffey St. *E14* —5B **82**
Roger Dowley Ct. *E2* —1B **32**
Rogers Ct. *E14* —1D **81**
Rogers Est. *E2* —3C **32**
Rogers Ho. *SW1* —3E **99**
Rogers Rd. *E16* —3C **56**
Roger St. *WC1* —5C **26**
Rohere Ho. *EC1* —2B **28**
Roland Gdns. *SW7* —5C **94**
Roland Ho. *SW7* —5C **94**
Roland M. *E1* —1D **51**
Roland Way. *SE17* —1E **125**
Roland Way. *SW7* —5C **94**
Rollins St. *SE15* —2C **128**
Rolls Bldgs. *EC4* —3E **45**
Rolls Pas. *WC2* —3D **45**
Rolls Rd. *SE1* —5C **104**
Rolt St. *SE8* —2F **129**
(in two parts)
Roman Ho. *EC2* —2C **46**
Roman Rd. *E2 & E3* —3B **32**
Roman Way. *N7* —1C **12**
Roman Way. *SE15* —5B **128**
Roman Way Ind. Est. *N7* —1C **12**
Romford St. *E1* —2E **49**
Romilly St. *W1* —5E **43**
Romney Clo. *SE14* —5C **128**
Romney Ct. *W12* —4C **62**
Romney M. *W1* —1D **41**
Romney Rd. *SE10* —3C **132**
Romney St. *SW1* —2E **99**
Ronald Buckingham Ct. *SE16*
—4C **78**
Ronald St. *E1* —5C **50**
Rood La. *EC3* —5F **47**
Rooke Way. *SE10* —5B **112**
Rook Wlk. *E6* —5F **59**
Rootes Dri. *W10* —1D **35**
Ropemaker Rd. *SE16* —1F **107**

Ropemaker's Fields. *E14* —1B **80**
Ropemaker St. *EC2* —1D **47**
Roper La. *SE1* —5A **76**
Ropers Orchard. *SW3* —3F **117**
Rope St. *SE16* —3F **107**
Rope Wlk. Gdns. *E1* —3E **49**
Ropley St. *E2* —1D **31**
Rosalind Ho. *N1* —1A **30**
Rosaline Rd. *SW6* —5A **114**
Rosaline Ter. *SW6* —5A **114**
Rosary Gdns. *SW7* —4B **94**
Rosaville Rd. *SW6* —5B **114**
Roscoe St. *EC1* —5C **28**
(in two parts)
Roscoe St. Est. *EC1* —5C **28**
Rose All. *EC2* —4B **28**
Rose All. *SE1* —2C **74**
Rose & Crown Ct. *EC2* —3B **46**
Rose & Crown Yd. *SW1* —2C **70**
Rosebank Wlk. *NW1* —1E **11**
Roseberry St. *SE1* —4F **105**
Rosebery Av. *EC1* —5D **27**
Rosebery Ct. *EC1* —4D **27**
Rosebery Ho. *E2* —1D **33**
Rosebery Sq. *EC1* —5D **27**
Rose Ct. *E1* —2B **48**
Rosedale Ter. *W6* —2A **90**
Rosefield Gdns. *E14* —5D **53**
Roseford Ct. *W12* —5D **63**
Rosehart M. *W11* —4D **37**
Rosemary Ct. *SE8* —2B **131**
Rosemary Dri. *E14* —4D **55**
Rosemary Ho. *N1* —4E **15**
Rosemary Rd. *SE15* —4C **126**
Rosemary St. *N1* —3D **15**
Rosemoor St. *SW3* —4B **96**
Roserton St. *E14* —5B **82**
Rose Sq. *SW7* —4E **95**
Rose St. *WC2* —5F **43**
(in two parts)
Rosetta Clo. *SW8* —5A **122**
Rosewood Ho. *SW8* —2B **122**
Roslin Ho. *E1* —5D **51**
Rosmead Rd. *W11* —5A **36**
Rosoman Pl. *EC1* —4E **27**
Rosoman St. *EC1* —3E **27**
Rosscourt Mans. *SW1* —1A **98**
Rossendale Way. *NW1* —2C **10**
Rosseth M. *NW8* —4E **7**
Rossetti Ct. *WC1* —1D **43**
Rossetti Ho. *SW1* —4E **99**
Rossetti M. *NW8* —4E **7**
Rossetti Rd. *SE16* —5F **105**
Ross Ho. *E1* —3A **78**
Rosslyn Mans. *NW6* —1C **6**
Rossmore Clo. *NW1* —5A **22**
Rossmore Ct. *NW1* —4B **22**
Rossmore Rd. *NW1* —5A **22**
Rotary St. *SE1* —1F **101**
Rothay. *NW1* —2A **24**
Rothbury Hall. *SE10* —4A **112**
Rotherfield Ct. *N1* —2D **15**
(in two parts)
Rotherfield St. *N1* —2B **14**
Rotherham Wlk. *SE1* —3F **73**
**Rotherhithe. —4C 78**
Rotherhithe New Rd. *SE16* —1E **127**
Rotherhithe Old Rd. *SE16* —3D **107**
Rotherhithe St. *SE16* —4B **78**
Rotherwick Ho. *E1* —1D **77**
Rothery St. *N1* —3A **14**
Rothesay Ct. *SE11* —3D **123**
Rothley Ct. *NW8* —4D **21**
Rothsay St. *SE1* —1F **103**
Rothsay Wlk. *E14* —3E **109**
Rothwell St. *NW1* —3C **8**
Rotten Row. *SW7 & SW1* —4E **67**
Rotterdam Dri. *E14* —2C **110**
Rouel Rd. *SE16* —1D **105**
(Old Jamaica Rd.)

Rouel Rd. *SE16* —3D **105**
(Yalding Rd.)
Roundhouse Theatre, The. —1E **9**
Roupell St. *SE1* —3E **73**
Rousden St. *NW1* —2B **10**
Routh St. *E6* —2C **60**
Rover Ho. *N1* —4A **16**
Rowallan Rd. *SW6* —5A **114**
Rowan Ct. *SE15* —4B **126**
*Rowan Ho. SE16* —5D **79**
(off Woodland Cres.)
Rowan Lodge. *W8* —2F **93**
Rowan Rd. *W6* —4D **91**
Rowan Ter. *W6* —3D **91**
Rowcross St. *SE1* —5B **104**
Rowington Clo. *W2* —1F **37**
Rowland Hill Ho. *SE1* —4F **73**
Rowley Ho. *SE8* —1E **131**
Rowley Way. *NW8* —3A **6**
Roxby Pl. *SW6* —2E **115**
Roxwell. *NW1* —1F **9**
Royal Academy of Arts. —1B **70**
Royal Air Force Memorial. —3A **72**
Royal Albert Hall. —5D **67**
Royal Albert Way. *E16* —5E **59**
Royal Arc. *W1* —1B **70**
Royal Av. *SW3* —5B **96**
Royal Av. Ho. *SW3* —5B **96**
Royal Belgrave Ho. *SW1* —4A **98**
Royal Ceremonial Dress Collection,
The. —3F **65**
Royal Clo. *SE8* —2B **130**
Royal College St. *NW1* —1B **10**
Royal Ct. *EC3* —4E **47**
Royal Ct. *SE16* —1B **108**
Royal Courts of Justice. —4C **44**
Royal Court Theatre. —4D **97**
Royal Cres. *W11* —4E **63**
Royal Cres. M. *W11* —3E **63**
Royal Docks Rd. *E6 & Bark* —2F **61**
Royal Exchange. —4E **47**
Royal Exchange Av. *EC3* —4E **47**
Royal Exchange Bldgs. *EC2* —4E **47**
Royal Festival Hall. —3C **72**
*Royal Fusiliers Mus.* —1B **76**
(off Tower of London)
Royal Hill. *SE10* —4C **132**
Royal Hill Ct. *SE10* —4B **132**
Royal Hospital Chelsea Mus.
—1D **119**
Royal Hospital Rd. *SW3* —3B **118**
Royal M. *SW1* —1A **98**
Royal Mews, The. —1A **98**
Royal Mint Ct. *EC3* —1C **76**
Royal Mint Pl. *E1* —5C **48**
Royal Mint St. *E1* —5C **48**
Royal National Theatre. —2D **73**
Royal Naval Pl. *SE14* —4B **130**
Royal Oak Ct. *N1* —2F **29**
Royal Oak Yd. *SE1* —5F **75**
Royal Observatory Greenwich.
—4E **133**
Royal Opera Arc. *SW1* —2D **71**
Royal Opera House. —4A **44**
Royal Pde. *SW6* —4A **114**
Royal Pl. *SE10* —5C **132**
Royal Rd. *E16* —4D **59**
Royal Rd. *SE17* —2F **123**
Royal St. *SE1* —1C **100**
Royal Tower Lodge. *E1* —1D **77**
Royalty M. *W1* —4D **43**
Royalty Studios. *W10* —4A **36**
Royal Victoria Pl. *E16* —2F **85**
Royal Victor Pl. *E3* —1E **33**
Royal Westminster Lodge. *SW1*
—3D **99**
Roy Sq. *E14* —5A **52**
Royston Ho. *SE15* —3F **127**
Royston St. *E2* —1C **32**
Rozel Ct. *N1* —3F **15**

Ruby St. *SE15* —2F **127**
Ruby Triangle. *SE15* —2F **127**
Rucklidge Pas. *NW6* —1C **18**
(off Carlton Va.)
Rudbeck Ho. *SE15* —4D **127**
Rudge Ho. *SE16* —1E **105**
Rudgwick Ter. *NW8* —4A **8**
Rudolf Ho. *SW8* —3A **122**
Rudolph Rd. *NW6* —1E **19**
Rufford St. *N1* —3A **12**
Rufus Ho. *SE1* —1B **104**
Rufus St. *EC1* —3F **29**
Rugby Mans. *W14* —3A **92**
Rugby St. *WC1* —5B **26**
Rugg St. *E14* —5D **53**
Rugless Ho. *E14* —5B **82**
Rugmere. *NW1* —1E **9**
Rumball Ho. *SE5* —5F **125**
Rumbold Rd. *SW6* —5A **116**
Rum Clo. *E1* —1B **78**
Rumford Ho. *SE1* —2B **102**
Runacres Ct. *SE17* —1B **124**
Runcorn Pl. *W11* —5F **35**
Rupack St. *SE16* —3B **78**
Rupert Ct. *W1* —5D **43**
Rupert Ho. *SE11* —4E **101**
Rupert Rd. *NW6* —1C **18**
Rupert St. *W1* —5D **43**
Ruscoe Rd. *E16* —3B **56**
Rushcutters Ct. *SE16* —3A **108**
Rushmead. *E2* —3F **31**
Rushmore Ho. *W14* —2A **92**
Rushton St. *N1* —5E **15**
Rushworth St. *SE1* —4A **74**
Ruskin Ho. *SW1* —4E **99**
Ruskin Mans. *W14* —3A **114**
Russell Ct. *SW1* —3C **70**
Russell Ct. *WC1* —5F **25**
*Russell Flint Ho. E16* —2A **86**
(off Pankhurst Av.)
Russell Gdns. *W14* —1F **91**
Russell Gdns. M. *W14* —5F **63**
Russell Gro. *SW9* —5E **123**
Russell Ho. *E14* —4E **53**
Russell Ho. *SW1* —5B **98**
Russell Lodge. *SE1* —1D **103**
Russell Pl. *SE16* —2F **107**
Russell Rd. *E16* —3E **57**
Russell Rd. *W14* —1A **92**
Russell Sq. *WC1* —5F **25**
Russell St. *WC2* —5A **44**
Russia Ct. *EC2* —4C **46**
Russia Dock Rd. *SE16* —3A **80**
Russia La. *E2* —1B **32**
Russia Row. *EC2* —4C **46**
Russia Wlk. *SE16* —5E **79**
Rustic Wlk. *E16* —3F **57**
Ruston M. *W11* —4F **35**
Rust Sq. *SE5* —4D **125**
Ruth Ct. *E3* —1F **33**
Rutherford Ho. *E1* —5F **31**
Rutherford St. *SW1* —3D **99**
Rutland Ct. *SW7* —5A **68**
Rutland Gdns. *SW7* —5A **68**
Rutland Gdns. M. *SW7* —5A **68**
Rutland Ga. *SW7* —5A **68**
Rutland Ga. M. *SW7* —5F **67**
Rutland Gro. *W6* —5A **90**
Rutland Ho. *W8* —2F **93**
Rutland M. *NW8* —4A **6**
Rutland M. E. *SW7* —1A **96**
Rutland M. S. *SW7* —1F **95**
Rutland M. W. *SW7* —1F **95**
Rutland Pl. *EC1* —1A **46**
Rutland St. *SW7* —1A **96**
Rutley Clo. *SE17* —2F **123**
Rydal Water. *NW1* —3B **24**
Ryder Ct. *SW1* —2C **70**
Ryder Dri. *SE16* —1F **127**
Ryder Ho. *E1* —4C **32**

Ryder's Ter. *NW8* —5B **6**
Ryder St. *SW1* —2C **70**
Ryder Yd. *SW1* —2C **70**
Rydon St. *N1* —3C **14**
Rydston Clo. *N7* —1B **12**
Rye Ho. *SE16* —4C **78**
Rye Ho. *SW1* —5F **97**
Rylston Rd. *SW6* —3B **114**
Rymill St. *E16* —3D **89**
Rysbrack St. *SW3* —1B **96**

Saatchi Gallery. —4A **6**
Sabbarton St. *E16* —4B **56**
Sable St. *N1* —1A **14**
Sackville St. *W1* —1C **70**
Saddlers M. *SW8* —5A **122**
Saddle Yd. *W1* —2F **69**
Sadler Ho. *EC1* —2F **27**
Sadler's Wells Theatre. —2E **27**
Saffron Av. *E14* —5D **55**
Saffron Hill. *EC1* —1E **45**
Saffron St. *EC1* —1E **45**
Saffron Wharf. *SE1* —4C **76**
Sage Clo. *E6* —2B **60**
Sage St. *E11* —5B **50**
Sage Way. *WC1* —3B **26**
Saigasso Clo. *E16* —4D **59**
Sail St. *SE11* —3C **100**
St Agnes Pl. *SE11* —3E **123**
St Albans Ct. *EC2* —3C **46**
St Albans Gro. *W8* —1A **94**
St Albans Mans. *W8* —1A **94**
St Alban's Pl. *N1* —4F **13**
St Alban's St. *SW1* —1D **71**
(in two parts)
St Alfege Pas. *SE10* —3B **132**
St Alphage Garden. *EC2* —2C **46**
(in two parts)
St Alphage Highwalk. *EC2* —2C **46**
St Alphage Ho. *EC2* —2D **47**
St Andrews Chambers. *W1* —2C **42**
St Andrews Clo. *SE16* —1A **128**
St Andrew's Hill. *EC4* —5A **46**
(in two parts)
St Andrews Mans. *W1* —2D **41**
St Andrews Mans. *W14* —2A **114**
St Andrew's Pl. *NW1* —4A **24**
St Andrew's Rd. *W14* —2A **114**
St Andrews Sq. *W11* —4F **35**
St Andrew St. *EC1* —2E **45**
St Andrews Way. *E3* —1A **54**
St Andrew's Wharf. *SE1* —4C **76**
St Anne's Ct. *NW6* —4A **4**
St Anne's Ct. *W1* —4D **43**
St Anne's Flats. *NW1* —2D **25**
St Anne's Pas. *E14* —4B **52**
St Anne's Row. *E14* —4C **52**
St Anne's Trad. Est. *E14* —4C **52**
St Anne St. *E14* —4C **52**
St Ann's Ho. *WC1* —3D **27**
St Ann's La. *SW1* —2E **99**
St Ann's Rd. *W11* —1E **63**
St Ann's St. *SW1* —1E **99**
St Ann's Ter. *NW8* —5E **7**
St Ann's Vs. *W11* —3E **63**
St Anselm's Pl. *W1* —5F **41**
St Anthony's Clo. *E1* —2D **77**
St Anthony's Flats. *NW1* —1D **25**
St Aubins Ct. *N1* —3E **15**
St Augustine's Ho. *NW1* —2D **25**
St Augustine's Mans. *SW1* —4C **98**
St Augustine's Rd. *NW1* —1D **11**
St Barnabas St. *SW1* —5E **97**
St Bartholomew's Hospital Mus.
—2A **46**
St Benet's Pl. *EC3* —5E **47**
St Bernards Ho. *E14* —1B **110**
St Botolph Row. *EC3* —4B **48**
St Botolph St. *EC3* —4B **48**

St Brelades Ct. *N1* —3E **15**
St Briavel's Ct. *SE15* —4A **126**
St Bride's Av. *EC4* —4F **45**
*St Bride's Church.* —4F **45**
*St Bride's Crypt Mus.* —4F **45**
*(off St Bride's Church)*
St Bride's Pas. *EC4* —4F **45**
St Bride St. *EC4* —3F **45**
St Catherines M. *SW3* —3B **96**
St Chad's Pl. *WC1* —2A **26**
St Chad's St. *WC1* —2A **26**
(in two parts)
St Charles Pl. *W10* —2F **35**
St Charles Sq. *W10* —1E **35**
St Chrishopher's Ho. *NW1* —1C **24**
St Christopher's Pl. *W1* —3E **41**
St Clare St. *EC3* —4B **48**
St Clement's Ct. *EC4* —5E **47**
St Clements Ct. *SE14* —2D **129**
St Clements Ct. *W11* —1E **63**
St Clement's La. *WC2* —4C **44**
St Clements St. *N7* —1D **13**
St Cross St. *EC1* —1E **45**
St Davids Clo. *SE16* —1A **128**
*St Davids M. E3* —3F *33*
*(off Morgan St.)*
St Davids Sq. *E14* —5A **110**
St Dunstan's All. *EC3* —1F **75**
St Dunstans Ct. *EC4* —4E **45**
St Dunstans Hill. *EC3* —1F **75**
St Dunstan's La. *EC3* —1F **75**
St Dunstan's Rd. *W6* —5E **91**
St Edmund's Clo. *NW8* —4B **8**
St Edmund's Ct. *NW8* —4B **8**
St Edmund's Ter. *NW8* —4A **8**
St Elmos Rd. *SE16* —5F **79**
St Ermin's Hill. *SW1* —1D **99**
St Ervan's Rd. *W10* —1A **36**
St Eugene Ct. *NW6* —2A **4**
St Francis' Ho. *NW1* —1D **25**
St Frideswides M. *E14* —4B **54**
St George's Bldgs. *SE1* —2F **101**
St George's Cir. *SE1* —1F **101**
St Georges Ct. *EC4* —3F **45**
St George's Dri. *SW1* —4A **98**
St George's Fields. *W2* —4A **40**
St George's Ho. *NW1* —1D **25**
St George's La. *EC3* —5E **47**
St George's Mans. *SW1* —5E **99**
St George's M. *NW1* —2C **8**
St Georges M. *SE1* —1E **101**
St George's Rd. *SE1* —1E **101**
St Georges Sq. *E14* —5F **51**
St George's Sq. *SE8* —3B **108**
St George's Sq. *SW1* —5D **99**
St George's Sq. M. *SW1* —1D **121**
St George's Ter. *NW1* —3C **8**
St George St. *W1* —4A **42**
St George's Way. *SE15* —3F **125**
St George's Wharf. *SE1* —4C **76**
St Giles Cir. *W1* —3E **43**
St Giles Ct. *WC2* —3F **43**
St Giles High St. *WC1* —3E **43**
St Giles Pas. *WC2* —4E **43**
St Giles Rd. *SE5* —5F **125**
St Giles Ter. *EC2* —2C **46**
St Gilles Ho. *E2* —1D **33**
St Helena Ho. *WC1* —3D **27**
St Helena Rd. *SE16* —4D **107**
St Helena St. *WC1* —3D **27**
St Helen's Gdns. *W10* —2D **35**
St Helen's Pl. *EC2* —3F **47**
St Helier Ct. *N1* —3F **15**
St Helier Ct. *SE16* —4D **79**
St Hilda's Whrf. *E1* —2B **78**
St Hubert's Ho. *E14* —1D **109**
St James Ct. *E2* —3E **31**
St James' Ct. *SW1* —1C **98**
St James' Mans. *NW6* —1E **5**
St James M. *E14* —2C **110**

St James Residences. *W1* —5D **43**
**St James's.** —3D **71**
St James's. *SE14* —5A **130**
St James's. *SW1* —2C **70**
St James's App. *EC2* —5F **29**
St James's Av. *E1* —1C **32**
St James's Chamber. *SW1* —2C **70**
St James's Clo. *NW8* —4B **8**
St James's Gdns. *W11* —2F **63**
(in two parts)
St James's Mkt. *SW1* —1D **71**
St James's Palace. —3C **70**
St James's Pk. —3E **71**
St James's Pas. *EC3* —4A **48**
St James's Pl. *SW1* —3B **70**
St James's Rd. *SE1* —2E **127**
St James's Rd. *SE16* —1E **105**
St James's Sq. *SW1* —2C **70**
St James's St. *SW1* —2B **70**
St James's Ter. *NW8* —5B **8**
St James's Ter. M. *NW8* —4B **8**
St James's Wlk. *EC1* —4F **27**
St John's Ct. *E1* —3F **77**
St John's Ct. *W6* —3A **90**
St John's Est. *N1* —1E **29**
St John's Est. *SE1* —4B **76**
St John's Gdns. *W11* —1A **64**
St John's Gate. —5F **27**
St John's Ho. *E14* —3C **110**
St Johns Ho. *SE17* —2D **125**
St John's La. *EC1* —5F **27**
St John's M. *W11* —4D **37**
St John's Path. *EC1* —5F **27**
St John's Pl. *EC1* —5F **27**
St John's Rd. *E16* —3D **57**
St John's Sq. *EC1* —5F **27**
St John St. *EC1* —1E **27**
St John's Vs. *W8* —2A **94**
**St John's Wood.** —1E **21**
St John's Wood Ct. *NW8* —3E **21**
St John's Wood High St. *NW8*
—1E **21**
St John's Wood Pk. *NW8* —3D **7**
St John's Wood Rd. *NW8* —4D **21**
St John's Wood Ter. *NW8* —5E **7**
St Joseph's Clo. *W10* —2A **36**
St Joseph's Flats. *NW1* —2D **25**
St Joseph's Ho. *W6* —5E **91**
St Joseph's St. *SW8* —5A **120**
St Jude's Rd. *E2* —1A **32**
St Julian's Rd. *NW6* —2C **4**
St Katharine Docks. —1C **76**
St Katharine's Precinct. *NW1* —5F **9**
St Katharine's Way. *E1* —2C **76**
(in two parts)
St Katharine's Row. *EC3* —5A **48**
St Katherines Wlk. *W11* —2E **63**
St Lawrence Cotts. *E14* —2C **82**
St Lawrence Ct. *N1* —3E **15**
St Lawrence Ho. *SE1* —1A **104**
St Lawrence St. *E14* —1C **82**
St Lawrence Ter. *W10* —1F **35**
St Leonard M. *N1* —5F **15**
St Leonard's Ct. *N1* —2E **29**
St Leonard's Rd. *E14* —2A **54**
(in two parts)
St Leonard's Ter. *SW3* —1B **118**
St Loo Av. *SW3* —2A **118**
**St Luke's.** —4C **28**
St Luke's Clo. *EC1* —4C **28**
St Luke's Est. *EC1* —3D **29**
St Lukes M. *W11* —3B **36**
St Luke's Rd. *W11* —2C **36**
St Luke's Sq. *E16* —4C **56**
St Luke's St. *SW3* —5F **95**
St Luke's Yd. *W9* —1B **18**
(in two parts)
St Margaret's Clo. *EC2* —3D **47**
St Margarets Ct. *SE1* —3D **75**

St Margaret's La. *W8* —2F **93**
St Margaret St. *SW1* —5F **71**
St Mark's Clo. *SE10* —5B **132**
St Marks Ct. *NW8* —1C **20**
St Mark's Cres. *NW1* —3E **9**
St Mark's Gro. *SW10* —4A **116**
St Marks Ho. *SE17* —2D **125**
St Marks Ind. Est. *E16* —3D **87**
St Mark's Pl. *W11* —4A **36**
St Mark's Rd. *W10 & W11* —3E **35**
St Mark's Sq. *NW1* —4D **9**
St Mark St. *E1* —4C **48**
St Martin-in-the-Fields Church.
—1F **71**
St Martin's Almshouses. *NW1* —3B **10**
St Martin's Clo. *NW1* —3B **10**
St Martins Ct. *N1* —3A **16**
St Martin's Ct. *WC2* —5F **43**
St Martin's La. *WC2* —5F **43**
St Martin's Le-Grand. *EC1* —3B **46**
St Martin's Pl. *WC2* —1F **71**
St Martin's St. *WC2* —1E **71**
(in two parts)
St Martin's Theatre. —5F **43**
St Mary Abbot's Ct. *W14* —2B **92**
St Mary Abbot's Pl. *W8* —2C **92**
St Mary Abbot's Ter. *W14* —2B **92**
St Mary at Hill. *EC3* —1F **75**
St Mary Axe. *EC3* —4F **47**
St Marychurch St. *SE16* —4B **78**
St Mary Graces Ct. *E1* —1C **76**
St Mary le-Park Ct. *SW11* —5A **118**
St Mary Newington Clo. *SE17* —5A **104**
St Mary's Est. *SE16* —5B **78**
St Mary's Flats. *NW1* —2D **25**
St Mary's Gdns. *SE11* —3E **101**
St Mary's Ga. *W8* —2F **93**
St Mary's Ho. *N1* —3A **14**
St Mary's Mans. *W2* —1D **39**
St Mary's M. *NW6* —2F **5**
(in two parts)
St Mary's Path. *N1* —3F **13**
St Mary's Pl. *W8* —2F **93**
St Mary's Sq. *W2* —1D **39**
St Mary's Ter. *W2* —1D **39**
St Mary's Tower. *EC1* —5C **28**
St Mary's Wlk. *SE11* —3E **101**
St Matthews Ct. *SE1* —2B **102**
St Matthews Ho. *SE17* —2D **125**
St Matthew's Lodge. *NW1* —5C **10**
St Matthew's Row. *E2* —3D **31**
St Matthew St. *SW1* —2D **99**
St Michael's All. *EC3* —4E **47**
St Michaels Clo. *E16* —2D **59**
St Michaels Ct. *E14* —2B **54**
St Michael's Ct. *SE1* —5C **74**
St Michael's Flats. *NW1* —1D **25**
St Michael's Gdns. *W10* —2F **35**
St Michael's St. *W2* —3E **39**
St Mildred's Ct. *EC2* —4D **47**
St Nicholas' Flats. *NW1* —1D **25**
St Nicholas Ho. *SE8* —2E **131**
St Olaf Ho. *SE1* —2E **75**
St Olaf's Rd. *SW6* —5A **114**
St Olaf Stairs. *SE1* —2E **75**
St Olave's Ct. *EC2* —4D **47**
St Olave's Est. *SE1* —4A **76**
St Olave's Gdns. *SE11* —3D **101**
St Olave's Mans. *SE11* —3D **101**
St Olave's Ter. *SE1* —4A **76**
St Olav's Sq. *SE16* —5B **78**
St Oswald's Pl. *SE11* —5B **100**
St Oswulf St. *SW1* —4E **99**
St Owen Ho. *SE1* —1A **104**
**St Pancras.** —2F **25**
St Pancras Commercial Cen. *NW1*
—3C **10**
St Pancras Way. *NW1* —1B **10**
St Paul's All. *EC4* —4A **46**
St Paul's Av. *SE16* —2E **79**

# St Paul's Cathedral—Scott's Rd.

St Paul's Cathedral. —4B 46
St Paul's Chyd. EC4 —4A 46
(in two parts)
St Pauls Courtyard. SE8 —4D 131
St Paul's Cres. NW1 —1E 11
(in two parts)
St Paul's M. NW1 —1E 11
St Paul's Studios. W6 —5F 91
St Pauls Ter. SE17 —2A 124
St Paul St. N1 —4B 14
(in two parts)
St Pauls Vw. Apartments. WC1
—3D 27
St Pauls Way. E3 —2B 52
St Peter's All. EC3 —4E 47
St Peter's Av. E2 —1E 31
St Petersburgh M. W2 —5F 37
St Petersburgh Pl. W2 —5F 37
St Peter's Cen. E1 —2A 78
(off Watts St.)
St Peters Chu. Clo. N1 —5A 14
St Peter's Clo. E2 —1E 31
St Peters Ho. SE17 —2D 125
St Peter's Ho. WC1 —3A 26
St Peter's Pl. W9 —5F 19
St Peter's Sq. E2 —1E 31
St Peter's St. N1 —4A 14
St Peter's St. M. N1 —5A 14
St Peter's Ter. SW6 —5B 114
St Peter's Way. N1 —2A 16
St Philip Ho. WC1 —3D 27
St Philip's Rd. E8 —1D 17
St Philip's Way. N1 —4C 14
St Quintin Av. W10 —2C 34
St Quintin Gdns. W10 —2C 34
St Richard's Ho. NW1 —2D 25
St Saviour's Est. SE1 —1B 104
St Saviour's Wharf. SE1 —4C 76
(Mill St.)
St Saviour's Wharf. SE1 —4C 76
(off Shad Thames)
St Stephen's Av. W12 —3A 62
(in two parts)
St Stephen's Clo. NW8 —4A 8
St Stephen's Cres. W2 —3E 37
St Stephen's Gdns. W2 —3D 37
(in two parts)
St Stephens Ho. SE17 —2D 125
St Stephens M. W2 —2E 37
St Stephen's Row. EC4 —4D 47
St Stephen's Ter. SW8 —5B 122
St Stephen's Wlk. SW7 —3B 94
St Swithins La. EC4 —5D 47
St Thomas Ho. E1 —3D 51
St Thomas Rd. E16 —3D 57
St Thomas St. SE1 —3D 75
St Thomas's Way. SW6 —4B 114
St Vincent De Paul Ho. E1 —2B 50
St Vincent Ho. SE1 —1B 104
St Vincent St. W1 —2E 41
Salamanca Pl. SE1 —4B 100
Salamanca St. SE1 & SE11 —4A 100
Salem Rd. W2 —5A 38
Sale Pl. W2 —2F 39
Sale St. E2 —4E 31
Salford Ho. E14 —3C 110
Salisbury Clo. SE17 —4D 103
Salisbury Ct. EC4 —4F 45
Salisbury Ho. E14 —3F 53
Salisbury Ho. EC2 —2E 47
Salisbury Ho. N1 —3F 13
Salisbury Ho. SW1 —5E 99
Salisbury Ho. SW9 —4E 123
Salisbury M. SW6 —5B 114
Salisbury Pas. SW6 —4B 114
Salisbury Pavement. SW6 —4B 114
Salisbury Pl. SW9 —5A 124
Salisbury Pl. W1 —1C 40
Salisbury Sq. EC4 —4E 45
Salisbury St. NW8 —5E 21

Salmon La. E14 —3F 51
Salmon St. E14 —3B 52
Salomons Rd. E13 —1B 58
Salter Rd. SE16 —3D 79
Salters Ct. EC4 —4C 46
Salters Hall Ct. EC4 —5D 47
Salter St. E14 —5D 53
Saltley Clo. E6 —3A 60
Saltram Cres. W9 —2C 18
Saltwell St. E14 —5E 53
Saltwood Gro. SE17 —1D 125
Saltwood Ho. SE15 —3C 128
Salusbury Rd NW6 —3A 4
Salutation Rd. SE10 —3A 112
Sambrook Ho. E1 —2B 50
Sambrook Ho. SE11 —4D 101
Samford Ho. N1 —4D 13
Samford St. NW8 —5F 21
Sam Manners Ho. SE10 —1F 133
Sam March Ho. E14 —4D 55
Sampson Ho. SE1 —2F 73
Sampson St. E1 —3E 77
Samuda Est. E14 —1C 110
Samuel Clo. E8 —3C 16
Samuel Clo. SE14 —3D 129
Samuel Ho. E8 —4B 16
Samuel Jones Ind. Est. SE5 —5A 126
Samuel Lewis Bldgs. N1 —1E 13
Samuel Lewis Trust Dwellings. SW3
(in two parts) —4F 95
Samuel Lewis Trust Dwellings. SW6
—4E 115
Samuel Lewis Trust Dwellings. W14
—3B 92
Samuel Richardson Ho. W14 —4B 92
Samuel's Clo. W6 —3C 90
Samuel St. SE15 —4B 126
Sancroft Ho. SE11 —5C 100
Sancroft St. SE11 —5C 100
Sanctuary St. SE1 —5C 74
Sanctuary, The. SW1 —1E 99
Sandalwood Clo. E1 —5F 33
Sandalwood Mans. W8 —2F 93
Sandbourne. NW8 —4F 5
Sandbourne. W11 —3D 37
Sandby Ho. NW6 —4D 5
Sandell St. SE1 —4D 73
Sanderling Ct. SE8 —3C 130
Sanders Ho. WC1 —2D 27
Sanderson Ho. SE8 —1B 130
Sandfield. WC1 —3A 26
Sandford Row. SE17 —5D 103
Sandford St. SW6 —5A 116
Sandgate St. SE15 —2F 127
Sandgate Trad. Est. SE15 —2F 127
Sandhills, The. SW10 —2C 116
Sandhurst Ho. E1 —4E 51
Sandland St. WC1 —2C 44
Sandpiper Clo. SE16 —4B 80
Sandpiper Ct. E14 —1C 110
Sandpiper Ct. SE8 —3D 131
Sandringham Ct. SE16 —2E 79
Sandringham Ct. W1 —4C 42
Sandringham Ct. W9 —3C 20
Sandringham Flats. WC2 —5E 43
Sandringham Ho. W14 —3F 91
Sandwich Ho. SE16 —4C 78
Sandwich Ho. WC1 —3F 25
Sandwich St. WC1 —3F 25
Sandys Row. E1 —1A 48
Sanford St. SE14 —2F 129
Sanford Wlk. SE14 —2F 129
Sankey Ho. E2 —1C 32
Sansom St. SE5 —5E 125
Sans Wlk. EC1 —4E 27
Santley Ho. SE1 —5E 73
Saperton Wlk. SE11 —3C 100
Sapperton Ct. EC1 —4B 28
Sapphire Clo. E6 —3C 60
Sapphire Ct. E1 —5D 49

Sapphire Rd. SE8 —4F 107
Saracens Head Yd. EC3 —4B 48
Saracen St. E14 —4E 53
Sarah Ho. E1 —3F 49
Sarah St. N1 —2A 30
Sarah Swift Ho. SE1 —4E 75
Sara La. Ct. N1 —5A 16
Sardinia St. WC2 —4B 44
Sark Wlk. E16 —3F 57
Sarnesfield Ho. SE15 —3F 127
Sarratt Ho. W10 —1B 34
Satanita Clo. E16 —3D 59
Satchwell Rd. E2 —3D 31
Satchwell St. E2 —3D 31
Saul Ct. SE15 —3B 126
Saunders Clo. E14 —1C 80
Saunders Ho. SE16 —5E 79
Saunders Ho. W11 —2E 63
Saunders Ness Rd. E14 —3D 111
Saunders St. SE11 —3D 101
Savage Gdns. E6 —4C 60
Savage Gdns. EC3 —5A 48
(in two parts)
Savile Row. W1 —5B 42
Saville Rd. E16 —3A 88
Savill Ho. E16 —3F 89
Savona Ho. SW8 —5B 120
Savona St. SW8 —5B 120
Savoy Bldgs. WC2 —1B 72
Savoy Ct. WC2 —1B 72
Savoy Hill. WC2 —1B 72
Savoy Pl. WC2 —1A 72
Savoy Row. WC2 —5B 44
Savoy Steps. WC2 —1B 72
Savoy St. WC2 —5B 44
Savoy Theatre. —1A 72
Savoy Way. WC2 —1B 72
Sawyer St. SE1 —4B 74
Sayes Ct. SE8 —2C 130
Sayes Ct. St. SE8 —2C 130
Scafell. NW1 —2B 24
Scala St. W1 —1C 42
Scampston M. W10 —3E 35
Scandrett St. E1 —3F 77
Scarborough St. E1 —4C 48
Scarsdale Pl. W8 —1F 93
Scarsdale Vs. W8 —2E 93
Scawen Rd. SE8 —5F 107
Scawfell St. E2 —1C 30
Sceptre Ct. E1 —1C 76
Sceptre Ho. E1 —4B 32
Sceptre Rd. E2 —3B 32
Schafer Ho. NW1 —4B 24
Schomberg Ho. SW1 —3E 99
School App. E2 —2A 30
Schoolbank Rd. SE10 —3B 112
Schoolbell M. E3 —1F 33
School Ho. SE1 —3F 103
School Ho. La. E1 —5D 51
Schooner Clo. E14 —2D 111
Schooner Clo. SE16 —4C 78
Science Mus. —2E 95
Sclater St. E1 —4B 30
Scoresby St. SE1 —3F 73
Scorton Ho. N1 —5A 16
Scotch House. (Junct.) —5B 68
Scoter Ct. SE8 —3B 130
Scotia Building. E1 —5E 51
Scotia Ct. SE16 —5C 78
Scotland Pl. SW1 —3F 71
Scotson Ho. SE11 —4D 101
Scotswood St. EC1 —4E 27
Scott Ellis Gdns. NW8 —3D 21
Scott Ho. E14 —4E 81
Scott Ho. N1 —3D 15
Scott Ho. NW1 —5F 21
Scott Lidgett Cres. SE16 —5D 77
Scott Russell Pl. E14 —5F 109
Scotts Ct. W12 —5B 62
Scott's Rd. W12 —5A 62

South Ter. *SW7* —3F **95**
Southwark. —2C **74**
Southwark Bri. *SE1 & EC4* —1C **74**
*Southwark Bri. Bus. Cen. SE1* —3C **74**
*(off Tower Bri. Rd.)*
Southwark Bri. Office Village. *SE1*
—2C **74**
Southwark Bri. Rd. *SE1* —1A **102**
Southwark Cathedral. —2D **75**
Southwark Pk. Est. *SE16* —3A **106**
Southwark Pk. Rd. *SE16* —3C **104**
Southwark St. *SE1* —2F **73**
Southwater Clo. *E14* —3B **52**
Southwell Gdns. *SW7* —3B **94**
Southwell Ho. *SE16* —4F **105**
S. W. India Dock Entrance. *E14*
—4C **82**
S. Wharf Rd. *W2* —3D **39**
Southwick M. *W2* —3E **39**
Southwick Pl. *W2* —4F **39**
Southwick St. *W2* —3F **39**
Southwick Yd. *W2* —4F **39**
Southwold Mans. *W9* —3E **19**
Southwood Ct. *EC1* —2F **27**
Southwood Ho. *W11* —5F **35**
Southwood Smith Ho. *E2* —2F **31**
Southwood Smith St. *N1* —4E **13**
Sovereign Clo. *E1* —1A **78**
Sovereign Cres. *SE16* —1F **79**
Sovereign Ho. *E1* —5A **32**
Sovereign M. *E2* —5B **16**
Spafield St. *EC1* —4D **27**
Spa Grn. Est. *EC1* —2F **27**
Spanish Pl. *W1* —3E **41**
Sparke Ter. *E16* —3B **56**
Spa Rd. *SE16* —2B **104**
Sparrick's Row. *SE1* —4E **75**
Sparrow Ho. *E1* —5C **32**
Spearman Ho. *E14* —4E **53**
Spear M. *SW5* —4E **93**
Speed Highwalk. *EC2* —1C **46**
Speed Ho. *EC2* —1C **46**
Speedwell St. *SE8* —5D **131**
Speedy Pl. *WC1* —3F **25**
Speke's Monument. —2C **66**
Spellbrook Wlk. *N1* —3C **14**
Spelman Ho. *E1* —2D **49**
Spelman St. *E1* —1D **49**
*(in two parts)*
Spence Clo. *SE16* —5B **80**
Spencer House. —3B **70**
Spencer Mans. *W14* —2A **114**
Spencer M. *W6* —2A **114**
Spencer Pl. *N1* —1F **13**
Spencer St. *EC1* —3F **27**
Spenlow Ho. *SE16* —5E **77**
Spenser St. *SW1* —1C **98**
Spert St. *E14* —5F **51**
Spey St. *E14* —2B **54**
Spice Ct. *E1* —2E **77**
Spice Quay Heights. *SE1* —3C **76**
Spindrift Av. *E14* —4E **109**
Spinnaker Ho. *E14* —4D **81**
Spire Ho. *W2* —5C **38**
Spirit Quay. *E1* —2E **77**
Spitalfields. —1B **48**
Spital Sq. *E1* —1A **48**
Spital St. *E1* —1D **49**
Spital Yd. *EC2* —1A **48**
Splendour Wlk. *SE16* —1B **128**
Spode Ho. *SE11* —2D **101**
Spriggs Ho. *N1* —1A **14**
Sprimont Pl. *SW3* —5B **96**
Springall St. *SE15* —3A **128**
Springalls Wharf. *SE16* —4D **77**
Springbank Wlk. *NW1* —1E **11**
Springfield Ct. *NW3* —1F **7**
Springfield La. *NW6* —4F **5**
Springfield Rd. *NW8* —4B **6**

Springfield Wlk. *NW6* —4F **5**
Spring Gdns. *SW1* —2E **71**
*(in two parts)*
Spring Ho. *WC1* —3D **27**
Spring M. *W1* —1C **40**
Spring St. *W2* —4D **39**
Spring Va. Ter. *W14* —2E **91**
Spring Wlk. *E1* —1E **49**
Springwater. *WC1* —1B **44**
Spruce Ho. *SE16* —5D **79**
Spurgeon St. *SE1* —2D **103**
Spur Rd. *SE1* —4D **73**
Spur Rd. *SW1* —5B **70**
Square, The. *W6* —5C **90**
Squire Gdns. *NW8* —3D **21**
Squirries St. *E2* —2E **31**
Stables Mkt., The. *NW1* —2F **9**
Stables, The. *W10* —3E **35**
Stables Way. *SE11* —5D **101**
Stable Way. *W10* —4C **34**
Stable Yd. *SW1* —4B **70**
Stable Yd. Rd. *SW1* —3B **70**
Stacey St. *WC2* —4F **43**
Stack Ho. *SW1* —4E **97**
Stackhouse St. *SW3* —1B **96**
Stacy Path. *SE5* —5F **125**
Stadium St. *SW10* —5C **116**
Stafford Clo. *NW6* —3D **19**
*(in two parts)*
Stafford Ct. *SW8* —5F **121**
Stafford Cripps Ho. *E2* —3C **32**
Stafford Cripps Ho. *SW6* —3C **114**
Stafford Mans. *SW1* —1B **98**
Stafford Mans. *SW11* —5B **118**
Stafford Mans. *W14* —2D **91**
Stafford Pl. *SW1* —1B **98**
Stafford Rd. *NW6* —2D **19**
Stafford St. *W1* —2B **70**
Stafford Ter. *W8* —1D **93**
Staff St. *EC1* —3E **29**
Stag Pl. *SW1* —1B **98**
Stainer St. *SE1* —3E **75**
Staining La. *EC2* —3C **46**
Stainsbury St. *E2* —1C **32**
Stainsby Pl. *E14* —3D **53**
Stainsby Rd. *E14* —4D **53**
Stalbridge Flats. *W1* —4E **41**
Stalbridge St. *NW1* —1A **40**
Stalham St. *SE16* —2A **106**
Stamford Ga. *SW6* —4A **116**
Stamford Rd. *N1* —1A **16**
Stamford St. *SE1* —3D **73**
Stamp Pl. *E2* —2B **30**
Standard Ind. Est. *E16* —4C **88**
Standard Pl. *EC2* —3A **30**
Stanesgate Ho. *SE15* —4E **127**
Stanfield Ho. *NW8* —4E **21**
Stanford Pl. *SE17* —4F **103**
Stanford Rd. *W8* —1A **94**
Stanford St. *SW1* —4D **99**
Stangate. *SE1* —1C **100**
Stanhope Ga. *W1* —3E **69**
Stanhope Gdns. *SW7* —3C **94**
Stanhope Ga. *W1* —3E **69**
Stanhope Ho. *SE8* —4C **130**
Stanhope M. E. *SW7* —3C **94**
Stanhope M. S. *SW7* —3C **94**
Stanhope M. W. *SW7* —3C **94**
Stanhope Pde. *NW1* —2B **24**
Stanhope Pl. *W2* —4B **40**
Stanhope Row. *W1* —3F **69**
Stanhope Ter. *W2* —5E **39**
Stanier Clo. *W14* —1C **114**
Stanlake M. *W12* —3B **62**
Stanlake Rd. *W12* —2B **62**
Stanlake Vs. *W12* —3B **62**
Stanley Bldgs. *NW1* —2D **25**
Stanley Clo. *SW8* —3B **122**
Stanley Cohen Ho. *EC1* —5C **28**
Stanley Cres. *W11* —5B **36**

Stanley Gdns. *W11* —5B **36**
Stanley Gdns. M. *W11* —5C **36**
Stanley Ho. *E14* —4E **53**
Stanley Pas. *NW1* —1F **25**
Stanley St. *SE8* —5C **130**
Stanmore Pl. *NW1* —3A **10**
Stanmore St. *N1* —3B **12**
Stannard Cotts. *E1* —4C **32**
Stannary Pl. *SE11* —1E **123**
Stannary St. *SE11* —2E **123**
Stansbury Ho. *W10* —2A **18**
Stansfield Rd. *E6* —2E **59**
Stansfield Ho. *SE1* —4C **104**
Stanswood Gdns. *SE5* —5A **126**
Stanton Ho. *SE16* —2B **132**
Stanway Ct. *N1* —1A **30**
*(in three parts)*
Stanway St. *N1* —5A **16**
Stanwick Rd. *W14* —4B **92**
Stanworth St. *SE1* —5B **76**
Staple Inn. *WC1* —2D **45**
Staple Inn Bldgs. *WC1* —2D **45**
Staples Clo. *SE16* —2F **79**
Staples Ho. *E6* —3D **61**
Staple St. *SE1* —5E **75**
Stapleton Ho. *E2* —2F **31**
Star All. *EC3* —5A **48**
Starboard Way. *E14* —1E **109**
Starcross St. *NW1* —3C **24**
Star La. *E16* —1A **56**
Starling Ho. *NW8* —5F **7**
Star Pl. *E1* —1C **76**
Star Rd. *W14* —2B **114**
Star St. *W2* —3E **39**
Star Yd. *WC2* —3D **45**
Statham Ho. *SW8* —5B **120**
Station App. Rd. *SE1* —5D **73**
Stationer's Hall Ct. *EC4* —4A **46**
Station Pas. *SE15* —5B **128**
Station St. *E16* —3F **89**
Staunton Ho. *SE17* —4F **103**
Staunton St. *SE8* —2C **130**
Staveley. *NW1* —2B **24**
Staveley Clo. *SE15* —5A **128**
Stave Yd. Rd. *SE16* —3F **79**
Stayner's Rd. *E1* —4D **33**
Steadman Ct. *EC1* —4C **28**
Stead St. *SE17* —4D **103**
Stean St. *E8* —3B **16**
Stebbing Ho. *W11* —2E **63**
Stebondale St. *E14* —5C **110**
Stedham Pl. *WC1* —3F **43**
Steedman St. *SE17* —4B **102**
Steele's Rd. *NW3* —1B **8**
Steel's La. *E1* —4C **50**
Steelyard Pas. *EC4* —1D **75**
Steeple Ct. *E1* —4A **32**
Steeple Wlk. *N1* —3C **14**
Steers Way. *SE16* —5A **80**
Stelfox Ho. *WC1* —2C **26**
Stephan Clo. *E8* —3E **17**
Stephen M. *W1* —2D **43**
Stephenson Ho. *SE1* —1B **102**
Stephenson St. *E16* —1F **55**
Stephenson Way. *NW1* —4C **24**
Stephen St. *W1* —2D **43**
Stepney. —2D **51**
Stepney Causeway. *E1* —4D **51**
Stepney Grn. *E1* —1C **50**
Stepney Grn. Ct. *E1* —1D **51**
Stepney High St. *E1* —2E **51**
Stepney Way. *E1* —2F **49**
Sterling Gdns. *SE14* —3F **129**
Sterling St. *SW7* —1A **96**
Sterndale Rd. *W6* —2D **91**
Sterne St. *W12* —4D **63**
Sterry St. *SE1* —5D **75**
Stevedore St. *E1* —2F **77**
Stevenson Cres. *SE16* —5E **105**
Stevenson Ho. *NW8* —3B **6**

# Stevens St.—Swanley Ho.

Stevens St. *SE1* —1A **104**
Steward St. *E1* —1A **48**
(in two parts)
Stewart's Gro. *SW3* —5E **95**
Stewart's Rd. *SW8* —5B **120**
Stewart St. *E14* —5C **82**
Stew La. *EC4* —5B **46**
Stifford Ho. *E1* —2C **50**
Stileman Ho. *E3* —1C **52**
Stillington St. *SW1* —3C **98**
Stockbeck. *NW1* —1C **24**
Stock Exchange. —4E **47**
Stockholm Ho. *E1* —5E **49**
Stockholm Rd. *SE16* —1C **128**
Stockholm Way. *E1* —2D **77**
Stockleigh Hall. *NW8* —5A **8**
Stocks Pl. *E14* —5C **52**
Stockton Ho. *E2* —2F **31**
Stockwell St. *SE10* —3C **132**
Stoddart Ho. *SW8* —3C **122**
Stone Bldgs. *WC2* —2C **44**
Stonechat Sq. *E6* —1A **60**
Stonecutter St. *EC4* —3E **45**
Stonefield St. *N1* —3E **13**
Stone Hall. *W8* —2F **93**
Stone Hall Gdns. *W8* —2F **93**
Stone Hall Pl. *W8* —2F **93**
Stonehouse. *NW1* —4C **10**
Stone Ho. Ct. *EC3* —3A **48**
Stoneleigh Pl. *W11* —1E **63**
Stoneleigh St. *W11* —1E **63**
Stones End St. *SE1* —5B **74**
Stonewall. *E6* —2D **61**
Stoneyard La. *E14* —1F **81**
Stoney La. *E1* —3A **48**
Stoney St. *SE1* —2D **75**
Stonor Rd. *W14* —4B **92**
Stopes St. *SE15* —5C **126**
Stopford Rd. *SE17* —1A **124**
Stopher Ho. *SE1* —5A **74**
Store Rd. *E16* —4D **89**
Storers Quay. *E14* —4D **111**
Store St. *WC1* —2D **43**
Storey Ct. *NW8* —3D **21**
Storey Ho. *E14* —5A **54**
Storey's Ga. *SW1* —5E **71**
Storey St. *E16* —3E **89**
Stork's Rd. *SE16* —2E **105**
Storrington. *WC1* —3A **26**
Story St. *N1* —2B **12**
Stothard Ho. *E1* —4C **32**
Stothard St. *E1* —4B **32**
Stoughton Clo. *SE11* —4C **100**
Stourcliffe Clo. *W1* —3B **40**
Stourcliffe St. *W2* —4B **40**
Stourhead Ho. *SW1* —5D **99**
Stowage. *SE8* —3E **131**
Stowe Rd. *W12* —4A **62**
Strafford Ho. *SE8* —1B **130**
Strafford St. *E14* —4D **81**
Strahan Rd. *E3* —2F **33**
Straightsmouth. *SE10* —4B **132**
Strait Rd. *E6* —5F **59**
Strale Ho. *N1* —4F **15**
Strand. *WC2* —2F **71**
Strand La. *WC2* —5C **44**
Strand Theatre. —5B **44**
Strang Ho. *N1* —4B **14**
Strang Print Room. —4D **25**
Strangways Ter. *W14* —1B **92**
Stranraer Way. *N1* —2A **12**
Stratford Pl. *W1* —4F **41**
Stratford Rd. *W8* —3E **93**
Stratford Studios. *W8* —2E **93**
Stratford Vs. *NW1* —1C **10**
Strathearn Pl. *W2* —5F **39**
Strathmore Ct. *NW8* —2F **21**
Strathmore Gdns. *W8* —2E **65**
Strathnairn St. *SE1* —4E **105**
Strathray Gdns. *NW3* —1F **7**

Stratton Ct. *N1* —1A **16**
Strattondale St. *E14* —1B **110**
Stratton St. *W1* —2A **70**
Streatham St. *WC1* —3F **43**
Streatley Rd. *NW6* —2B **4**
Stretton Mans. *SE8* —2E **131**
Strickland Ho. *E2* —3C **30**
Stringer Ho. *N1* —4A **16**
Strode Rd. *SW6* —4A **114**
Strome Ho. *NW6* —1F **19**
Strood Ho. *SE1* —5E **75**
Strouts Pl. *E2* —2B **30**
Strutton Ground. *SW1* —1D **99**
Strype St. *E1* —2B **48**
Stuart Ho. *E16* —2F **85**
Stuart Ho. *W14* —3F **91**
Stuart Mill Ho. *N1* —1B **26**
Stuart Rd. *NW6* —3D **19**
(in two parts)
Stuart Tower. *W9* —3C **20**
Stubbs Dri. *SE16* —5F **105**
Stubbs Ho. *E2* —2D **33**
Stubbs Ho. *SW1* —4E **99**
Stucley Pl. *NW1* —2A **10**
Studd St. *N1* —3F **13**
Studholme St. *SE15* —5F **127**
Studio Pl. *SW1* —5C **68**
Studland. *SE17* —5D **103**
Studland Ho. *E14* —3F **51**
Studland St. *W6* —4A **90**
Studley Ct. *E14* —1E **83**
Stukeley St. *WC2* —3A **44**
Stunell Ho. *SE14* —3D **129**
Sturdee Ho. *E2* —1D **31**
Sturdy Ho. *E3* —1F **33**
Sturgeon Rd. *SE17* —1B **124**
Sturge St. *SE1* —4B **74**
Sturminster Ho. *SW8* —5B **122**
Sturry St. *E14* —4F **53**
Sturt St. *N1* —1C **28**
Stutfield St. *E1* —4E **49**
Styles Ho. *SE1* —3F **73**
Sudbury. *E6* —3E **61**
Sudeley St. *N1* —1A **28**
Sudrey St. *SE1* —5B **74**
Suffield Ho. *SE17* —5A **102**
Suffolk La. *EC4* —5D **47**
Suffolk Pl. *SW1* —2E **71**
Suffolk St. *SW1* —1E **71**
Sugar Bakers Ct. *EC3* —4A **48**
Sugar Loaf Wlk. *E2* —2B **32**
Sugar Quay. *EC3* —1A **76**
Sugar Quay Wlk. *EC3* —1A **76**
Sugden St. *SE5* —2E **125**
Sulgrave Gdns. *W6* —5C **62**
Sulgrave Rd. *W6* —1B **90**
Sulkin Ho. *E2* —2D **33**
Sullivan Av. *E16* —1D **59**
Sullivan Ho. *SE11* —4C **100**
Sullivan Ho. *SW1* —1A **120**
Sullivan Rd. *SE11* —3E **101**
Sultan St. *SE5* —3B **124**
Summercourt Rd. *E1* —3C **50**
Summerfield Av. *NW6* —5A **4**
Summers St. *EC1* —5D **27**
Sumner Bldgs. *SE1* —2B **74**
Sumner Ct. *SW8* —5D **121**
Sumner Est. *SE15* —5C **126**
Sumner Ho. *E3* —1F **53**
Sumner Pl. *SW7* —4D **95**
Sumner Pl. M. *SW7* —4E **95**
Sumner Rd. *SE15* —3C **126**
(in two parts)
Sumner St. *SE1* —2A **74**
Sunbury Ho. *E2* —3B **30**
Sunbury Ho. *SE14* —2D **129**
Sunbury Workshops. *E2* —3B **30**
Sun Ct. *EC3* —4E **47**
Sunderland Ter. *W2* —3F **37**
Sundra Wlk. *E1* —5D **33**

Sunflower Dri. *E8* —1C **16**
Sunlight Sq. *E2* —3A **32**
Sunningdale Clo. *SE16* —1F **127**
Sunningdale Gdns. *W8* —2E **93**
Sun Pas. *SE16* —1D **105**
Sun Rd. *W14* —1B **114**
Sun St. *EC2* —1E **47**
(in two parts)
Sun St. Pas. *EC2* —2F **47**
Sun Wlk. *E1* —1C **76**
Sun Wharf. *SE8* —4F **131**
Surma Clo. *E1* —5F **31**
Surrendale Pl. *W9* —5E **19**
Surrey Canal Rd. *SE15* & *SE14*
—2C **128**
Surrey County Cricket Club. —2C **122**
Surrey Gro. *SE17* —1F **125**
Surrey Ho. *SE16* —3D **79**
Surrey Quays Rd. *SE16* —1C **106**
Surrey Quays Shop. Cen. *SE16*
—2D **107**
Surrey Row. *SE1* —4F **73**
Surrey Sq. *SE17* —5F **103**
Surrey Steps. *WC2* —5C **44**
Surrey St. *WC2* —5C **44**
Surrey Ter. *SE17* —5A **104**
Surrey Water Rd. *SE16* —3E **79**
Susan Constant Ct. *E14* —5E **55**
Susannah St. *E14* —4A **54**
Sussex Ct. *SE10* —3B **132**
Sussex Gdns. *W2* —5D **39**
Sussex Lodge. *W2* —4E **39**
Sussex Mans. *SW7* —4D **95**
Sussex Mans. *WC2* —5A **44**
Sussex M. E. *W2* —4E **39**
Sussex M. W. *W2* —5E **39**
Sussex Pl. *NW1* —4B **22**
Sussex Pl. *W2* —4E **39**
Sussex Pl. *W6* —5C **90**
Sussex Sq. *W2* —5E **39**
Sussex St. *SW1* —1A **120**
Sutherland Av. *W9* —5E **19**
Sutherland Ct. *W9* —5E **19**
Sutherland Ho. *W8* —2F **93**
Sutherland Pl. *W2* —3D **37**
Sutherland Row. *SW1* —5A **98**
Sutherland Sq. *SE17* —1B **124**
Sutherland St. *SW1* —5F **97**
Sutherland Wlk. *SE17* —1C **124**
Sutterton St. *N7* —1B **12**
Sutton Est. *EC1* —3E **29**
Sutton Est. *W10* —1B **34**
Sutton Est., The. *N1* —1F **13**
Sutton Est., The. *SW3* —5A **96**
(off Cale St.)
Sutton Row. *W1* —3E **43**
Sutton St. *E1* —5B **50**
Sutton's Way. *EC1* —5C **28**
Sutton Wlk. *SE1* —3C **72**
Sutton Way. *W10* —1B **34**
(in two parts)
Swain St. *NW8* —4F **21**
Swallow Ct. *W9* —1E **37**
Swallow Ho. *NW8* —5F **7**
Swallow Pas. *W1* —4A **42**
Swallow Pl. *W1* —4A **42**
Swallow St. *E6* —2A **60**
Swallow St. *W1* —1C **70**
Swanage Ct. *N1* —1A **16**
Swanage Ho. *SW8* —5B **122**
Swan App. *E6* —2F **59**
Swanbourne. *SE17* —4B **102**
Swanbourne Ho. *NW8* —4F **21**
Swan Ct. *E14* —3C **52**
Swan Ct. *SW3* —1A **118**
Swan Ct. *SW6* —5D **115**
Swanfield St. *E2* —3B **30**
Swan Ho. *N1* —1D **15**
Swan La. *EC4* —1E **75**
Swanley Ho. *SE17* —5A **104**

Thames Flood Barrier, The. —5D 87
Thames Ho. *EC4* —5C 46
Thames Ho. *SW1* —3F 99
Thameside Ind. Est. *E16* —3E 87
Thames Quay. *E14* —4A 82
Thames Rd. *E16* —3D 87
Thames Rd. Ind. Est. *E16* —3D 87
Thames St. *SE10* —2A 132
Thames Wlk. *SW11* —4F 117
Thanet Ho. *WC1* —3F 25
Thanet Lodge. *NW2* —1A 4
Thanet St. *WC1* —3F 25
Thanet Wharf. *SE8* —3F 131
Thavie's Inn. *EC1* —3E 45
Thaxted Ct. *N1* —1D 29
Thaxted Ho. *SE16* —3B 106
Thaxton Rd. *W14* —2C 114
Thayer St. *W1* —2E 41
Theatre Mus. —5A 44
Theberton St. *N1* —3E 13
Theed St. *SE1* —3E 73
Theobald's Rd. *WC1* —2A 44
Theobald St. *SE1* —2D 103
Thermopylae Ga. *E14* —4A 110
Theseus Wlk. *N1* —1A 28
Thessaly Ho. *SW8* —5B 120
Thessaly Rd. *SW8* —5B 120
Thesus Ho. *E14* —4C 54
Thetford Ho. *SE1* —1B 104
Third Av. *W10* —2A 18
Thirleby Rd. *SW1* —2C 98
Thirlmere. *NW1* —2A 24
Thistle Gro. *SW10* —5A 94
Thistle Ho. *E14* —3C 54
Thistley Ct. *SE8* —2F 131
Thomas Burt Ho. *E2* —2F 31
Thomas Cribb M. *E6* —3C 60
Thomas Darby Ct. *W11* —4F 35
Thomas Doyle St. *SE1* —1A 102
Thomas Hollywood Ho. *E2* —1B 32
Thomas More Highwalk. *EC2* —2B 46
Thomas More Ho. *EC2* —2B 46
Thomas More Sq. *E1* —1D 77
Thomas More St. *E1* —1D 77
*Thomas Neals Shop. Mall. WC2* —4F 43
(off Earlham St.)
Thomas N. Ter. *E16* —2B 56
Thomas Pl. *W8* —2F 93
Thomas Rd. *E14* —3C 52
Thomas Rd. Ind. Est. *E14* —2D 53
(in two parts)
Thompson Ho. *SE14* —3C 128
Thompson's Av. *SE5* —4B 124
Thomson Ho. *E14* —4E 53
Thomson Ho. *SE17* —4F 103
Thomson Ho. *SW1* —1E 121
Thorburn Sq. *SE1* —4D 105
Thoresby St. *N1* —2C 28
Thornaby Ho. *E2* —2F 31
Thornbury Ct. *W11* —5D 37
Thorncroft St. *SW8* —5F 121
Thorndike Clo. *SW10* —4B 116
Thorndike Ho. *SW1* —5D 99
Thorndike St. *SW1* —4D 99
Thorne Clo. *E16* —3C 56
Thorne Ho. *E2* —2C 32
Thorne Ho. *E14* —1B 110
Thorne Rd. *SW8* —5F 121
Thornewill Ho. *E1* —5C 50
Thorney Ct. *SW7* —5B 66
Thorney Cres. *SW11* —5E 117
Thorney St. *SW1* —2E 99
Thornfield Ho. *E14* —5D 53
Thornfield Rd. *W12* —4A 62
(in four parts)
Thorngate Rd. *W9* —4E 19
Thornham St. *SE10* —3A 132
Thornhaugh M. *WC1* —5E 25
Thornhaugh St. *WC1* —5E 25
Thornhill Bri. Wharf. *N1* —4B 12

Thornhill Cres. *N1* —2C 12
Thornhill Gro. *N1* —2C 12
Thornhill Houses. *N1* —1D 13
Thornhill Rd. *N1* —1D 13
Thornhill Sq. *N1* —2C 12
Thornton Ho. *SE17* —4F 103
Thornton Pl. *W1* —1C 40
Thorold Ho. *SE1* —4B 74
Thorparch Rd. *SW8* —5E 121
Thorpe Clo. *W10* —3A 36
Thorpe Ho. *N1* —4C 12
Thoydon Rd. *E3* —1F 33
Thrale St. *SE1* —3C 74
Thrasher Clo. *E8* —3B 16
Thrawl St. *E1* —2C 48
Threadneedle St. *EC2* —4E 47
Three Barrels Wlk. *EC4* —1C 74
Three Colt Corner. *E2 & E1*
—5D 31
Three Colts La. *E2* —4F 31
Three Colt St. *E14* —5C 52
Three Cranes Wlk. *EC4* —1C 74
Three Cups Yd. *WC1* —2C 44
Three Kings Yd. *W1* —5F 41
Three Oak La. *SE1* —4B 76
Three Quays. *EC3* —1A 76
Three Quays Wlk. *EC3* —1A 76
Threshers Pl. *W11* —5F 35
Throckmorten Rd. *E16* —4A 58
Throgmorton Av. *EC2* —3E 47
(in two parts)
Throgmorton St. *EC2* —3E 47
Thrush St. *SE17* —1E 103
Thurland Ho. *SE16* —4F 105
Thurland Rd. *SE16* —1D 105
Thurloe Clo. *SW7* —3F 95
Thurloe Ct. *SW3* —4F 95
Thurloe Pl. *SW7* —3E 95
Thurloe Pl. M. *SW7* —3E 95
Thurloe Sq. *SW7* —3E 95
Thurloe St. *SW7* —3E 95
Thurlow St. *SE17* —5E 103
(in two parts)
Thurlow Wlk. *SE17* —5F 103
(in two parts)
Thurnscoe. *NW1* —4B 10
Thurso Ho. *NW6* —1F 19
Thurstan Dwellings. *WC2* —3A 44
Thurtle Rd. *E2* —4C 16
Tibberton Sq. *N1* —2B 14
Tiber Gdns. *N1* —4A 12
Tickford Ho. *NW8* —3F 21
Tidal Basin Rd. *E16* —5C 56
Tidbury Ct. *SW8* —5B 120
Tideway Ct. *SE16* —2E 79
Tideway Ho. *E14* —4E 81
Tideway Ind. Est. *SW8* —3C 120
Tideway Wlk. *SW8* —3C 120
Tidey St. *E3* —1E 53
Tilbury Clo. *SE15* —4C 126
Tilbury Ho. *SE14* —2D 129
Tile Yd. *E14* —4C 52
Tileyard Rd. *N7* —1F 11
Tilleard Ho. *W10* —2A 18
Tiller Rd. *E14* —1D 109
Tillett Sq. *SE16* —5A 80
Tillet Way. *E2* —2D 31
Tillman St. *E1* —4A 50
Tilloch St. *N1* —2B 12
Tillotson Ct. *SW8* —5E 121
Tilney Ct. *EC1* —4C 28
Tilney St. *W1* —1E 9
Tilton St. *SW6* —3A 114
Timberland Clo. *SE15* —5D 127
Timberland Rd. *E1* —4A 50
Timber Pond Rd. *SE16* —3E 79
Timber St. *EC1* —4B 28
Timber Wharves Est. *E14* —3E 109
Timbrell Pl. *SE16* —3B 80
Timor Ho. *E1* —5F 33

Timothy Rd. *E3* —2B 52
Tindal St. *SW9* —5F 123
Tinsley Rd. *E1* —1C 50
Tintern Ho. *NW1* —1A 24
Tintern Ho. *SW1* —4F 97
Tinto Rd. *E16* —1E 57
Tinworth St. *SE1* —5A 100
Tiptree. *NW1* —1F 9
Tisbury Ct. *W1* —5D 43
Tisdall Pl. *SE17* —4E 103
Tissington Ct. *SE16* —4D 107
Titan Bus. Est. *SE8* —4D 131
Titchborne Row. *W2* —4F 39
Titchfield Rd. *NW8* —4B 8
Tite St. *SW3* —1B 118
Titmuss St. *W12* —5A 62
Tiverton St. *SE1* —2B 102
Tivoli Ct. *SE16* —3B 80
Tobacco Quay. *E1* —1F 77
Tobago St. *E14* —4D 81
Tobin Clo. *NW3* —1A 8
Toby La. *E1* —5F 33
Tokenhouse Yd. *EC2* —3D 47
Tolchurch. *W11* —3C 36
Tollbridge Clo. *W10* —4A 18
Tollet St. *E1* —4D 33
Tollgate Gdns. *NW6* —5F 5
Tollgate Ho. *NW6* —5F 5
Tollgate Rd. *E16 & E6* —2C 58
Tollgate Sq. *E6* —1B 60
Tolmers Sq. *NW1* —4C 24
(in two parts)
Tolpaide Ho. *SE11* —4D 101
Tolpuddle St. *N1* —5D 13
Tom Jenkinson Rd. *E16* —2E 85
Tomkyns Ho. *SE11* —4D 101
Tomlinson Clo. *E2* —3C 30
Tomlins Ter. *E14* —3A 52
Tompion Ho. *EC1* —4A 28
Tompion St. *EC1* —3A 28
(in two parts)
Tom Smith Clo. *SE10* —2F 133
Tomson Ho. *SE1* —1B 104
Tom Williams Ho. *SW6* —3B 114
Tonbridge Houses. *WC1* —3F 25
Tonbridge St. *WC1* —2F 25
Tonbridge Wlk. *WC1* —2F 25
Toneborough. *NW8* —4A 6
Took's Ct. *WC2* —3D 45
Tooley St. *SE1* —2E 75
Topham Ho. *SE10* —5B 132
Topham St. *EC1* —4D 27
Topmast Point. *E14* —5D 81
Torbay Ct. *NW1* —1A 10
Torbay Mans. *NW6* —2B 4
Torbay Rd. *NW6* —2B 4
Torbay St. *NW1* —2A 10
Tor Ct. *W8* —4E 65
Tor Gdns. *W8* —4D 65
Tornay Ho. *N1* —5B 12
Torquay St. *W2* —2F 37
Torrens St. *EC1* —1F 27
Torres Sq. *E14* —5E 109
Torridon Ho. *NW6* —1F 19
Torrington Pl. *E1* —2E 77
Torrington Pl. *WC1* —1D 43
Torrington Sq. *WC1* —5E 25
Tortington Ho. *SE15* —4E 127
Tothill Ho. *SW1* —3E 99
Tothill St. *SW1* —5D 71
Tottan Ter. *E1* —3E 51
Tottenhall. *NW1* —1E 9
Tottenham Ct. Rd. *W1* —5C 24
Tottenham M. *W1* —1C 42
Tottenham St. *W1* —1C 42
Toulmin St. *SE1* —5B 74
Toulon St. *SE5* —4B 124
Toulouse Ct. *SE16* —5A 106
Tourist Info. Cen. —4B 46
(City of London)

# Tysoe St.—Vincent Clo.

Tysoe St. *EC1* —3D **27**
Tyssen St. *E8* —5A **16**
Tytherton. *E2* —1B **32**

**U**amvar St. *E14* —1A **54**
UCI Empire Cinema. —5E **43**
Udall St. *SW1* —4C **98**
Udimore Ho. *W10* —1B **34**
Ufford St. *SE1* —4E **73**
Ufton Gro. *N1* —1E **15**
Ufton Rd. *N1* —2E **15**
 (in two parts)
UGC Haymarket Cinema. —1D **71**
UGC Trocadero Cinema. —1D **71**
Ullin St. *E14* —2B **54**
Ullswater Ho. *SE15* —3B **128**
Ulster Pl. *NW1* —5F **23**
Ulster Ter. *NW1* —5F **23**
Umberston St. *E1* —3F **49**
Underhill Ho. *E14* —2D **53**
Underhill Pas. *NW1* —3A **10**
Underhill St. *NW1* —4A **10**
Undershaft. *EC3* —4F **47**
Underwood Ho. *W6* —1A **90**
Underwood Rd. *E1* —5D **31**
Underwood Row. *N1* —2C **28**
Underwood St. *N1* —2C **28**
Undine Rd. *E14* —3A **110**
Unicorn Building. *E1* —5E **51**
Union Ct. *EC2* —3F **47**
Union Dri. *E1* —4F **33**
Union Sq. *N1* —4C **14**
Union St. *SE1* —4F **73**
Union Theatre. —3A **74**
Union Wlk. *E2* —2A **30**
Union Yd. *W1* —4A **42**
Unit Workshops. *E1* —3D **49**
Unity M. *NW1* —5D **11**
Unity Wharf. *SE1* —4C **76**
University St. *WC1* —5C **24**
University Way. *E16* —1E **89**
Unwin Clo. *SE15* —3D **127**
Unwin Mans. *W14* —2B **115**
Unwin Rd. *SW7* —1D **95**
Upbrook M. *W2* —4C **38**
Upcerne Rd. *SW10* —5B **116**
Upnall Ho. *SE15* —3C **128**
Upnor Way. *SE17* —5A **104**
Up. Addison Gdns. *W14* —4E **63**
Up. Belgrave St. *SW1* —1E **97**
*Up. Berenger Wlk. SW10* —4D **117**
 *(off Berenger Wlk.)*
Up. Berkeley St. *W2* —4B **40**
Up. Blantyre Wlk. *SW10* —4D **117**
Up. Brook St. *W1* —1D **69**
Up. Camelford Wlk. *W11* —4F **35**
Up. Cheyne Row. *SW3* —3F **117**
Up. Clarendon Wlk. *W11* —4F **35**
Up. Dartrey Wlk. *SW10* —4C **116**
*Up. Dengie Wlk. N1* —3B **14**
 *(off Baddow Wlk.)*
Upper Feilde. *W1* —5D **41**
Up. Grosvenor St. *W1* —1D **69**
Upper Ground. *SE1* —2D **73**
Up. Gulland Wlk. *N1* —1C **14**
*Up. Hawkwell Wlk. N1* —3C **14**
 *(off Maldon Clo.)*
Up. James St. *W1* —5C **42**
Up. John St. *W1* —5C **42**
Upper Marsh. *SE1* —1C **100**
Up. Montagu St. *W1* —1B **40**
Up. North St. *E14* —2E **53**
Up. Phillimore Gdns. *W8* —5D **65**
*Up. Rawreth Wlk. N1* —3C **14**
 *(off Basire St.)*
Up. St Martin's La. *WC2* —5F **43**
Upper St. *N1* —1F **13**
Up. Tachbrook St. *SW1* —3B **98**
Up. Talbot Wlk. *W11* —4F **35**

Up. Thames St. *EC4* —5A **46**
Up. Whistler Wlk. *SW10* —4C **116**
Up. Wimpole St. *W1* —1E **41**
Up. Woburn Pl. *WC1* —3E **25**
Upwey Ho. *N1* —4F **15**
Urlwin St. *SE5* —3B **124**
Urmston Ho. *E14* —3C **110**
Usborne M. *SW8* —4C **122**
Usk St. *E2* —2D **33**
Utopia Village. *NW1* —3D **9**
Uverdale Rd. *SW10* —5C **116**
Uxbridge Rd. *W12* —3A **62**
Uxbridge St. *W8* —2D **65**

**V**ale Clo. *W9* —3B **20**
Vale Ct. *W9* —3C **20**
Valentine Pl. *SE1* —5F **73**
Valentine Row. *SE1* —5F **73**
Vale Royal. *N7* —2F **11**
Vale Royal Ho. *WC2* —5E **43**
Vale, The. *SW3* —2D **117**
Valiant Ho. *E14* —3C **110**
Valiant Way. *E6* —2B **60**
Vallance Rd. *E2 & E1* —3E **31**
Valois Ho. *SE1* —1B **104**
Vanbrugh Castle. *SE10* —3F **133**
Vanbrugh Clo. *E16* —2D **59**
Vanbrugh Ct. *SE11* —4E **101**
Vanbrugh Hill. *SE10 & SE3* —5A **112**
Vanburgh Ho. *E1* —1B **48**
Vancouver Ho. *E1* —3A **78**
Vandome Clo. *E16* —4F **57**
Vandon Ct. *SW1* —1C **98**
Vandon Pas. *SW1* —1C **98**
Vandon St. *SW1* —1C **98**
Vandy St. *EC2* —5F **29**
Vane St. *SW1* —3C **98**
Vange Ho. *W10* —1B **34**
Van Gogh Ct. *E14* —2D **111**
Vanguard Building. *E14* —4D **81**
Vanguard Ho. *E16* —2E **57**
Vansittart St. *SE14* —4A **130**
Vanston Pl. *SW6* —4D **115**
Vantage M. *E14* —3C **82**
Vantrey Ho. *SE11* —4D **101**
Varcoe Rd. *SE16* —1A **128**
Varden St. *E1* —3F **49**
Varley Ho. *NW6* —4D **5**
Varley Rd. *E16* —3F **57**
Varna Rd. *SW6* —4A **114**
Varndell St. *NW1* —2B **24**
Vassall Ho. *E3* —2F **33**
Vassall Rd. *SW9* —5D **123**
Vat Ho. *SW8* —4A **122**
Vauban Est. *SE1* —2C **104**
Vauban St. *SE16* —2C **104**
Vaudeville Theatre. —1A **72**
Vaughan Est. *E2* —2B **30**
Vaughan Ho. *SE1* —4F **73**
Vaughan St. *SE16* —5B **80**
Vaughan Way. *E1* —1D **77**
Vaughan Williams Clo. *SE8* —5D **131**
Vauxhall. —1A **122**
Vauxhall Bri. *SW1 & SE1* —5E **99**
Vauxhall Bri. Rd. *SW1* —2B **98**
Vauxhall Cross. (Junct.) —1A **122**
Vauxhall Distribution Pk. *SW8*
 —3D **121**
Vauxhall Gro. *SW8* —2A **122**
Vauxhall St. *SE11* —5C **100**
Vauxhall Wlk. *SE11* —5B **100**
Vawdrey Clo. *E1* —5B **32**
Velletri Ho. *E2* —1D **33**
Venables St. *NW8* —3E **21**
Venice Ct. *SE5* —4C **124**
Venn Ho. *N1* —4C **12**
Ventnor Rd. *SE14* —5E **129**
Venture Ho. *W10* —4E **35**
Venue St. *E14* —1B **54**

Verdi Ho. *W10* —1A **18**
Vereker Rd. *W14* —1A **114**
Vere St. *W1* —4F **41**
Verity Clo. *W11* —4F **35**
Vermeer Ct. *E14* —2D **111**
Verney Ho. *NW8* —4F **21**
Verney Rd. *SE16* —2E **127**
Verney Way. *SE16* —1F **127**
Vernon Ho. *SE11* —1C **122**
Vernon Ho. *WC1* —2A **44**
Vernon M. *W14* —4A **92**
Vernon Pl. *WC1* —2A **44**
Vernon Ri. *WC1* —2C **26**
Vernon Sq. *WC1* —2C **26**
Vernon St. *W14* —4F **91**
Vernon Yd. *W11* —5B **36**
Verona Ct. *SE14* —2D **129**
Verulam Bldgs. *WC1* —1C **44**
Verulam Ho. *W6* —5A **62**
Verulam St. *WC1* —1D **45**
Verwood Ho. *SW8* —5C **122**
Verwood Lodge. *E14* —2D **111**
Vesage Ct. *EC1* —2E **45**
Vesey Path. *E14* —4A **54**
Vestry Ct. *SW1* —2E **99**
Vestry St. *N1* —2D **29**
Viaduct Bldgs. *EC1* —2E **45**
Viaduct Pl. *E2* —3F **31**
Viaduct St. *E2* —3F **31**
Vibart Wlk. *N1* —3A **12**
Vicarage Ct. *W8* —4F **65**
Vicarage Gdns. *W8* —3E **65**
Vicarage Ga. *W8* —3F **65**
Viceroy Ct. *NW8* —5A **8**
Vickery Ct. *EC1* —4C **28**
Victor Cazalet Ho. *N1* —3F **13**
Victoria & Albert Mus. —2E **95**
Victoria Arc. *SW1* —2A **98**
Victoria Av. *EC2* —2A **48**
Victoria Bldgs. *E8* —4F **17**
Victoria Colonnade. *WC1* —2A **44**
Victoria Cotts. *E1* —1D **49**
Victoria Dock Rd. *E16* —4B **56**
Victoria Embkmt. *SW1 & WC2* —5A **72**
Victoria Gdns. *W11* —2D **65**
Victoria Gro. *W8* —1B **94**
Victoria Gro. M. *W2* —1E **65**
Victoria Hall. *E16* —2E **85**
 (in two parts)
Victoria Ho. *E6* —3D **61**
Victoria Ho. *SW1* —3C **98**
Victoria Ho. *SW1* —5F **97**
Victoria Ho. *SW8* —4A **122**
Victoria Mans. *SW8* —4A **122**
Victoria M. *NW6* —3D **5**
Victoria Palace Theatre. —2B **98**
Victoria Pk. Rd. *E9* —4F **17**
Victoria Pk. Sq. *E2* —2B **32**
Victoria Pas. *NW8* —4D **21**
Victoria Pl. Shop. Cen. *SW1* —3A **98**
Victoria Rd. *NW6* —5B **4**
Victoria Rd. *W8* —5B **66**
Victoria Sq. *SW1* —1A **98**
Victoria St. *SW1* —2A **98**
Victoria Way. *SE7* —5F **113**
Victoria Wharf. *E2* —1E **33**
Victoria Wharf. *E14* —5A **52**
Victoria Wharf. *SE8* —5B **108**
Victoria Yd. *E1* —4E **49**
Victory Ct. *W9* —5D **19**
Victory Pl. *E14* —5A **52**
Victory Pl. *SE17* —3C **102**
Victory Way. *SE16* —5A **80**
Vigo St. *W1* —1B **70**
Viking Ct. *SW6* —3E **115**
Viking Gdns. *E6* —1F **59**
Villa St. *SE17* —1E **125**
Villa Wlk. *SE17* —1E **125**
Villiers St. *WC2* —1F **71**
Vincent Clo. *SE16* —5F **79**

# Water St.—Westmoreland Wlk.

Water St. *WC2* —5D **45**
Water Tower Pl. *N1* —4F **13**
Waterview Ho. *E14* —2A **52**
Watford Rd. *E16* —2E **57**
Watkins Ho. *E14* —5B **82**
Watling Ct. *EC4* —4C **46**
Watling St. *EC4* —4B **46**
Watling St. *SE15* —3A **126**
Watney Mkt. *E1* —4A **50**
Watney St. *E1* —4A **50**
Watson's M. *W1* —2A **40**
Watson's St. *SE8* —5D **131**
Watts Gro. *E3* —1E **53**
Watts St. *E1* —2A **78**
Watts St. *SE15* —5C **126**
Wavel Ct. *E1* —2B **78**
Wavel M. *NW6* —2F **5**
Waveney Clo. *E1* —2E **77**
Waverley Ct. *NW3* —1B **8**
Waverley Ct. *NW6* —2A **4**
Waverley Gdns. *E6* —2A **60**
Waverley Pl. *NW8* —5D **7**
Waverton St. *W1* —2E **69**
Waylett Ho. *SE11* —1D **123**
Wayman Ct. *E8* —1F **17**
Waynflete Sq. *W10* —4D **35**
  (in two parts)
Weald Clo. *SE16* —5F **105**
Wearmouth Ho. *E3* —1C **52**
Wear Pl. *E2* —3F **31**
  (in two parts)
Weatherbury. *W2* —3D **37**
Weatherley Clo. *E3* —1C **52**
Weaver Clo. *E6* —5F **61**
Weavers La. *SE1* —3A **76**
Weavers Ter. *SW6* —3E **115**
Weaver St. *E1* —5D **31**
Weavers Way. *NW1* —3D **11**
Webber Row. *SE1* —1E **101**
  (in two parts)
Webber St. *SE1* —4E **73**
Webb Ho. *SW8* —5E **121**
Webb St. *SE1* —2F **103**
Webheath. *NW6* —1C **4**
Webster Rd. *SE16* —2E **105**
Weddell Ho. *E1* —3E **33**
Wedgewood Ho. *SW1* —1A **120**
Wedgwood Ho. *E2* —3D **33**
Wedgwood Ho. *SE11* —2D **101**
Wedgwood M. *W1* —4E **43**
Wedlake St. *W10* —4A **18**
Weighhouse St. *W1* —5E **41**
Weir's Pas. *NW1* —2E **25**
Welbeck Ct. *W14* —3B **92**
Welbeck Ho. *W1* —3F **41**
Welbeck St. *W1* —2E **41**
Welbeck Way. *W1* —3F **41**
Welford Ct. *NW1* —1A **10**
Welland M. *E1* —2E **77**
Welland St. *SE10* —3B **132**
Wellclose Sq. *E1* —5E **49**
  (in two parts)
Wellclose St. *E1* —1E **77**
Wellcome Cen. for Medical Science.
  —4D **25**

Well Ct. *EC4* —4C **46**
  (in two parts)
Weller Ho. *SE16* —5D **77**
Wellers Ct. *NW1* —1F **25**
Weller St. *SE1* —4B **74**
Welles Ct. *E14* —1D **81**
Wellesley Av. *W6* —2A **90**
Wellesley Ct. *NW8* —2B **20**
Wellesley Ho. *SW1* —5F **97**
Wellesley Mans. *W14* —5B **92**
Wellesley Pl. *NW1* —3D **25**
Wellesley St. *E1* —2D **51**
Wellesley Ter. *N1* —2C **28**
Wellington Bldgs. *SW1* —1E **119**
Wellington Clo. *W11* —4D **37**

Wellington Ct. *NW8* —1D **21**
Wellington Ct. *SW1* —5B **68**
Wellington Gro. *SE10* —5D **133**
Wellington Ho. *E16* —2E **85**
Wellington Ho. *NW3* —1C **8**
Wellington Mus. —4E **69**
Wellington Pl. *NW8* —2E **21**
Wellington Rd. *NW8* —1E **21**
Wellington Row. *E2* —2C **30**
Wellington Sq. *SW3* —5B **96**
Wellington St. *WC2* —5A **44**
Wellington Ter. *E1* —2F **77**
Wellington Ter. *W11* —1F **65**
Wells Ct. *NW6* —5E **5**
Wells Ho. *EC1* —2E **27**
Wells Ho. *SE16* —1C **106**
Wells Ri. *NW8* —4B **8**
Wells Rd. *W12* —5B **62**
Wells Sq. *WC1* —3B **26**
Wells St. *W1* —2B **42**
Wells Way. *SE5* —2E **125**
Wells Way. *SW7* —1D **95**
Welsford St. *SE1* —5D **105**
  (in two parts)
Welsh Ho. *E1* —2A **78**
Welshpool Ho. *E8* —3E **17**
Welshpool St. *E8* —3E **17**
  (in two parts)
Welstead Ho. *E1* —4F **49**
Welton Ho. *E1* —2D **51**
Welwyn St. *E2* —2C **32**
Wendle Ct. *SW8* —3F **121**
Wendover. *SE17* —5F **103**
  (in two parts)
Wendover Ct. *W1* —2D **41**
Wendover Ho. *W1* —2D **41**
Wenham Ho. *SW8* —5B **120**
Wenlake Ho. *EC1* —4B **28**
Wenlock Barn Est. *N1* —1D **29**
Wenlock Ct. *N1* —1E **29**
Wenlock Rd. *N1* —1B **28**
Wenlock St. *N1* —1C **28**
Wennington Rd. *E3* —1E **33**
Wentworth Ct. *W6* —3A **114**
Wentworth Cres. *SE15* —3C **127**
Wentworth Dwellings. *E1* —3B **48**
Wentworth St. *E1* —3B **48**
Werrington St. *NW1* —1C **24**
Wesley Av. *E16* —2E **85**
Wesley Clo. *SE17* —4A **102**
Wesley's House Mus. —5E **29**
Wesley Sq. *W11* —4F **35**
Wesley St. *W1* —2B **41**
Wessex Ho. *SE1* —5C **104**
Wessex St. *E2* —3C **32**
W. Arbour St. *E1* —3C **50**
West Beckton. —4E **59**
West Block. *SE1* —5B **72**
Westbourne Bri. *W2* —2B **38**
Westbourne Cres. *W2* —5D **39**
Westbourne Cres. M. *W2* —5D **39**
Westbourne Gdns. *W2* —3F **37**
Westbourne Green. —1F **37**
Westbourne Gro. *W11 & W2* —5B **36**
Westbourne Gro. M. *W11* —4D **37**
Westbourne Gro. Ter. *W2* —3F **37**
Westbourne Ho. *SW1* —5F **97**
Westbourne Pk. Pas. *W2* —1E **37**
  (in two parts)
Westbourne Pk. Rd. *W11 & W2*
  —4A **36**
Westbourne Pk. Vs. *W2* —2E **37**
Westbourne Rd. *N7* —1D **13**
Westbourne St. *W2* —5D **39**
Westbourne Ter. *W2* —3B **38**
Westbourne Ter. M. *W2* —3B **38**
Westbourne Ter. Rd. *W2* —2B **38**
Westbourne Ter. Rd. Bri. *W2* —1B **38**
Westbridge Rd. *SW11* —5F **117**

West Brompton. —2E **115**
Westbrook Ho. *E2* —2B **32**
W. Carriage Dri. *W2* —1F **67**
W. Central St. *WC1* —3F **43**
Westcombe Hill. *SE3* —5D **113**
Westcombe Pk. Rd. *SE3* —3F **133**
Westcott Ho. *E14* —5E **53**
Westcott Rd. *SE17* —2F **123**
W. Cromwell Rd. *W14 & SW5* —5B **92**
W. Cross Route. *W10* —5D **35**
W. Eaton Pl. *SW1* —3D **97**
W. Eaton Pl. M. *SW1* —3D **97**
W. End Ct. *NW6* —1F **5**
W. End La. *NW6* —2E **5**
Westerham. *NW1* —4B **10**
Westerham Ho. *SE1* —1E **103**
Western Beach Apartments. *E16*
  —2D **85**
Western Ct. *W9* —1C **18**
Western M. *W9* —5C **18**
Western Pl. *SE16* —4C **78**
Westferry Cir. *E14* —2D **81**
Westferry Rd. *E14* —2D **81**
Westfield Clo. *SW10* —5B **116**
Westfield Ho. *SE16* —3E **107**
Westfield Way. *E1* —3F **33**
W. Garden Pl. *W2* —4A **40**
West Gdns. *E1* —1A **78**
Westgate Cen., The. *E8* —3F **17**
Westgate St. *E8* —3F **17**
Westgate Ter. *SW10* —1A **116**
W. Halkin St. *SW1* —1D **97**
W. Hampstead M. *NW6* —1F **5**
W. Harding St. *EC4* —3E **45**
Westhope Ho. *E2* —4E **31**
W. India Av. *E14* —2D **81**
W. India Dock Rd. *E14* —4C **52**
  (in two parts)
W. India Ho. *E14* —5D **53**
West Kensington. —5B **92**
W. Kensington Ct. *W14* —5B **92**
W. Kensington Mans. *W14* —1B **114**
West Kilburn. —3B **18**
Westlake. *SE16* —4D **106**
Westland Ho. *E16* —3D **89**
Westland Pl. *EC1* —2D **29**
West La. *SE16* —5F **77**
West Lodge. *E16* —2E **85**
  (off Britannia Ga.)
Westmacott Ho. *NW8* —5E **21**
West Mall. *W8* —2E **65**
W. Mersea Clo. *E16* —3F **85**
West M. *SW1* —4B **98**
Westminster. —5F **71**
Westminster Abbey. —1F **99**
Westminster Abbey Chapter House.
  —1F **99**
Westminster Abbey Mus. —1F **99**
  (off Westminster Abbey)
Westminster Abbey Pyx Chamber.
  —1F **99**
Westminster Bri. *SW1 & SE1* —5A **72**
Westminster Bri. Rd. *SE1* —5B **72**
Westminster Bus. Sq. *SE11* —1B **122**
Westminster Ct. *SE16* —2E **79**
Westminster Gdns. *SW1* —3F **99**
Westminster Hall. —5F **71**
Westminster Mans. *SW1* —2E **99**
Westminster Pal. Gdns. *SW1* —2D **99**
Westminster RC Cathedral. —2C **98**
Westminster Theatre. —1B **98**
Westmoreland Ho. *E16* —2E **85**
  (off Gatcombe Rd.)
Westmoreland Pl. *SW1* —1A **120**
Westmoreland Rd. *SE17* —2C **124**
  (in two parts)
Westmoreland St. *W1* —2E **41**
Westmoreland Ter. *SW1* —5A **98**
Westmoreland Wlk. *SE17* —2D **125**
  (in three parts)

Willowdene. *SE15* —5F **127**
Willow Pl. *SW1* —3C **98**
Willow St. *EC2* —4F **29**
Willow Wlk. *SE1* —3A **104**
Willow Way. *W11* —1E **63**
Willsbridge Ct. *SE15* —3B **126**
Wilman Gro. *E8* —1E **17**
Wilmcote Ho. *W2* —1F **37**
Wilmer Gdns. *N1* —4F **15**
 (in two parts)
Wilmington Sq. *WC1* —3D **27**
 (in two parts)
Wilmington St. *WC1* —3D **27**
Wilmot Clo. *SE15* —5D **127**
Wilmot St. *E2* —4F **31**
Wilmot St. *NW1* —1B **10**
Wilsham St. *W11* —2E **63**
Wilshaw Ho. *SE8* —5E **131**
Wilshaw St. *SE14* —5D **131**
Wilson Gro. *SE16* —5F **77**
Wilson's Pl. *E14* —4B **52**
Wilson's Rd. *W6* —5E **91**
Wilson St. *EC2* —1E **47**
Wilton Ct. *E1* —3A **50**
Wilton Cres. *SW1* —5D **69**
Wilton M. *SW1* —1E **97**
Wilton Pl. *SW1* —5D **69**
Wilton Rd. *SW1* —2A **98**
Wilton Row. *SW1* —5D **69**
Wilton Sq. *N1* —3D **15**
Wilton St. *SW1* —1F **97**
Wilton Ter. *SW1* —1D **97**
Wilton Vs. *N1* —4D **15**
Wiltshire Clo. *SW3* —4B **96**
Wiltshire Row. *N1* —4D **15**
Wimbolt St. *E2* —2D **31**
Wimborne Ho. *E16* —5C **56**
Wimborne Ho. *NW1* —5A **22**
Wimborne Ho. *SW8* —5C **122**
Wimbourne Ct. *N1* —5D **15**
Wimbourne St. *N1* —5D **15**
Wimpole M. *W1* —1F **41**
Wimpole St. *W1* —2F **41**
Winant Ho. *E14* —1A **82**
Winchcombe Bus. Cen. *SE15*
 —3A **126**
Winchcombe Ct. *SE15* —3A **126**
Winchelsea Ho. *SE16* —4C **78**
Winchendon Rd. *SW6* —5B **114**
Winchester Av. *NW6* —3A **4**
Winchester Clo. *E6* —4A **60**
Winchester Clo. *SE17* —4A **102**
Winchester Ct. *W8* —4E **65**
Winchester Ho. *SW3* —3E **117**
Winchester Ho. *SW9* —4E **123**
Winchester Ho. *W2* —4B **38**
Winchester Rd. *NW3* —1E **7**
Winchester Sq. *SE1* —2D **75**
Winchester St. *SW1* —5A **98**
Winchester Wlk. *SE1* —2D **75**
Winch Ho. *E14* —1F **109**
Winch Ho. *SW10* —4C **116**
Winchilsea Ho. *NW8* —3D **21**
Wincott St. *SE11* —3E **101**
Windermere. *NW1* —3A **24**
Windermere Av. *NW6* —4A **4**
Windermere Point. *SE15* —4B **128**
Windlass Pl. *SE8* —4A **108**
Windmill. *WC1* —1B **44**
Windmill Clo. *SE1* —3E **105**
Windmill Row. *SE11* —1D **123**
Windmill St. *W1* —2D **43**
 (in two parts)
Windmill Wlk. *SE1* —3E **73**
Windrose Clo. *SE16* —4D **79**
Windsock Clo. *SE16* —3B **108**
Windsor Cen., The. *N1* —3A **14**
Windsor Cotts. *SE14* —4B **130**
Windsor Ct. *NW2* —1A **4**
Windsor Ct. *SE16* —1E **79**

Windsor Ct. *SW3* —5A **96**
Windsor Ct. *W2* —5F **37**
*Windsor Ct. W10* —4D *35*
 (off Darfield Way)
Windsor Gdns. *W9* —5D **19**
Windsor Hall. *E16* —2F **85**
 (in two parts)
Windsor Ho. *E2* —2D **33**
Windsor Ho. *N1* —5C **14**
Windsor Ho. *NW1* —2A **24**
Windsor Pl. *SW1* —3C **98**
Windsor St. *N1* —3A **14**
Windsor Ter. *N1* —2C **28**
Windsor Way. *W6* —3E **91**
Windspoint Dri. *SE15* —3F **127**
Wine Clo. *E1* —1B **78**
 (in two parts)
Wine Office Ct. *EC4* —3E **45**
Winforton St. *SE10* —5B **132**
Wingfield Ho. *E2* —3B **30**
Wingfield Ho. *NW6* —5F **5**
Wingrad Ho. *E1* —2B **50**
Wingrave. *SE17* —3D **103**
 (in three parts)
Wingreen. *NW8* —3A **6**
Winicotte Ho. *W2* —1E **39**
Winifred St. *E16* —3C **88**
Winkley St. *E2* —1F **31**
Winkworth Cotts. *E1* —4C **32**
Winnett St. *W1* —5D **43**
Winnington Ho. *SE5* —4B **124**
Winsham Ho. *NW1* —2E **25**
Winsland M. *W2* —3D **39**
Winsland St. *W2* —3D **39**
Winsley St. *W1* —3B **42**
Winslow. *SE17* —1F **125**
**Winsor Park. —2F 61**
Winsor Ter. *E6* —2D **61**
Winston Ho. *N1* —1E **29**
Winston Ho. *WC1* —4E **25**
Winterbourne Ho. *W11* —1F **63**
Wintergreen Clo. *E6* —2F **59**
Winterleys. *NW6* —1C **18**
Winter Lodge. *SE16* —1E **127**
Winterton Ho. *E1* —4B **50**
Winterton Pl. *SW10* —2C **116**
Winthrop Ho. *W12* —5A **34**
Winthrop St. *E1* —1F **49**
Wisden Ho. *SW8* —3C **122**
Wisley Ho. *SW1* —5D **99**
Witan St. *E2* —3A **32**
Withers Pl. *EC1* —4C **28**
Withy Ho. *E1* —5D **33**
Witley Ct. *WC1* —5F **25**
Woburn Ct. *SE16* —5A **106**
Woburn M. *WC1* —4E **25**
Woburn Pl. *WC1* —4E **25**
Woburn Sq. *WC1* —5E **25**
Woburn Wlk. *WC1* —3E **25**
Wodehouse Av. *SE5* —5B **126**
Wolcot Ho. *NW1* —1C **24**
Wolfe Cres. *SE16* —5D **79**
Wolfe Ho. *W12* —5A **34**
Wollaston Clo. *SE1* —3B **102**
Wollett Ct. *NW1* —1C **10**
Wolseley St. *SE1* —5C **76**
Wolsey Ct. *NW6* —1C **6**
Wolsey St. *SW11* —5F **117**
Wolsey St. *E1* —2B **50**
Wolverley St. *E2* —3F **31**
Wolverton. *SE17* —5E **103**
 (in two parts)
Wolverton Gdns. *W6* —3D **91**
Wontner Clo. *N1* —2B **14**
Woodall Clo. *E14* —1C **52**
Woodbridge St. *EC1* —4F **27**
 (in two parts)
Woodchester Sq. *W2* —1F **37**

Woodchurch Rd. *NW6* —2E **5**
Wood Clo. *E2* —4D **31**
Woodcock Ho. *E14* —2D **53**
Woodcocks. *E16* —2C **58**
Woodcote Ho. *SE8* —2C **130**
Woodcroft M. *SE8* —4F **107**
Woodfall St. *SW3* —1B **118**
Woodfield Pl. *W9* —5C **18**
Woodfield Rd. *W9* —1C **36**
Woodford Ct. *W14* —4D **63**
Woodger Rd. *W12* —5C **62**
Woodget Clo. *E6* —3F **59**
Woodhall. *NW1* —3B **24**
Woodhatch Clo. *E6* —2F **59**
Woodland Cres. *SE10* —2F **133**
Woodland Cres. *SE16* —5D **79**
Woodland Gro. *SE10* —1F **133**
Woodlands Ho. *NW6* —2A **4**
Woodlands Pk. Rd. *SE10* —2F **133**
Wood La. *W12* —3B **34**
Woodman Pde. *E16* —3E **89**
Woodman's M. *W12* —2A **34**
Woodman St. *E16* —3E **89**
 (in two parts)
Woodpecker Rd. *SE14* —3F **129**
Wood Point. *E16* —2E **57**
Woodrush Clo. *SE14* —4F **129**
Wood's Bldgs. *E1* —1F **49**
Woodseer St. *E1* —1C **48**
Woodsford. *SE17* —5D **103**
Woodsford Sq. *W14* —4A **64**
Woods M. *W1* —5C **40**
Woods Pl. *SE1* —2A **104**
Woodstock Ct. *SE11* —5C **100**
Woodstock Gro. *W12* —4E **63**
Woodstock M. *W1* —2E **41**
Woodstock St. *W1* —4F **41**
Woodstock Ter. *E14* —5A **54**
Wood St. *E16* —5A **58**
Wood St. *EC2* —4C **46**
Woodville Ho. *SE1* —1B **104**
Woodville Rd. *NW6* —5C **4**
Wood Wharf. *SE10* —2A **132**
Wood Wharf Bus. Pk. *E14* —3A **82**
 (in two parts)
Woolcombes Ct. *SE16* —2D **79**
Wooler St. *SE17* —1D **125**
Woolf M. *WC1* —4E **25**
Woollon Ho. *E1* —3B **50**
Woolmore St. *E14* —5B **54**
Woolstaplers Way. *SE16* —2D **105**
Woolwich Mnr. Way. *E6 & E16*
 —1D **61**
Woolwich Rd. *SE10 & SE7* —5B **112**
Wooster Gdns. *E14* —3D **55**
Wooster Pl. *SE1* —3E **103**
Wootton St. *SE1* —4E **73**
Worcester Ho. *SE11* —2D **101**
Worcester Ho. *SW9* —4E **123**
Worcester Ho. *W2* —4B **38**
Wordsworth Ho. *NW6* —2D **19**
Wordsworth Rd. *SE1* —4C **104**
Worfield St. *SW11* —5A **118**
Worgan St. *SE11* —1B **100**
Worgan St. *SE16* —2E **107**
Worlds End Est. *SW10* —4D **117**
World's End Pas. *SW10* —4D **117**
World's End Pl. *SW10* —4C **116**
Worlidge St. *W6* —5B **90**
Wormwood St. *EC2* —3F **47**
 (in two parts)
Wornington Rd. *W10* —5A **18** & 1F **35**
Wornum Ho. *W10* —1A **18**
Woronzow Rd. *NW8* —4E **7**
Worship St. *EC2* —5E **29**
Worth Gro. *SE17* —1D **125**
Worthington Ho. *EC1* —2E **27**
Wotton Ct. *E14* —1E **83**
Wotton Rd. *SE8* —3C **130**
Wouldham Rd. *E16* —3B **56**

# HOSPITALS and HOSPICES
## covered by this atlas
### with their map square reference

N.B. Where Hospitals and Hospices are not named on the map, the reference given is for the road in which they are situated.

CAMDEN MEWS DAY HOSPITAL —1C **10**
1-5 Camden M.
LONDON
NW1 9DB
Tel: 020 75304780

CHELSEA & WESTMINSTER HOSPITAL —3C **116**
369 Fulham Rd.
LONDON
SW10 9NH
Tel: 020 87468000

CROMWELL HOSPITAL, THE —3F **93**
162-174 Cromwell Rd.
LONDON
SW5 0TU
Tel: 020 74602000

DEVONSHIRE HOSPITAL, THE —1E **41**
29-31 Devonshire St.
LONDON
W1N 1RF
Tel: 020 74867131

EASTMAN DENTAL HOSPITAL &
DENTAL INSTITUTE, THE —4B **26**
256 Gray's Inn Rd.
LONDON
WC1X 8LD
Tel: 020 79151000

FLORENCE NIGHTINGALE DAY
HOSPITAL —1A **40**
1B Harewood Row
LONDON
NW1 6SE
Tel: 020 7259940

FLORENCE NIGHTINGALE HOSPITAL —1A **40**
11-19 Lisson Gro.
LONDON
NW1 6SH
Tel: 020 72583828

GAINSBOROUGH CLINIC, THE —1E **101**
22 Barkham Ter.
LONDON
SE1 7PW
Tel: 020 79285633

GORDON HOSPITAL —4D **99**
Bloomburg St.
LONDON
SW1V 2RH
Tel: 020 87468733

GREAT ORMOND STREET HOSPITAL
FOR CHILDREN —5A **26**
Gt. Ormond St., LONDON
WC1N 3JH
Tel: 020 74059200

GUY'S HOSPITAL —4D **75**
St Thomas St.
LONDON
SE1 9RT
Tel: 020 79555000

GUY'S NUFFIELD HOUSE —4D **75**
Newcomen St.
LONDON
SE1 1YR
Tel: 020 79554257

HARLEY STREET CLINIC, THE —1F **41**
35 Weymouth St.
LONDON
W1N 4BJ
Tel: 020 79357700

HEART HOSPITAL, THE —2E **41**
16-18 Westmoreland St.
LONDON
W1G 8PH
Tel: 020 75738888

HOSPITAL FOR TROPICAL
DISEASES —5C **24**
Mortimer Mkt.
Capper St.
LONDON
WC1E 6AU
Tel: 020 73879300

HOSPITAL OF ST JOHN &
ST ELIZABETH —1D **21**
60 Gro. End Rd.
LONDON
NW8 9NH
Tel: 020 72865126

KING EDWARD VII'S HOSPITAL
FOR OFFICERS —1E **41**
5-10 Beaumont St.
LONDON
W1N 2AA
Tel: 020 74864411

LATIMER DAY HOSPITAL —1B **42**
40 Hanson St.
LONDON
W1W 6UL
Tel: 020 73809187

LISTER HOSPITAL, THE —1F **119**
Chelsea Bri. Rd.
LONDON
SW1W 8RH
Tel: 020 77303417

LONDON BRIDGE HOSPITAL —2E **75**
27 Tooley St.
LONDON
SE1 2PR
Tel: 020 74073100

LONDON CHEST HOSPITAL —1C **32**
Bonner Rd.
LONDON
E2 9JX
Tel: 020 73777000

LONDON CLINIC, THE —5E **23**
20 Devonshire Pl.
LONDON
W1N 2DH
Tel: 020 79354444

LONDON FOOT HOSPITAL —5B **24**
33 & 40 Fitzroy Sq.
LONDON
W1P 6AY
Tel: 020 75304500

LONDON INDEPENDENT HOSPITAL —1D **51**
1 Beaumont Sq.
LONDON
E1 4NL
Tel: 020 77900990

LONDON LIGHTHOUSE —4F **35**
111-117 Lancaster Rd.
LONDON
W11 1QT
Tel: 020 77921200

LONDON WELBECK HOSPITAL —2F **41**
27 Welbeck St.
LONDON
W1G 8EN
Tel: 020 72242242

MIDDLESEX HOSPITAL, THE —2C **42**
Mortimer St.
LONDON
W1N 8AA
Tel: 020 76368333

MILDMAY MISSION HOSPITAL —3B **30**
Hackney Rd.
LONDON
E2 7NA
Tel: 020 76136300

MOORFIELDS EYE HOSPITAL —3D **29**
162 City Rd.
LONDON
EC1V 2PD
Tel: 020 72533411

NATIONAL HOSPITAL FOR
NEUROLOGY & NEUROSURGERY, THE —5A **26**
Queen Sq.
LONDON
WC1N 3BG
Tel: 020 78373611

# Hospitals & Hospices

OBSTETRIC HOSPITAL, THE —5C **24**
Huntley St.
LONDON
WC1E 6DH
Tel: 020 73879300

PORTLAND HOSPITAL FOR WOMEN &
CHILDREN, THE —5A **24**
209 Gt. Portland St.
LONDON
W1N 6AH
Tel: 020 75804400

PRINCESS GRACE HOSPITAL —5D **23**
42-52 Nottingham Pl.
LONDON
W1M 3FD
Tel: 020 74861234

PRINCESS LOUISE HOSPITAL —2C **35**
St. Quintin Av.
LONDON
W10 6DL
Tel: 020 89690133

RICHARD HOUSE CHILDREN'S
HOSPICE —5E **59**
Richard Ho. Dri.
LONDON
E16 3RG
Tel: 020 75110222

ROYAL BROMPTON HOSPITAL —5F **95**
Sydney St.
LONDON
SW3 6NP
Tel: 020 73528121

ROYAL BROMPTON HOSPITAL
(ANNEXE) —5E **95**
Fulham Rd.
LONDON
SW3 6HP
Tel: 020 73528121

ROYAL LONDON HOMOEOPATHIC
HOSPITAL, THE —1A **44**
Gt. Ormond St.
LONDON
WC1N 3HR
Tel: 020 78378833

ROYAL LONDON HOSPITAL (MILE END)
—3E **33**
Bancroft Rd.
LONDON
E1 4DG
Tel: 020 73777920

ROYAL LONDON HOSPITAL
(WHITECHAPEL) —2F **49**
Whitechapel Rd.
LONDON
E1 1BB
Tel: 020 73777000

ROYAL MARSDEN HOSPITAL
(FULHAM), THE —5E **95**
Fulham Rd.
LONDON
SW3 6JJ
Tel: 020 73528171

ROYAL NATIONAL ORTHOPAEDIC
HOSPITAL (OUTPATIENTS) —5A **24**
45-51 Bolsover St.
LONDON
W1P 8AQ
Tel: 020 89542300

ROYAL NATIONAL THROAT, NOSE &
EAR HOSPITAL —2B **26**
330 Gray's Inn Rd.
LONDON
WC1X 8DA
Tel: 020 79151300

ST BARTHOLOMEW'S HOSPITAL
—2A **46**
West Smithfield,LONDON
EC1A 7BE
Tel: 020 73777000

ST CHARLES HOSPITAL —1E **35**
Exmoor St., LONDON
W10 6DZ
Tel: 020 89692488

ST JOHN'S HOSPICE —1D **21**
Hospital of St John & St Elizabeth
60 Gro. End Rd., LONDON
NW8 9NH
Tel: 020 72865126

ST JOSEPHS HOSPICE —3F **17**
Mare St.
LONDON
E8 4SA
Tel: 020 85256000

ST LUKE'S HOSPITAL FOR THE CLERGY
—5B **24**
14 Fitzroy Sq., LONDON
W1T 6AH
Tel: 020 73884954

ST MARY'S HOSPITAL —3D **39**
Praed St.
LONDON
W2 1NY
Tel: 020 77256666

ST PANCRAS HOSPITAL —4D **11**
4 St Pancras Way, LONDON
NW1 0PE
Tel: 020 75303500

ST THOMAS' HOSPITAL —1B **100**
Lambeth Pal. Rd., LONDON
SE1 7EH
Tel: 020 79289292

UNITED ELIZABETH GARRETT
ANDERSON & SOHO HOSPITALS FOR
WOMEN —3E **25**
144 Euston Rd., LONDON
NW1 2AP
Tel: 020 73872501

UNIVERSITY COLLEGE HOSPITAL
—5C **24**
Gower St., LONDON
WC1E 6AU
Tel: 020 73879300

WELLINGTON HOSPITAL, THE —2E **21**
8a Wellington Pl., LONDON
NW8 9LE
Tel: 020 75865959

WESTERN OPHTHALMIC HOSPITAL
—1B **40**
153 Marylebone Rd., LONDON
NW1 5QH
Tel: 020 78866666

# RAIL, DOCKLANDS LIGHT RAILWAY AND LONDON UNDERGROUND STATIONS

with their map square reference

**A**ldgate Station. Tube —4B **48**
Aldgate East Station. Tube —3C **48**
All Saints Station. DLR —5A **54**
Angel Station. Tube —5E **13**

**B**aker Street Station. Tube —5C **22**
Bank Station. Tube & DLR —4D **47**
Barbican Station. Rail & Tube —1B **46**
Barons Court Station. Tube —5F **91**
Battersea Park Station. Rail —5F **119**
Bayswater Station. Tube —5A **38**
Beckton Station. DLR —2D **61**
Beckton Park Station. DLR —5B **60**
Bermondsey Station. Tube —1E **105**
Bethnal Green Station. Tube —3B **32**
Bethnal Green Station. Rail —4F **31**
Blackfriars Station. Rail & Tube —5F **45**
Blackwall Station. DLR —1C **82**
Bond Street Station. Tube —4F **41**
Borough Station. Tube —5C **74**
Brondesbury Station. Rail —1B **4**
Brondesbury Park Station. Rail —3A **4**

**C**aledonian Road & Barnsbury Station. Rail —1C **12**
Cambridge Heath Station. Rail —1A **32**
Camden Road Station. Rail —2B **10**
Camden Town Station. Tube —3A **10**
Canada Water Station. Tube —1C **106**
Canary Wharf Station. Tube —3F **81**
Canary Wharf Station. DLR —2E **81**
Canning Town Station. Rail, DLR & Tube —3A **56**
Cannon Street Station. Rail & Tube —5D **47**
Chalk Farm Station. Tube —1D **9**
Chancery Lane Station. Tube —2D **45**
Charing Cross Station. Rail & Tube —2F **71** & 1F **71**
City Thameslink Station. Rail —3F **45** & 4F **45**
Covent Garden Station. Tube —4A **44**
Crossharbour Station. DLR —1A **110**
Custom House for ExCeL Station. Rail & DLR —5F **57**
Cutty Sark for Maritime Greenwich Station. DLR —3B **132**
Cyprus Station. DLR —5E **61**

**D**eptford Station. Rail —4D **131**

**E**arl's Court Station. Tube —5E **93** & 4F **93**
East India Station. DLR —5D **55**
Edgware Road Station. Tube —1F **39**
Edgware Road Station. Tube —2F **39**
Elephant & Castle Station. Rail & Tube —3B **102** & 2A **102**
Embankment Station. Tube —2A **72**
Essex Road Station. Rail —2B **14**
Euston Square Station. Tube —4C **24**
Euston Station. Rail & Tube —3D **25**

**F**arringdon Station. Rail & Tube —1F **45**
Fenchurch Street Station. Rail —5B **48**
Fulham Broadway Station. Tube —5E **115**

**G**allions Reach Station. DLR —5F **61**
Gloucester Road Station. Tube —3B **94**
Goldhawk Road Station. Tube —5B **62**
Goodge Street Station. Tube —1D **43**
Great Portland Street Station. Tube —5A **24**
Green Park Station. Tube —2A **70**
Greenwich Station. Rail & DLR —4A **132**

**H**ammersmith Station. Tube —4C **90**
Heron Quays Station. DLR —3E **81**
High Street Kensington Station. Tube —5F **65**
Holborn Station. Tube —2B **44**
Holland Park Station. Tube —3B **64**
Hyde Park Corner Station. Tube —4E **69**

**I**sland Gardens Station. DLR —5B **110**

**K**ennington Station. Tube —5F **101**
Kensington Olympia Station. Rail & Tube —2A **92**
Kilburn High Road Station. Rail —4E **5**
Kilburn Park Station. Tube —5E **5**
King's Cross St Pancras Station. Tube —2F **25**
King's Cross Station. Rail —1F **25**
King's Cross Thameslink Station. Rail —2B **26**
Knightsbridge Station. Tube —5C **68** & 5B **68**

**L**adbroke Grove Station. Tube —3A **36**
Lambeth North Station. Tube —1D **101**
Lancaster Gate Station. Tube —5D **39**
Latimer Road Station. Tube —5E **35**
Leicester Square Station. Tube —5F **43**
Limehouse Station. Rail & DLR —4F **51**
Liverpool Street Station. Rail & Tube —2F **47**
London Arena Station. DLR —1A **110**
London Bridge Station. Rail & Tube —3E **75**
London Fields Station. Rail —1F **17**

**M**aida Vale Station. Tube —2A **20**
Mansion House Station. Tube —5C **46**
Marble Arch Station. Tube —4C **40**
Marylebone Station. Rail & Tube —5B **22**
Maze Hill Station. Rail —2F **133**
Monument Station. Tube —5E **47**
Moorgate Station. Rail & Tube —2D **47**
Mornington Crescent Station. Tube —5B **10**
Mudchute Station. DLR —4A **110**

**N**ew Cross Gate Station. Rail & Tube —5F **129**
New Cross Station. Rail & Tube —5B **130**
North Greenwich Station. Rail —4F **83**
North Woolwich Station. Rail —4E **89**
Notting Hill Gate Station. Tube —2E **65**

**O**ld Street Station. Rail & Tube —4E **29**
Oval Station. Tube —3D **123**
Oxford Circus Station. Tube —3B **42**

# Rail, Docklands Light Railway and London Underground Stations

**P**addington Station. Rail & Tube —4D **39**
Piccadilly Circus Station. Tube —1D **71**
Pimlico Station. Tube —5D **99**
Poplar Station. DLR —1F **81**
Prince Regent Station. DLR —5C **58**

**Q**ueen's Park Station. Rail & Tube —1B **18**
Queensway Station. Tube —1A **66**

**R**egent's Park Station. Tube —5F **23**
Rotherhithe Station. Tube —4C **78**
Royal Albert Station. DLR —5F **59**
Royal Oak Station. Tube —2A **38**
Royal Victoria Station. DLR —5D **57**
Russell Square Station. Tube —5F **25**

**S**t James's Park Station. Tube —1D **99**
St John's Wood Station. Tube —5D **7**
St Pancras Station. Rail —2F **25**
St Paul's Station. Tube —3B **46**
Shadwell Station. DLR & Tube —5A **50**
Shepherd's Bush Station. Tube —3B **62** & 4D **63**
Shoreditch Station. Tube —5C **30**
Silvertown Station. Rail —3F **87**
Sloane Square Station. Tube —4D **97**
South Bermondsey Station. Rail —5B **106**
South Hampstead Station. Rail —2C **6**
South Kensington Station. Tube —3E **95** & 2E **95**
South Quay Station. DLR —4F **81**

Southwark Station. Tube —3F **73**
Stepney Green Station. Tube —5D **33**
Surrey Quays Station. Tube —3D **107**
Swiss Cottage Station. Tube —1D **7**

**T**emple Station. Tube —5C **44**
Tottenham Court Road Station. Tube —3E **43**
Tower Gateway Station. DLR —5B **48**
Tower Hill Station. Tube —5B **48**

**V**auxhall Station. Rail & Tube —1A **122**
Victoria Coach Station. Bus —4F **97**
Victoria Station. Rail & Tube —3A **98** & 2A **98**

**W**apping Station. Tube —3B **78**
Warren Street Station. Tube —4B **24**
Warwick Avenue Station. Tube —5B **20**
Waterloo East Station. Rail —3E **73**
Waterloo International Station. Rail —4C **72**
Waterloo Station. Rail & Tube —4D **73** & 3C **72**
Westbourne Park Station. Tube —1C **36**
West Brompton Station. Rail & Tube —1F **115**
Westferry Station. DLR —5D **53**
West India Quay Station. DLR —1E **81**
West Kensington Station. Tube —5B **92**
Westminster Station. Tube —5A **72**
Whitechapel Station. Tube —1F **49**
White City Station. Tube —1C **62**

# WEST END SHOPPING CENTRES

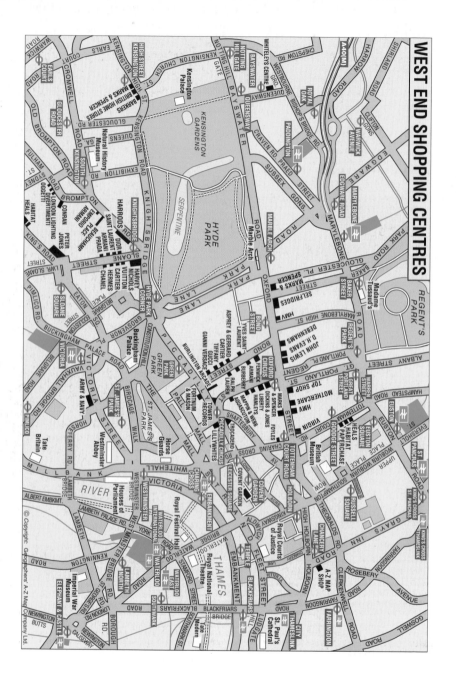